# FRANCOSCOPE
## pour AQA

**David Sprake**

**Steve Harrison**

OXFORD

# OXFORD
## UNIVERSITY PRESS

Great Clarendon Street, Oxford OX2 6DP

Oxford New York Athens Auckland Bangkok Bogotá
Buenos Aires Cape Town Chennai Dar es Salaam Delhi
Florence Hong Kong Istanbul Karachi Kolkata Kuala
Lumpur Madrid Melbourne Mexico City Mumbai
Nairobi Paris São Paulo Shanghai Singapore Taipei
Tokyo Toronto Warsaw
with associated companies in Berlin Ibadan

Oxford is a registered trade mark of Oxford University
Press in the UK and certain other countries

© Oxford University Press 2001

ISBN 0 19 912309 8

**Acknowledgements**
The authors and publishers would like to thank Colin
Humphrey (course consultant), Sara McKenna (editorial),
Dr. Jocelyne Cox (language adviser), Malcolm and Clare
Smith for their help and advice, and Stephanie White and
Hazel Rhymes for permitting re-use of materials from the
earlier edition.

The audio recordings were arranged and produced by
Marie-Thérèse Bougard at Air-Edel Studios, London.

The authors and publishers would like to thank the
following for permission to reproduce photographs: John
Brennan: p.114 (bottom left); Clare Smith: p.139; Corel:
pp.54, 57 (centre), 137 (all); Corbis: pp.34 (top), 54; 124
(right), 134 (top, left and right); Corbis/Owen Franken:
p.76; Dick Capel-Davies: pp. 13 (centre), 15 (bottom), 38
(top and right), 53, 79, 85, 97, 99, 110, 111, 114 (left
centre), 128, 138, 142, 143, 150 (top left and right); D
Bourdais: p.140; Fiona Corbridge: p.56 (bottom right); Hoa
Qui: p.124 (centre); Hutchison Library: p.125 (top right);
Hutchison Library/B Regent: p.124 (top and top right),
125 (top centre); Hutchison Library/L McIntyre: p.125 (top
left); Lifefile/Emma Lee: pp.18 (left and right), 51 (top
right); Lifefile/Cliff Threadgold: p.44 (right); Lifefile/Aubrey
J Slaughter: p.52 (top centre); Lifefile/Eddy Tan: p.52
(bottom right); Mary Glasgow Magazines: pp.35, 36
(bottom); Moviestore Collection: p.165 (left, middle, middle
right and right); Richard Garratt: pp.16, 34 (bottom left),
57 (left); Ronald Grant Archive: p.165 (middle left);
D Simson: pp.6 (left and right), 8 (bottom x 3) 9 (top left

and right), 12 (top left), 14 (left and right), 15 (top x 4),
17 (left, right and bottom right), 20 (bottom), 21, 34
(bottom right), 38 (bottom left), 46, 51 (top centre,
left and bottom right), 52 (left), 61, 71, 75 (top left and
bottom left), 114 (top left), 115, 126, 159.

Additional photos by OUP.

Front cover photograph by Tim McKenna/The Stock
Market.

The illustrations are by Martin Aston; Danièle Bourdais;
Anna Brookes; Karen Donnelly; George Hollingworth;
Bruno Le Sourd; Oxford Designers & Illustrators;
Bill Piggins; Martin Shovel; Tony Simpson; Tim Slade;
Judy Stevens; Martin Ursell; Jim Wells.

The publishers would like to thank the following for
permission to reproduce copyright material: École Sophie
Barat, Québec; Office du Tourisme de Québec; Office du
Tourisme de Saumur; RATP; Camping Tréguer Plage, Ste-
Anne-la-Palud, Bretagne; OK Magazine.

Every effort has been made to contact copyright holders of
material reproduced in this book. Any omissions will be
rectified in subsequent editions if notice is given to the
publisher.

Designed by Oxford Designers & Illustrators

Printed in Spain by Edelvives, Zaragoza.

# Introduction

Welcome to *Francoscope pour AQA*. This course has been written not only with your examination but with you in mind. The four modules take you systematically through the four topic areas of your GCSE examination, and help you develop your listening, speaking, reading and writing skills to a high level.

You'll have a chance to go over work you've already done in earlier years, but you'll also meet new tasks and activities that will challenge you to ensure you're ready for the exam.

Here's a quick guide to the symbols and headings in the book:

☊     listen to the cassette/CD with this activity

◣     work with a partner

page 000     go to this page for vocabulary or information relating to this activity

**FLASH GRAMMAIRE**     explanation and practice of an important grammar point

**GUIDE PRATIQUE**     tips on study skills and dictionary work

**PROJET**     for group work on preparing and presenting more ambitious projects, bringing together what you've learned

We hope you enjoy working through the course and wish you success in the examination.

*Bonne chance!*

# 1 A Puis-je me présenter?

## 1 🎧 Comment t'appelles-tu?

Salut!
Je m'appelle
Isabelle Roland.
Je suis française.
J'ai quinze ans.

Moi, je m'appelle
Nicolas Buisson.
J'ai un nom
français et je
parle français... mais je ne
suis pas français. Je viens
du Québec. Je suis canadien!

Bonjour.
Je m'appelle
Sophie Dupré.
J'ai seize ans
et demi. Je parle français
mais je suis belge. J'habite
Liège en Belgique.

## 2 Une lettre

Regarde cette enveloppe. Copie et complète les phrases.

1 Le code postal est...
2 Le nom de famille de la personne est...
3 Son prénom est...
4 La ville où il habite s'appelle...
5 Le nom de la rue où il habite est...
6 Le numéro de sa maison est le...

Alain Ducros
32, avenue Pasteur
76640 DRANCY
France

## 3 L'alphabet français

a 🎧 Écoute l'alphabet français et répète-le.

b ◢ Travaille avec un/une partenaire. Pose ces
questions, à tour de rôle.
1 Comment t'appelles-tu? Comment ça s'écrit?
2 Où habites-tu? Comment ça s'écrit?
3 Comment s'appelle ton école? Comment
ça s'écrit?

## 5 🎧 C'est le...

Écoute la cassette. Choisis le numéro de
téléphone correspondant à chaque personne.

1 Pierre Lefèvre      a 01 43 45 55 66
2 Anny Laroche        b 01 25 90 82 71
3 Gaëlle Plon         c 01 35 32 10 60
4 Christine Leroux    d 02 54 12 45 66
5 Thierry Dupont      e 03 46 70 09 80
6 Rafic Kabbani       f 03 92 63 27 09

## 4 Des renseignements sur moi

Copie cette fiche et remplis-la pour toi.

Nom de famille: ..............................................

Prénoms: ........................................................

Né(e) le ..................... à .........................

Nationalité: ...................................................

Adresse: ........................................................

...........................................................................

Code postal: ...................................................

Nº. de téléphone: ...........................................

Passe-temps: ..................................................

Ambitions: ......................................................

## 6 🎧 Bonjour!

Écoute la cassette. Réponds aux questions pour les deux personnes qui parlent.

Exemple: **1** *Je m'appelle Sylvie Bigaut.*

1 Comment t'appelles-tu?
2 Ça s'écrit comment?
3 Quel âge as-tu?
4 Tu es de quelle nationalité?
5 Tu as des frères et sœurs?

| Je m'appelle... | | Ça s'écrit comment? |
|---|---|---|
| Je suis | anglais(e) | J'ai... ans |
| | écossais(e) | Je suis né(e) le... à... |
| | gallois(e) | Mon adresse est... |
| | irlandais(e) | Le code postal est... |
| | britannique | Mon numéro de téléphone est le... |
| | français(e) | |

## 7 Qui parle?

**a** Trouve la personne qui correspond à chaque description.

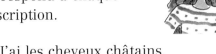

1 J'ai les cheveux châtains, bouclés et les yeux noirs.
2 Je suis chauve, j'ai une barbe et je porte des lunettes.
3 J'ai les cheveux noirs, raides et les yeux gris.
4 J'ai les cheveux gris, frisés et les yeux marron.
5 J'ai les cheveux longs, roux et les yeux verts.
6 J'ai les cheveux courts, blonds et les yeux bleus.

| Je suis | grand(e) | | mince |
|---|---|---|---|
| Il est | petit(e) | | assez gros(se) |
| Elle est | de taille moyenne | | |

| J'ai | les cheveux | châtains, | longs | et les yeux | bleus. |
|---|---|---|---|---|---|
| Il a | | roux, | courts | | marron. |
| Elle a | | blonds, | frisés | | noisette. |
| | | noirs, | raides | | gris. |

Je porte des lunettes. Je suis chauve.
Je porte des boucles d'oreille.

**b** Comment es-tu? Et ton copain/ta copine? Écris des descriptions.

## 8 ◣ Salut!

Travaille avec un/une partenaire. Inventez des dialogues comme celui-ci.

Quel est ton nom?

Arnaud.

Arnaud – ça s'écrit comment?

A-R-N-A-U-D.

Et ton prénom?

Jean-Jacques.

Quelle est ta date de naissance?

Je suis né le premier août, 19...

Où es-tu né(e)?

À Nice

Tu es de quelle nationalité?

Je suis français. Et toi...?

# Je te présente...

## 1 🎧 Voici ma famille

Je te présente mes parents...
mon frère et ma sœur.

| J'ai | un frère/deux frères. une sœur/deux sœurs. | | | |
|---|---|---|---|---|
| Mon | père frère oncle grand-père | s'appelle... | Il a... | ans. |
| Ma | mère sœur tante grand-mère | | Elle a... | |
| Mes | parents grands-parents | s'appellent... | Ils ont... | |

Dans ma famille il y a... personnes. Je n'ai pas de frère/sœur.
Je suis fils/fille unique. Mes parents sont divorcés.

page 207

## 2 🎧 Mes frères et sœurs

Écoute la cassette. Cinq
personnes parlent de leur
famille. Copie la grille et
remplis-la.

| Prénom | Frères | Âge | Sœurs | Âge |
|---|---|---|---|---|
| 1 Pascal | 1 | 8 | 2 | 10 et 5 |
| 2 Anaïs | | | | |
| 3 Didier | | | | |
| 4 Madeleine | | | | |
| 5 Jean-Jacques | | | | |

## 3 Photos de famille

a Lis les descriptions suivantes. Choisis la photo
qui correspond à chaque description.

Exemple: **1** = *a*

1 Voici une photo de ma
famille. Comme tu vois,
il y a ma mère, mon frère
et moi. Mes parents sont
divorcés.
2 Sur cette photo de ma
famille, il y a mon
père, mes deux frères,
ma mère et moi.
3 Voici une photo de ma
famille. C'est ma sœur
aînée, mon beau-père,
ma mère et moi.

b

a

c

**b** Montre des photos de ta famille (ou des photos
découpées dans des magazines) à ton/ta partenaire.
Décris les différents membres de ta famille, en donnant
leur nom, leur âge et en parlant de leur caractère.

Exemple: *Voici une photo de ma famille. On est quatre
dans la famille. Ça, c'est ma sœur aînée. Elle
s'appelle Martine et elle a dix-neuf ans. Comme
tu vois, elle a les cheveux longs et blonds. Elle
est très belle mais elle n'est pas très sympa!*

## 4  Que font tes parents dans la vie?

Écris des phrases.

Exemple:

*Mon père est
routier.*

*Ma mère est
vendeuse.*

| Mon père<br>Ma mère | est | employé(e) de banque<br>chauffeur de taxi<br>fermier/fermière | professeur<br>serveur/serveuse<br>ingénieur | au chômage<br>médecin<br>homme/femme d'affaires |
|---|---|---|---|---|
| Il<br>Elle | travaille | dans | un bureau.<br>une usine.<br>un magasin. | |
| | | à son compte.<br>pour une compagnie qui s'appelle… | | |
| Il<br>Elle | trouve le travail | frustrant<br>satisfaisant | fatigant<br>facile | ennuyeux<br>bien payé |

page 207

## 5  ♫ Les emplois

Écoute la cassette. Cinq
jeunes Français parlent du
métier de leurs parents.
Copie la grille et remplis-la.

| | | Emploi | Horaire | Opinion |
|---|---|---|---|---|
| **1** | père<br>mère | *ingénieur<br>docteur* | *8h30–5h30<br>variable* | *intéressant<br>fatigant mais<br>satisfaisant* |
| **2** | père<br>mère | | | |

## 6  ◢ Et toi?

Travaille avec un/une
partenaire. Posez-vous
ces questions.

– Combien êtes-vous dans la famille?

– Comment s'appelle ton père/ta mère?

– Comment s'appellent tes frères/soeurs?

– Quel âge a-t-il/elle? /Quel âge ont-ils/elles?

– Comment est-il/elle? Comment sont-ils/elles?

– Que fait ton père/ta mère dans la vie?

– Qu'est-ce qu'il/elle pense de son travail?

# Mes copains et copines

## 1 🎧 Personne n'est parfait!

**a** Regarde les dessins et écoute la cassette.
Relie les copains/copines à leur description.

a   b   c   d   e   f

**1** Suzanne = *b*   **2** Isabelle   **3** Karim   **4** Yannick   **5** Jean   **6** Simone

**b** 🎧 Maintenant écoute quelques renseignements sur leur caractère.
Copie la grille et remplis-la.

|  | Qualité(s) | Défauts |
|---|---|---|
| **1** Suzanne | *sympa* | *un peu snob* |
| **2** Isabelle | | |

Il/Elle est

gentil(le)
sympa
intelligent(e)
compréhensif/compréhensive
marrant(e)

timide
snob
méchant(e)
avare
bavard(e)

page 207

## 2 ◢ Ta famille

Discute avec un/une partenaire les points forts et
les points faibles de ta famille.

Exemple: *Ce que j'aime bien chez mon père, c'est qu'il est/il n'est pas…*
*Ce que j'aime moins chez mon père, c'est qu'il est/il n'est pas…*

## 3 🎧 Une rencontre

Écoute la cassette. Réponds aux questions sur Nathalie.

**1** Quel est son nom?
**2** Quel âge a-t-elle?
**3** Combien de frères a-t-elle?
**4** Et combien de sœurs?
**5** De quelle nationalité est-elle?
**6** Quelles sont ses qualités?

## 4 Un copain/une copine

Écris la description d'un copain/une copine.
Lis-la à la classe. Est-ce que tes camarades de classe
peuvent reconnaître le copain/la copine en question?

# 5 Courrier du cœur

**a** Voici trois jeunes gens qui ont des problèmes avec leurs copains/copines. Lis leurs lettres et réponds aux questions.

**1**

*Chère Madeleine,*

*Je fais partie d'un groupe de très bons copains. En général ils sont très sympa, mais souvent ils se moquent de mes vêtements. Eux, ils sont toujours habillés à la dernière mode. Mes parents n'ont pas assez d'argent pour m'acheter des vêtements chers.*

*Je suis tellement déprimé que je suis tenté d'en voler.*

*Qu'est-ce que vous me conseillez?*

*Alain*

**2**

*Chère Madeleine,*

*J'ai une copine que j'aime bien. Normalement on s'entend super bien. Le problème c'est que, chaque fois que je m'intéresse à un garçon, elle commence à flirter avec lui, et il finit par sortir avec elle. Elle m'a fait ce coup plusieurs fois! Elle est très assurée, tandis que moi, je ne suis pas très sûre de moi. Je ne veux pas rompre avec elle, mais elle me rend très malheureuse!*

*Aidez-moi!*

*Marie-Claire*

**3**

*Chère Madeleine,*

*Les copains que je fréquente sont plus âgés que moi et ont déjà quitté l'école. On sort souvent ensemble et on rentre tard le soir. Mes parents sont toujours en train de rouspéter parce que je bâcle mes devoirs scolaires et je commence à avoir de mauvaises notes.*

*Que devrais-je faire?*

*Michel*

**1 a** La famille d'Alain est riche/pauvre/avare?
  **b** Alain est heureux/content/malheureux?
  **c** À ton avis, est-ce que les copains d'Alain sont vraiment sympa? Pourquoi (pas)?

**2 a** La copine de Marie-Claire est sympa/introvertie/égoïste?
  **b** Marie-Claire est timide/agressive/heureuse?
  **c** Qu'est-ce que tu penses de Marie-Claire? Pourquoi?

**3 a** Michel est plus jeune que ses copains. Vrai ou faux?
  **b** Ces copains sont des camarades de classe. Vrai ou faux?
  **c** Michel est travailleur et consciencieux. Vrai ou faux?
  **d** Qu'est-ce que tu penses de l'attitude de ses parents? Pourquoi?

**b** Donne des conseils à ces trois jeunes gens.

Exemple: *Tu devrais* (+ infinitif) …
   *Tu ne devrais pas* (+ infinitif) …
   *Il faut (absolument)* (+ infinitif) …
   *Il ne faut (surtout) pas* (+ infinitif) …

# 1 B Les passe-temps

## 1 ∩ Tu es sportif?

– Je préfère passer mes moments de
loisir en plein air à faire du sport.
En été, je fais du VTT et en hiver, je
fais du ski. Tu es sportif, toi aussi?

– J'aime la musique. J'ai une grande
collection de cassettes et de CD. Je
fais aussi de la musique dans un
groupe. Et toi? Es-tu musicien?

– Ça ne me plaît pas beaucoup, les
sports collectifs. Je déteste le rugby
et je trouve le basket barbant!
Et toi?

## 2 ∩ Ce que j'aime faire

Écoute la cassette. Cinq Français parlent de leurs
passe-temps. Écris ce qu'ils font.

Exemple: **1** = *de la musique*

## 3 Un sondage

Copie la grille. Fais une liste de cinq passe-temps.
Pour chaque passe-temps, pose la question: «*Que
penses-tu du/de la/de l'... ?*» à dix élèves. Pour
noter les réponses rapidement, utilise les
numéros donnés ci-dessous.

Exemple: – *Que penses-tu de la lecture?*
　　　　　 – *La lecture, ce n'est pas mal.*
　　　　　　 *(Réponse '3'.)*

| J'aime | faire | du | sport. |
| Je n'aime pas | | | shopping. |
| J'adore | | | VTT. |
| Je déteste | | de la | natation. |
| | | | photographie. |
| | aller | au cinéma. | |
| | | à la piscine. | |
| | jouer | au tennis. | |
| | | aux cartes. | |
| | regarder la télé. | | |
| | écouter de la musique. | | |
| | la lecture. | | |

| C'est | formidable | super | pas mal |
| | barbant | ennuyeux | nul |

page 207

**Réponses**

**5** J'adore ça.
**4** J'aime ça.
**3** Ce n'est pas mal.
**2** Je n'aime pas tellement ça.
**1** Je ne peux pas supporter ça.

| Nom d'élève | 📖 | 🏊 | 🎾 | 🚴 | 📺 |
|---|---|---|---|---|---|
| **1** *Paul* | 3 | | | | |
| **2** | | | | | |

## 4 🎧 À mon avis...

Écoute la cassette. Copie la grille: coche (✓) les choses qu'ils
aiment et mets une croix sous (✗) les choses qu'ils n'aiment pas.

| | a | b | c | d | e | f | g | h | i | j |
|---|---|---|---|---|---|---|---|---|---|---|
| Joëlle | ✓ | ✓ | | | | | ✓ | | | ✓ |
| Jean-Claude | | | | | | | | | | |
| Myriam | | | | | | | | | | |
| Laurent | | | | | | | | | | |
| Yves | | | | | | | | | | |

## 5  Ça t'intéresse, la télévision?

a ◢ Travaille avec un/une partenaire.
Qu'est-ce qu'il/elle aime regarder à la télé?
**A** pose les questions; **B** répond.

Exemple: **A** *Comment tu trouves les feuilletons?*
        **B** *Ça m'amuse/Ça m'ennuie/Ça ne me dit rien!*

| les | feuilletons | documentaires |
|---|---|---|
| | jeux | émissions pour les jeunes |
| | actualités | émissions de sport |
| | séries policières | les dessins animés |
| la | météo | loterie nationale |

b ◢ Travaille avec un/une partenaire. Imaginez un dialogue
au sujet de ce que tu regardes à la télévision. **A** pose les
questions et **B** répond. Ensuite, changez de rôle.

**Questions possibles:**

– Tu aimes... ?

– Comment trouves-tu... ?

– Quelle est ton émission préférée?

– Qu'est-ce que tu as regardé
  hier soir?

**Réponses possibles:**

– Oui, j'aime bien ça!/J'adore ça!/
  Ça m'intéresse beaucoup!

– Ça ne m'intéresse pas!/
  Je déteste ça!/J'ai horreur de ça!

– Mon emission préférée est/
  s'appelle...

– J'ai regardé...

# Depuis quand? Tous les combien?

## 1 🎧 Parlons de nos loisirs

*Moi, j'adore faire du ski. J'en fais depuis trois ans et j'ai acheté des chaussures de ski et des skis. Malheureusement, comme ça coûte cher, je ne peux aller faire du ski qu'une fois par an.*

*Gaëlle*

*Moi, je fais de l'équitation deux fois par semaine. Je vais dans un centre équestre et j'aide les gens à s'occuper des chevaux. Je fais de l'équitation depuis six mois et j'adore ça!*

*Christian*

Lis les textes at les phrases ci-dessous. Vrai ou faux?

Exemple: **1** = *vrai*

1 Gaëlle a commencé à faire du ski il y a trois ans.
2 Elle fait du ski plus d'une fois par an.
3 Elle trouve que le ski n'est pas coûteux.
4 Christian a commencé à faire de l'équitation il y a deux ans.
5 Il fait rarement de l'équitation.
6 Il fait de l'équitation dans une ferme.

| Je joue | au tennis. |
| Je ne joue pas | aux cartes. |

| Je fais | du ski. |
| | de l'équitation. |
| | de la natation. |

| Je ne fais pas de ski/d'équitation. | |

| J'y joue | depuis deux ans. |
| J'en fais | tous les week-ends. |
| | souvent. |
| | rarement. |

page 207

## 2 🎧 Depuis quand?

Écoute la cassette. Cinq Français parlent du sport qu'ils pratiquent. Copie la grille et remplis-la.

| | | Sport | Depuis quand? | Tous les combien? | Opinion |
|---|---|---|---|---|---|
| Exemple: | 1 | tennis | 3 ans | souvent | c'est bon pour la santé |
| | 2 | | | | |
| | 3 | | | | |
| | 4 | | | | |
| | 5 | | | | |

## 3  Tu aimes les animaux…?

*un poisson*      *un oiseau*      *un cheval*      *un chien*      *un chat*

a  🎧 Écoute la cassette. Quatre personnes décrivent leurs
animaux domestiques. Copie la grille et remplis-la.

| Personne | Nombre | Animal/Animaux | Description | Depuis quand? |
|---|---|---|---|---|
| Christine | 2 | chiens | noir et blanc | 3 ans |
| Serge | | | | |
| Martine | | | | |
| Djamel | | | | |

b  Ces personnes cherchent un animal domestique. Choisis
un animal pour eux. Copie les phrases et complète-les.

1  J'habite dans une ferme à la campagne. Je voudrais un
animal pour mes enfants qui ont douze et quatorze ans. Il y
a un grand champ et une grange. J'aimerais avoir un/une…

2  Je suis à la retraite et malheureusement je n'ai pas beaucoup
d'argent. Je voudrais un petit animal pour me tenir compagnie.
Je ne supporte pas les poils des animaux comme les chiens et
les chats, car j'y suis allergique. J'aimerais avoir un/une…

3  Je voudrais un animal mais je suis handicapé, donc je ne peux pas avoir
un animal qu'il faut promener. Je dois rester au lit la plupart du temps
et je voudrais un animal près de mon lit. J'aimerais avoir un/une…

## 4  Qu'est-ce que tu en penses, toi?

Réponds à ces questions (invente un animal, si tu n'en
as pas un!). Écris des phrases complètes.

– Tu as un animal domestique chez toi? Lequel?
– Depuis quand as-tu l'animal en question?
– Comment s'appelle-t-il/elle?
– Comment est-il/elle?
– Qui s'en occupe?
– Quel est ton animal préféré?
– Y a-t-il un animal que tu n'aimes pas? Lequel?

# Mes heures de loisir

## 1 🎧 Ce que je fais le samedi

**a** Écoute la cassette. Ajoute les détails qui manquent.

Le samedi, je me lève assez tard, (**1**) _____ . Je me lave et je m'habille. En général, je retrouve Nicolas à (**2**) _____ à 11 heures moins 10. (**3**) _____ le bus jusqu'au centre-ville et nous descendons près du cinéma. Nous passons le reste de la matinée à (**4**) _____ . Nous commençons toujours par le (**5**) _____ où nous écoutons les nouveaux CD. Quelquefois, Nicolas et moi en achetons (**6**) _____ parce qu'ils sont très chers. Nous allons aussi dans d'autres magasins et (**7**) _____ lèche-vitrine. Quand on a de l'argent, après un anniversaire ou quand (**8**) _____ du baby-sitting, on achète des vêtements, par exemple un jean ou un t-shirt. (**9**) _____

on mange dans un fast-food – nous avons un McDonald's (**10**) _____ . C'est pas mal et on est vite servi. L'après-midi, (**11**) _____ nous allons au cinéma pour voir un bon film d'horreur et s'il fait beau nous allons (**12**) _____ . Je rentre chez moi à l'heure (**13**) _____ . Je passe (**14**) _____ devant la télé sauf quand je fais du baby-sitting. En général, (**15**) _____ à minuit.

Exemple: **1** = *à 9h45*

**b** Mets les images dans le bon ordre selon la cassette.

**c** Réécris l'histoire en remplaçant *je/j'* par *elle*, et *on* ou *nous* par *ils*. N'oublie pas de changer la forme du verbe, s'il le faut.

Exemple: *Le samedi, elle se lève assez tard...*

## 2 Et toi?

Copie et complète ces phrases pour toi.   pages 24–5

1 Après l'école, je/j'…
2 Après avoir fini mes devoirs, je/j'… ou je/j'…
3 Le week-end, je/j'…, je/j'… et je/j'…
4 Quand mes copains et moi sortons, d'habitude nous… ou nous…

## 3 Ça dépend …

Fais sept phrases en choisissant des éléments du tableau.

| | |
|---|---|
| S'il fait beau… | je fais une promenade. |
| S'il fait mauvais… | je vais au cinéma. |
| S'il fait chaud… | je joue au tennis. |
| S'il pleut… | je reste à la maison. |
| S'il fait froid… | je sors avec mes copains/copines. |
| Si je suis seul(e) chez moi… | je regarde la télé/une vidéo. |
| Si je n'ai pas de devoirs… | je joue sur mon ordinateur. |
| Si j'ai assez d'argent… | je vais à la piscine. |
| | je lis des magazines. |
| | je fais du shopping. |
| | je range ma chambre. |
| | je vais au parc. |
| | je vais au MacDo. |
| | j'écoute de la musique. |

page 207

Exemple: *S'il fait beau, je vais au parc.*

## 4 Je désire correspondre…

a Lis les annonces et réponds aux questions.

**a** Qui aime la musique?  **c** Qui est musicien(ne)?
**b** Qui aime sortir à la campagne?  **d** Qui est collectionneur/collectionneuse?

**1**  J'ai 17 ans et je désire correspondre avec une fille ou un garçon de 16 à 18 ans. J'aime collectionner posters, photos et autographes de vedettes de cinéma, de chanteurs de pop, etc. Réponse assurée! – Laurence Colibri, Bât. A4 Appt. 3, Résidence Marly, 69005 Lyon

**3** J'ai 16 ans et je désire correspondre avec des filles ou des garçons de mon âge. J'aime la nature, les promenades, tous les sports. Joindre photo. Répondez vite! Merci! – Catherine Renaud, 16, rue Alphonse Daudet, 63000 Clermont-Ferrand

**2**  J'ai 16 ans et je voudrais correspondre avec un garçon ou une fille du même âge. J'aime la musique pop, la danse moderne, les sorties. Joindre photo. Réponse assurée. – Jean-Pierre Bloc, 29, rue du Muguet, 44300 Nantes

**4**  J'ai 18 ans et je désire correspondre avec un garçon ou une fille de 15 à 20 ans. J'adore les boîtes, les boums, les concerts. Je joue de plusieurs instruments. Réponse assurée! – Henri Leloup, 123, boulevard de la République, 68200 Mulhouse

b Écris une annonce pour toi-même.

c Choisis un(e) de ces correspondant(e)s et écris-lui une lettre. Donne-lui des détails sur tes distractions préférées, ta personnalité, etc.

# Qu'y a-t-il dans le coin?

## 1 À chacun son goût

Quatre personnes parlent de l'endroit où ils habitent.
Relie les bulles aux bonnes images.

Exemple: **Marco** = *dessin b*

*Caroline:*

> J'habite en ville. Ça me plaît beaucoup. Il y a beaucoup de magasins dans le coin. J'ai beaucoup de copains. Il y a toujours plein de choses à faire. Pour se déplacer il y a toujours plein d'autobus!

a

*Marco:*

> Il y a trop de circulation – le bruit est épouvantable! En plus, c'est sale, la ville. J'aimerais avoir un chien mais cela n'est pas permis dans l'immeuble où j'habite.

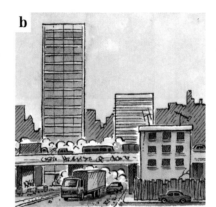
b

c

*Céline:*

> J'habite en banlieue. Ce que j'apprécie le plus, c'est que ce n'est pas trop loin du centre-ville mais c'est quand même un quartier calme avec des arbres et très peu de circulation.

*Louis:*

> J'habite à la campagne. C'est vraiment barbant! Je n'ai pas assez de copains. Il n'y a rien à faire ici. La prochaine ville est à 30 kilomètres d'ici et il y a peu d'autobus.

d

## 2 Ma ville

Quelle image correspond le plus à ta ville? Écris une description de ta ville, en utilisant les phrases et expressions du tableau.

| J'habite | une ville | dans | le | nord | du pays. |
| | en banlieue | | | sud | |
| | à la campagne | | l' | est | |
| | | | | ouest | |

| Il y a | un cinéma | | une gare | une piscine |
| Il manque | un bureau de poste | | une gare routière | une patinoire |
| | un théâtre | | une banque | |
| | un centre sportif | | | |

| Le/La/L'… | est | tout près | de | notre maison/appartement. |
| | se trouve | assez loin | | chez nous. |

| On peut aller | au théâtre/à la piscine. |

| On peut faire | du patinage/de la planche à voile. |

Il n'y a rien à faire.    Il n'y a pas grand-chose à faire pour les jeunes.

22

## 3 🎧 Mon quartier

Écoute la cassette. Cinq jeunes Français parlent de leur
quartier. Copie la grille et remplis-la.

| Nom | Endroit | Distance de sa maison | Autres détails |
|---|---|---|---|
| **1** Martin | *stade* | *5km* | *va voir des matchs de football et des compétitions d'athlétisme* |
| **2** Nathalie | | | |
| **3** Jean-François | | | |
| **4** Sophie | | | |
| **5** Corinne | | | |

## 4 ◢ Et toi?

Travaille avec un/une partenaire. **A** pose les questions;
**B** répond. Puis changez de rôle.

Où habites-tu?

Tu habites en ville, en banlieue ou à la campagne?

Qu'est-ce qu'il y a pour les jeunes?

Qu'est-ce qu'on peut faire le soir?

Quels en sont les avantages et les inconvénients?

Qu'est-ce qui manque là où tu habites?

Où aimerais-tu habiter, si tu avais le choix? Pourquoi?

## 5 Visitez…!

Prépare un dépliant sur ton village/ta ville/ta région
pour des touristes français. Tu peux exagérer tant que
tu veux! Des conseils:

• La couverture doit attirer leur attention.
• À l'intérieur, écris une description plus détaillée,
  en utilisant les titres ci-dessous.

Visitez…!

N'oubliez pas de
visiter son/sa/ses…!

*Venez voir
son/sa/ses….!*

Allez au/à la/à l'/aux…..!

*profitez de son/sa/ses…..!*

# 1 Flash grammaire 1

## Les accords des adjectifs

- Most adjectives add an -**e** in the feminine:

| masculine | | feminine |
|---|---|---|
| petit | > | petit**e** |
| grand | > | grand**e** |
| joli | > | joli**e** |

- Some adjectives follow a different pattern, however:

| gentil | > | genti**lle** |
|---|---|---|
| sportif | > | sport**ive** |
| premier | > | premi**ère** |
| heureux | > | heur**euse** |
| blanc | > | blan**che** |

**1** Other adjectives are irregular: using the vocabulary list or your dictionary, find the feminine of the following adjectives and write in the meaning.

| long | blanc | gros | faux |
|---|---|---|---|
| vieux | beau | fou | long |

- Most adjectives add an –**s** in the plural:

| masculine | | | feminine | |
|---|---|---|---|---|
| sing. | | pl. | sing. | pl. |
| petit | > | petit**s** | petite | > | petite**s** |
| gentil | > | gentil**s** | gentille | > | gentille**s** |
| blanc | > | blanc**s** | blanche | > | blanc**hes** |

- However, some masculine singular adjectives do not change in the plural:

| vieux | > | vieu**x** |
|---|---|---|
| gris | > | gri**s** |
| sérieux | > | sérieu**x** |

- Masculine singular endings -**al** and -**eau** become -**aux** in the plural:

| beau | > | be**aux** |
|---|---|---|
| nouveau | > | nouve**aux** |
| normal | > | norm**aux** |

- Some adjectives never change at all, for example:

| sympa | marron | cool |
|---|---|---|
| super | snob | noisette |

**2** Find six different adjectives to complete each of the following sentences, making the right agreements where necessary.

  **a** Mon frère est …
  **b** Ma sœur est…
  **c** Mon jardin est…
  **d** Ma maison est…
  **e** Mes copains sont…
  **f** Mes copines sont…

**3** Describe in French:

  **a** your French teacher
  **b** your favourite actor/actress
  **c** your favourite singer
  **d** your ideal boyfriend/girlfriend.

pages 168–72, 195 (6, 7)

## Le présent

- The present tense is used to explain what is happening **now**, or what **usually** happens. So **Je porte** means *I wear* or *I am wearing*. Be careful not to translate word for word!

24

- When you look a verb up in the dictionary, you will find the **infinitive** listed, which ends in *-er, -ir,* or *-re.* The pattern for regular verbs is as follows:

| **porter** to carry | **finir** to finish |
|---|---|
| je port**e** | je fin**is** |
| tu port**es** | tu fin**is** |
| il/elle/on port**e** | il/elle/on fin**it** |
| nous port**ons** | nous fin**issons** |
| vous port**ez** | vous fin**issez** |
| ils/elles port**ent** | ils/elles fin**issent** |

| **attendre** to wait |
|---|
| j'attend**s** |
| tu attend**s** |
| il/elle/on attend |
| nous attend**ons** |
| vous attend**ez** |
| ils/elles attend**ent** |

- There are many irregular verbs which must be learnt carefully as they do not follow a particular pattern. A few of the most important are **avoir, être, aller, faire, prendre, lire, écrire, vouloir, savoir, devoir, pouvoir, sortir.** You can find them in the verb tables on pages 202–6.

| **avoir** to have | |
|---|---|
| j'ai | nous avons |
| tu as | vous avez |
| il/elle/on a | ils/elles ont |

| **être** to be | |
|---|---|
| je suis | nous sommes |
| tu es | vous êtes |
| il/elle/on est | ils/elles sont |

- Reflexive verbs are recognised by the extra word before the infinitive (**se coucher** *to go to sleep*, **s'amuser** *to enjoy yourself*, etc.). An extra word has to be added throughout the verb, as follows:

| **se coucher** to go to sleep | |
|---|---|
| je me* couche | nous nous couchons |
| tu te* couches | vous vous couchez |
| il/elle/on se* couche | ils/elles se* couchent |

\* *me, te* and *se* become *m', t'* and *s'* before a vowel or an h: *je m'habille, je m'amuse*

- To form the **negative** of present tense verbs you put *ne/n'* in front of the verb, and *pas* after it:

  *je regarde la télé > je **ne** regarde **pas** la télé*
  *j'aime > je **n'**aime **pas***

**4** Look back at *Courrier du Cœur* on page 11. How many regular *-er, -ir* and *-re* verbs can you find? How many irregular verbs can you find?

**5** Copy out this paragraph, replacing the infinitive in brackets with the correct form of the present tense.

> À l'école, je [travailler] dur. Je [être] très consciencieux. J'[avoir] beaucoup de devoirs et je les [faire] dans ma chambre. Je ne [regarder] pas beaucoup la télé. Mes parents [être] très fiers de moi!
>
> Mon frère [être] paresseux et il ne [faire] pas ses devoirs. Il n'[aimer] pas l'école. Moi, je l'[adorer]. On [aller] à l'école en autobus. On [attendre] le bus au coin de la rue. L'école [commencer] à 8 heures et les cours [finir] à 5 heures. C'[être] une longue journée!
>
> Mais le week-end je [sortir] avec mes copains. Nous [faire] les magasins et nous [aller] au cinéma ensemble. Je [s'amuser] beaucoup.

pages 173–5, 196 (11–15)

# 1 Guide pratique 1

## L'usage du dictionnaire (1)

- If you need help, you can get it from your teacher …

> Monsieur, comment ça se prononce, s'il vous plaît?
>
> Ça se prononce sympathique.
>
> Que veut dire "sympathique" en anglais?
>
> Ça veut dire "nice".

> Madame, comment dit-on "wallet" en français?
>
> On dit "portefeuille".
>
> Comment ça s'écrit ?
>
> Ça s'écrit P-O-R-T-E-F-E-U-I-L-L-E.
>
> C'est masculin ou féminin, le ou la, un ou une?
>
> C'est masculin. Un portefeuille, le portefeuille.

… or your dictionary. But it is so easy to make mistakes when using a dictionary. The following notes will help you avoid the worst of these.

*pronunciation* → *feminine noun* →

**sympathie** [sɛ̃pati] nf (inclination) liking (affinité) fellow feeling; (compassion) sympathy ◊ **j'ai de la ~ pour lui** I like him ◊ **sympathique** (adj) (personne) nice, friendly; (ambiance) pleasant ◊ **je le trouve ~** I like him ◊ **sympathisant, e** nm,f sympathizer ◊ **sympathiser** 1 vi to make friends; (fréquenter) to have contact (*avec* with).

*← adjective*

*masculine or feminine noun →*

*verb →*

## 1 Looking up nouns

**a** Look at this dictionary extract and answer the questions:

**a** £ – is it masculine or feminine in French?
**b** *1lb* – is it masculine or feminine in French?
**c** *book* – is it masculine or feminine in French?
**d** How would you say in French:
  - *a litre*
  - *the book*
  - *a pound*
  - *a paperback?*

**litre** [litR(ə)] nm litre
1 **livre** [livR(ə)] nm book ◊ **~ de bord** ship's log; **~ d'or** visitors' book; **~ de poche** paperback.
2 **livre** [livR(ə)] nf (poids) = pound, half a kilo ◊ (monnaie) **~ sterling** pound sterling

> the = *le* (masculine), *la* (feminine)
> a/an = *un* (masculine), *une* (feminine)

**b** Look up the French equivalents of these English nouns
and then use them to complete the following sentences.
Check the gender of each one carefully (i.e. is it *un/une*,
*le/la*, *mon/ma*?).

| | | | | |
|---|---|---|---|---|
| **1** Dans le village il y a un/une... | *wood* | **5** Je voudrais un/une... | *stamp* |
| **2** Chez nous on a un/une... | *lawn* | **6** Je cherche le/la... | *brush* |
| **3** Tu as le/la... ? | *calendar* | **7** Où est le/la...? | *library* |
| **4** J'ai perdu mon/ma... | *comb* | **8** Il y a un/une... près d'ici? | *lake* |

## 2 Looking up adjectives

Before attempting this, reread the notes on adjectival
agreement on page 24.

When you have found the adjective you want to describe
a thing or a person, make sure you use the right form
(masculine or feminine).

Exemples:

**small** *adj* petit (masculin): Mon frère est *petit*;
      petite (féminin): Ma sœur est *petite*.

**dangerous** *adj* dangereux (masculin): Le chien est dangereux;
      dangereuse (féminin): La route est dangereuse.

Look up the French equivalents of these English
adjectives and then use them to complete the
following sentences. Make sure you use the right
gender (masculine or feminine).

| | | | | |
|---|---|---|---|---|
| **1** Il est... , ton chien. | *cute* | **5** Nous avons une voiture... | *white* |
| **2** Elle est... , ta sœur. | *jealous* | **6** L'eau est... | *cold* |
| **3** L'émission est très... | *long* | **7** Mon blouson est... | *torn* |
| **4** Le film est... | *boring* | **8** Votre école est... | *old* |

# Comme d'habitude...

## 1 Les jours d'école...

a Voici la routine quotidienne de Félicie, les jours d'école.
Relie les images aux bonnes phrases ci-dessous.

Exemple: **a** = *2*

1 Je me couche vers onze heures.
2 Je me lève vers sept heures.
3 Je regarde un peu la télé.
4 Je m'habille.
5 Je dîne avec mes parents.
6 Je fais mes devoirs.

7 Je prends le bus pour aller au collège.
8 J'arrive à l'école.
9 Je prends mon petit déjeuner.
10 Je rentre chez moi.
11 Je fais mes cours.
12 Je me lave.

b 🎧 Maintenant, écoute la cassette pour vérifier tes réponses.

## 2 🎧 Mais le week-end...

Écoute ces six jeunes Français parler de
leur routine. Chacun mentionne une
différence entre ce qu'il/elle fait les jours
d'école, et ce qu'il/elle fait le week-end.
Copie la grille et note les différences.

Exemple:

|   | Les jours d'école | Le week-end |
|---|---|---|
| 1 | *se lève à 6h30* | *se lève tard/ fait la grasse matinée* |
| 2 |  |  |

## 3 Et toi?

Qu'est-ce que tu fais en semaine? Et le week-end?
Écris des phrases.

Exemple: *Les jours d'école, je me lève à sept*
*heures mais le week-end...*
*En semaine, je me couche... tandis que*
*le week-end...*

se lever (Je me lève)
s'habiller (Je m'habille)
se baigner (Je me baigne)
se maquiller (Je me maquille)
se déshabiller (Je me déshabille)
s'appeler (Je m'appelle)
se laver (Je me lave)
se doucher (Je me douche)
se raser (Je me rase)
se dépêcher (Je me dépêche)
se peigner (Je me peigne)
se brosser les dents (Je me brosse les dents)

## 4 Une lettre

Lis la lettre et les phrases ci-dessous. Elles sont toutes
fausses: corrige-les.

### 1

Dans ta dernière lettre, tu m'as demandé quelle était ma routine journalière. Eh bien, voici comment je passe mes journées. Pendant la semaine, quand j'ai cours, je dois me lever à six heures. Le réveil sonne à 5 heures 50 et je me réveille doucement. À 6 heures je me lève et je vais dans la salle de bains prendre une douche, me raser et me laver les cheveux. Une fois que je me suis séché les cheveux, je retourne dans ma chambre où je m'habille et je me peigne.

Quand je suis prêt, je descends dans la cuisine où mes parents prennent le petit déjeuner. Je prends des céréales et je prends un café. Après avoir mangé, je remonte pour me brosser les dents. Ensuite,

### 2

J'ai juste le temps de faire mon lit avant de quitter la maison, à 7 heures 10. Je prends le bus pour le lycée et j'y arrive à 7 heures 45, mais ça dépend de la circulation. Les cours commencent à 8 heures. En général, je finis vers 5 heures.

J'arrive chez moi avant 6 heures et je fais mes devoirs pour le lendemain. Nous mangeons vers 8 heures et j'aide en faisant la vaisselle, après le repas. Les jours où j'ai cours le lendemain, je retourne dans ma chambre pour continuer mes devoirs et puis je regarde la télé jusqu'à 11 heures. Ensuite, je me couche et je lis pendant quelques minutes avant de m'endormir.

Et toi? Quelles sont tes habitudes?

Exemple: **1** = *Il ne se lève pas immédiatement. Il reste 10 minutes*
*au lit avant de se lever.*

1 Quand le réveil sonne, il se lève
immédiatement.
2 Quand il a cours, il peut faire la grasse
matinée.
3 Il s'habille avant de prendre une douche.
4 Sa chambre est au rez-de-chaussée.
5 Les jours d'école, il n'a pas de petit déjeuner.

6 Il va à l'école à pied.
7 Il prend le repas du soir à six heures.
8 Quand il a cours le lendemain, il ne fait pas
ses devoirs.
9 Il regarde la télé avant de faire ses devoirs.
10 Normalement, il passe une heure à lire
avant de s'endormir.

# Tout n'est pas rose!

## 1 Argent de poche

Lis cette lettre d'un ami français. Puis choisis **a**, **b**, ou **c** pour compléter les phrases.

1 Ce garçon est…   **a** paresseux   **b** travailleur   **c** gâté.
2 Ce garçon…   **a** a de la chance   **b** n'a pas de chance.
3 Les parents du garçon sont…
   **a** avares   **b** généreux   **c** bêtes.
4 Il reçoit des suppléments quand…
   **a** il travaille mal au collège   **b** il travaille au cinéma
   **c** il a de bonnes notes.
5 Ses parents paient…
   **a** ses vêtements   **b** son entrée à la patinoire
   **c** son entrée à la piscine.

> Tu me demandes dans ta dernière lettre si je reçois de l'argent de poche de mes parents et ce que je fais pour gagner de l'argent de poche. Eh bien, mes parents me donnent 10€ par semaine, mais je ne travaille pas pour les gagner. Ils me donnent aussi des suppléments, si j'ai de bons résultats à l'école. Et, bien entendu, j'en reçois pour mon anniversaire et à Noël. Quand je vais au cinéma, à la piscine ou à la patinoire, mes parents me paient toujours l'entrée. Je dépense mon argent de poche en CD et en vêtements.

## 2 À la maison, je dois travailler!

a Écris la bonne phrase pour chaque dessin.

Exemple: **a** = *Je dois faire la vaisselle.*

| laver la voiture | faire la vaisselle | garder mes frères et sœurs | ranger ma chambre |
| faire du jardinage | passer l'aspirateur | essuyer la vaisselle | faire le ménage |

b 🎧 Écoute la cassette. Qui fait quel travail? Combien de fois par semaine? Copie la grille et remplis-la.

Exemple:

| Nom | Activité | Nombre de fois par semaine |
| --- | --- | --- |
| **1** Paul | *fait la vaisselle* | *trois fois* |
| **2** Claire | | |
| **3** Catherine | | |
| **4** Martin | | |
| **5** Christophe | | |

## 3 Un mini-sondage

Pose la question «*Qu'est-ce que tu fais comme travail pour aider à la maison?*» à 20 de tes camarades de classe (à 10 garçons et 10 filles, si c'est possible). Note les réponses sur une feuille comme celle-ci:

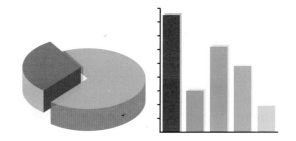

| Nom | Sexe | Travail |
|-----|------|---------|
| Adrian | m. | lave la voiture |
| Sandra | f. | rien |

Présente tes résultats sous forme de graphique et trouve les détails suivants:

- Quel pourcentage de garçons travaille?
- Quel pourcentage de filles travaille?
- Quel pourcentage de la classe travaille?

## 4 Argent en plus

**a** Trouve les paires.
Exemple: **1** = c

**a** travailler pour les parents
   (désherber le jardin, etc.)
**b** travailler chez une coiffeuse
**c** livrer les journaux
**d** faire du baby-sitting
**e** travailler comme caissier/caissière
**f** travailler comme vendeur/vendeuse

| Mes parents me donnent | ... livres par mois. |
| Je reçois | ... euros par semaine/par heure. |
| Je gagne | |

Pour gagner de l'argent (en plus), je travaille comme/dans...
Je dépense mon argent en...
Avec l'argent, j'achète.../je fais des économies.

page 208

**b** 🎧 Écoute la cassette. Qui fait quel travail – Yannick, Pascal, Vanessa, Céline, Pierre ou Émilie? Et combien gagne-t-il/elle? Copie la grille et remplis-la.

| Nom | Emploi | Salaire | Ça lui plaît? |
|-----|--------|---------|---------------|
| 1 Yannick | 5 | 7€ par semaine | oui |

**c** ◢ Travaille avec un/une partenaire. **A** est français(e); **B** est un/une invité(e) anglais(e). **A** pose les questions suivantes et **B** invente des réponses. Ensuite, changez de rôle.

**1** Que fais-tu pour gagner de l'argent?
**2** Où, quand et combien d'heures est-ce que tu travailles? Tu gagnes combien?
**3** Qu'est-ce que tu penses de ton job?

**4** Quels sonts les meilleurs aspects de ton job?
**5** Et les pires?
**6** Qu'est-ce que tu ferais si tu avais le choix?

31

# Ça, c'est la vie!

## 1 🎧 Un changement de routine

Écoute ces six Français qui parlent de ce qu'ils font
normalement, et pourquoi ils ont changé de routine
récemment. Copie la grille et remplis-la.

| Quand? | Ce qu'il/elle fait normalement | Ce qu'il/elle a fait la dernière fois | Pourquoi? |
|---|---|---|---|
| **1** le samedi matin | il va en ville il fait du shopping | il est resté au lit | il était malade |

| J'ai Je n'ai pas | acheté joué | visité décidé | travaillé vu | mangé lu | bu écrit | fait pris |
|---|---|---|---|---|---|---|
| Je suis Je ne suis pas | allé(e) parti(e) | arrivé(e) rentré(e) | resté(e) sorti(e) | | | |
| Je me suis Je ne me suis pas | levé(e) habillé(e) | couché(e) | amusé(e) | douché(e) | | |

## 2 C'est bon/mauvais pour la santé?

a Lis les phrases. Ces habitudes sont bonnes ou mauvaises
pour la santé? Copie la grille et remplis-la.

| Bon pour la santé | Mauvais pour la santé |
|---|---|
| 3, 4, … | |

1 Je mange souvent du fast-food.

2 Je ne prends pas de petit déjeuner.

3 Je prends toujours un bon petit déjeuner.

4 Je fais beaucoup d'exercice.

5 Je passe tous les soirs à regarder la télé.

6 Je ne sors pas souvent.

7 J'aime cuisiner et d'habitude je mange bio.

8 Je ne regarde que les émissions de télé qui m'intéressent.

b 📱 Explique tes habitudes à ton/ta partenaire, à tour de rôle.

Exemple: *Normalement, je ne mange pas de fast-food.*
*Je sors souvent. Et toi?*

Normalement, …/D'habitude, …/Généralement, …
Le week-end, …/En semaine, …
Le vendredi soir, …/Le samedi matin, …/Le dimanche après-midi, …

page 208

32

## 3  Voici ce que je fais le week-end

**a** Copie cet extrait d'une lettre à un(e) correspondant(e),
où tu décris ton week-end habituel. Remplis les blancs
avec des verbes de ton choix.

> *D'habitude le vendredi soir, je ___ ou je ___ . Des fois je ___ .*
>
> *Le samedi matin, je ___ . Le samedi après-midi, je ___ mais s'il pleut, je ___ .
> Le samedi soir, je sors avec mes copains/copines et nous ___ . De temps
> en temps nous ___ .*
>
> *Le dimanche matin, je ___ , puis je ___ . Je ne ___ jamais ___ . L'après-midi,
> ma famille et moi ___ . Le soir, je ___ et plus tard dans la soirée je ___ .*
>
> *C'est passionnant, hein?*

**b** Maintenant, décris ce que tu as fait le week-end dernier.
Utilise les verbes au passé composé.   page 32

## 4   Jeu!

Joue avec un/une partenaire: ce jeu vous aidera à apprendre
les verbes nécessaires pour parler de votre routine.

**Les instructions:**

1 Jouez à pile ou face pour décider s'il s'agit d'un jour
   d'école ou du week-end.
2 Faites de même pour décider qui va commencer
   (partenaire **A**).
3 **A** commence à décrire sa journée avec la phrase:
   *Je me réveille à... heures.*
4 **B** continue et ajoute une phrase, par exemple:
   *puis/après/ensuite, je me lève.*
5 **A** et **B** continuent à ajouter des phrases,
   à tour de rôle.
6 Celui/Celle qui est forcé(e) de dire
   *Je me couche...* perd le jeu!

Le matin, ...   L'après-midi, ...   Le soir, ...   D'abord, ...
puis, ...   après ça ...   après avoir fait ça, ...
Plus tard (dans la matinée/l'après-midi/la soirée), ...
Enfin, ...   Finalement, ...

**Les règles:**

- Il est interdit de répéter la même
  phrase, mais une phrase peut contenir
  le même verbe (par exemple, *Je prends
  le petit déjeuner* et *Je prends le
  déjeuner* sont acceptables).
- L'ordre des phrases doit être logique
  (par exemple, *Je m'habille* doit suivre
  *Je prends une douche*).

*Bonne chance!*

# 1 E L'éducation

## 1 🎧 Le système scolaire en France

**a** Écoute Raoul, qui parle du système scolaire en France.
Étudie en même temps le schéma ci-dessous.

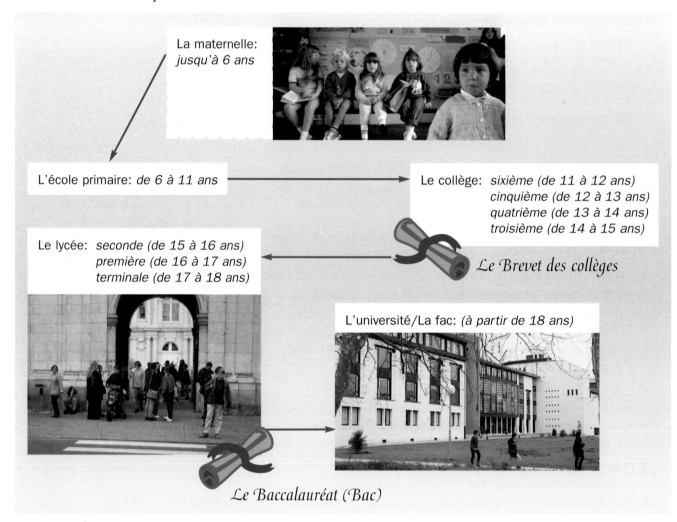

La maternelle: *jusqu'à 6 ans*

L'école primaire: *de 6 à 11 ans*

Le collège: *sixième (de 11 à 12 ans)*
*cinquième (de 12 à 13 ans)*
*quatrième (de 13 à 14 ans)*
*troisième (de 14 à 15 ans)*

*Le Brevet des collèges*

Le lycée: *seconde (de 15 à 16 ans)*
*première (de 16 à 17 ans)*
*terminale (de 17 à 18 ans)*

L'université/La fac: *(à partir de 18 ans)*

*Le Baccalauréat (Bac)*

**b** Écris des phrases pour expliquer les ressemblances et
les différences entre le système en France et dans ton pays.

Exemples: *En France, on... et c'est comme ça chez nous aussi.*
*En France on... tandis que chez nous on...*
*On commence... On finit... On passe (un examen)...*

## 2 🎧 Les avantages et les inconvénients

Écoute ces six Français qui parlent de leur collège/lycée.
Copie la grille et remplis-la.

| | Avantage(s) | Inconvénient(s) |
|---|---|---|
| 1 | *bien équipé* | *trop d'élèves* |
| 2 | | |

## 3 🎧 L'uniforme scolaire

Écoute la cassette. Éric, Marie-Claude et Louise parlent de ce qu'ils portent à l'école. Ils expliquent pourquoi et disent ce qu'ils pensent de leurs vêtements.

**a** Qui a fait les observations suivantes? Relie un nom à chaque observation.

1 C'est très pratique et je ne pense jamais à ce que je dois porter.
2 Je peux choisir chaque jour ce que je pense être le plus pratique.
3 Je trouve que c'est difficile de choisir mes vêtements chaque matin.

**b** 1 Fais une liste des vêtements portés par chacun des Français interrogés.
2 Écris un paragraphe sur ce que les Français interrogés pensent de leurs vêtements.

Exemple: *Éric porte... parce que... Marie-Claude considère que...*

| Mon collège est | vieux. moderne. énorme. assez petit. bien/mal équipé. | Il y a | deux étages. quatre bâtiments. |
| | | | un gymnase. un terrain de sports. |
| | | | une salle d'ordinateurs. |

| Il y a un club | de théâtre. d'échecs. | Je porte un uniforme scolaire. Je ne porte pas d'uniforme scolaire. |

| Il faut porter | un blazer une jupe | un sweat un pantalon | un pull une chemise | un chemisier une cravate |

À mon avis, l'uniforme scolaire est pratique/nul/démodé.

page 208

## 4 ◣ Dis-moi!

Travaille avec un/une partenaire. **A** joue le rôle d'un/une Français(e) qui pose les questions à **B**. Ensuite, changez de rôle.

Comment s'appelle ton collège?

Comment viens-tu au collège?

C'est un collège mixte?

Combien d'élèves y a-t-il?

Faut-il porter un uniforme?

Comment est-il? Qu'est-ce que tu en penses?

Comment sont les bâtiments et les salles de classe?

Il est bien équipé, ton collège?

Qu'est-ce qu'il y a comme clubs?

Où est-ce que tu prends le déjeuner?

Quels sont les avantages et inconvénients de ton collège?

# Mon collège

| | lundi | mardi | mercredi | jeudi | vendredi | samedi |
|---|---|---|---|---|---|---|
| 8h–9h | | | | | | |
| 9h–10h | | | | | | |
| 10h–11h | | | | | | |
| 11h–12h | | | | | | |
| 12h–13h | | PAUSE DÉJEUNER | | | | |
| 13h–14h | | | | | | |
| 14h–15h | | | | | | |
| 15h–16h | | | | | | |
| 16h–17h | | | | | | |
| 17h–18h | | | | | | |

## 1 🎧 Mon emploi du temps

**a** Écoute la cassette. Pierre parle de son emploi du temps.
Copie l'emploi du temps ci-dessus et remplis-le.

**b** Compare ton emploi du temps avec celui de Pierre.

Exemple: *Il a plus/moins de/d'… que moi.*
*La journée scolaire est plus… que chez nous.*
*Il ne fait pas de/d'… Je ne fais pas de/d'…*
*On fait du/de la/de l'/des…. ici, mais on ne fait pas ça en France.*

| J'apprends | le français.<br>l'histoire-géo.<br>la chimie. | Je fais | de | la gym.<br>l'EMT.<br>l'EPS. | |
|---|---|---|---|---|---|
| J'aime…<br>J'adore…<br>Je suis fort(e) en… | Je n'aime pas…<br>Je déteste…<br>Je suis nul(le) en… | Je trouve ça | | intéressant<br>facile<br>génial | difficile<br>ennuyeux<br>compliqué |

page 208

## 2 🎧 Quelle est ta matière préférée?

Écoute ces cinq jeunes Français qui parlent de leurs
matières préférées et de celles qu'ils aiment moins.
Copie la grille et remplis-la.

Exemple:

| | Matière | 🖤 | 🖤✗ | Raison |
|---|---|:---:|:---:|---|
| 1 | *économie* | ✓ | | *c'est facile* |
| | *physique* | | ✓ | *c'est pas mon point fort* |
| 2 | | | | |
| 3 | | | | |
| 4 | | | | |
| 5 | | | | |

## 3 Et tes amis?

Quelles matières préfèrent tes amis? Fais un sondage
dans ta classe pour savoir quelles sont les matières
préférées de tes camarades et pourquoi.
Ensuite, présente les résultats dans un graphique.

*Tu fais de bons progrès
en (français, etc.)?*

*Je suis fort(e)/assez
faible/nul(le) en...*

## 4 Bulletin scolaire

Imagine que tu es un(e) élève français(e).

**a** Copie le bulletin à droite sur une feuille, en
ajoutant toutes les matières que tu étudies.

**b** Imagine ta note sur 20 pour chaque matière,
et l'appréciation du/de la prof. (Tu peux
choisir parmi les remarques proposées
ci-dessous, ou les inventer.)

Collège Bellevue

ÉLÈVE _____

CLASSE _____

| Discipline | Note sur 20 | Appreciation |
|---|---|---|
| EMT | 14 | Très bon effort! |

| | | |
|---|---|---|
| *Très bon effort* | *Élève paresseux/paresseuse* | *Excellent travail* |
| *Manque d'effort* | *Élève moyen(ne)* | *Élève sérieux/sérieuse* |
| *Bon(ne) élève* | *Travail insuffisant* | *Fait d'excellents progrès* |
| *Élève doué(e)* | *Élève peu doué(e)* | *Pas brillant* |

# Et ensuite?

## 1 Ce que j'en pense...

Trois élèves ont des idées différentes sur l'école. Lis leurs lettres et réponds aux questions.

*Paul*

Je m'appelle Paul. J'ai quinze ans, donc je suis au collège. J'en ai vraiment ras-le-bol car c'est tellement ennuyeux! J'ai l'intention de quitter l'école l'année prochaine et je compte trouver un emploi. Je vais vite gagner assez d'argent pour me payer une moto, puis plus tard une voiture. Mes parents disent que je devrais continuer mes études, mais je n'ai vraiment pas envie. Je préférerais gagner ma vie plutôt que de passer encore des années à être traité comme un enfant!

Je m'appelle Sandrine. J'ai quinze ans et demi et je suis collégienne. Je n'aime pas particulièrement l'école mais je préférerais poursuivre mes études le plus longtemps possible. J'aimerais être pharmacienne ou peut-être même docteur. Malheureusement, ça ne va pas être possible parce que mes parents ont un magasin et ils veulent que je quitte l'école cette année pour y travailler. Je suis très déçue, surtout puisque mon frère aîné a eu son bac et lui il est allé à l'université. Ce n'est pas juste!

Je m'appelle Aristide. Je suis lycéen. J'ai seize ans et je vais faire mon bac dans deux ans. Je m'intéresse beaucoup à mes études, surtout à l'informatique. C'est ma matière préférée et mon point fort. Mon point faible, c'est la chimie! Je trouve ça extrêmement difficile et je fais des leçons particulières pour avoir de bonnes notes. Je compte travailler dur car j'ai l'intention d'aller à la fac. Je vais probablement y étudier l'informatique, et j'espère aussi travailler dans l'informatique.

*Sandrine*

*Aristide*

**Paul:**

1 Paul va aller à l'université. Vrai ou faux?
2 Ses parents s'intéressent à son éducation. Vrai ou faux?
3 Tu es d'accord ou pas d'accord avec l'attitude de Paul? Pourquoi (pas)?

**Sandrine:**

1 Sandrine n'a pas d'ambition. Vrai ou faux?
2 Elle ne va pas aller au lycée. Vrai ou faux?
3 Qu'est-ce que tu penses de l'attitude de ses parents?

**Aristide:**

1 Aristide est travailleur? sérieux? paresseux? consciencieux? négligent? Réponds *oui* ou *non* à chaque adjectif.
2 Est-ce que tu partages l'attitude d'Aristide envers les études? Pourquoi (pas)?

## 2 ○ Quant à l'avenir

Écoute ces cinq personnes qui parlent de leur vie scolaire.
Réponds aux questions suivantes.

Exemple: **1a** *Elle déteste les profs. Elle en a marre.*

**1 a** Qu'est-ce qu'Émilie pense du collège?
   **b** Quel métier veut-elle avoir?
**2 a** Quel stage est-ce que Marc doit faire pour son emploi?
   **b** Quels sont les avantages de ce système?
**3 a** Où est-ce que Pierre veut chercher un emploi?
   **b** Comment est-ce qu'il voudrait mener sa vie?
**4 a** Qu'est-ce que Laurence doit faire pour sa carrière?
   **b** Quels sont ses projets pour l'avenir?
**5 a** Si Adrien ne réussit pas à trouver un emploi dans
      les finances, qu'est-ce qu'il peut faire?
   **b** Pourquoi pense-t-il avoir de la chance?

| L'année prochaine,<br>Dans deux ans,<br>À 16/17/18 ans, | si | tout va bien,<br>mes parents sont d'accord,<br>je réussis à mes examens, | j'ai l'intention de<br>j'aimerais<br>j'espère | + *infinitif* |
|---|---|---|---|---|
| poursuivre mes études<br>quitter l'école<br>trouver un emploi<br>faire un apprentissage | | passer l'examen du GCSE en (huit) matières<br>passer l'examen de 'AS'/'A' Level' en (quatre) matières<br>passer en première et en terminale<br>aller à l'université | | |

## 3 ○ Mon avenir

Écoute ces quatre jeunes qui parlent de leur vie.
Copie cette fiche et prends des notes. (Quand la
réponse n'est pas mentionnée, mets un 'x'. Quand
la réponse n'est pas certaine, mets un '?'.)

|  | 1 | 2 | 3 | 4 |
|---|---|---|---|---|
| Des études? | *bac* | | | |
| Où? | *x* | | | |
| Emploi? | *ferme* | | | |
| Mariage? | *oui* | | | |
| Enfants? | *3 ou 4* | | | |

Exemple: (applies to column 1)

## 4 Quant à moi...

Comment vois-tu ton avenir jusqu'a l'âge de 18 ans?
Écris un extrait d'une lettre à un/une correspondant(e).
Utilise les phrases dans le tableau ci-dessus.

# 1 Flash grammaire 2

## Le futur

- There are a number of verbs you can use to talk about the future. Here are a few of them:

> **aller** to be going to: *je vais, tu vas,* etc.
> **espérer** to hope to: *j'espère, tu espères,* etc.
> **compter** to plan to: *je compte, tu comptes,* etc.
> **avoir l'intention de/d'** to intend to:
> *j'ai l'intention de/d', tu as l'intention de/d',* etc.

- They can, of course, be used in the negative:
  *Je **ne** vais **pas*** = I'm not going to;
  *Je **ne** compte **pas*** = I'm not planning to.

- The most useful thing about these verbs is that they are followed by an infinitive (that is, the part of the verb ending in *-er, -ir, -re*), so they are very easy to use:
  *Je vais regarder la télé* =
  I'm going to watch television.

- Don't forget the extra pronoun when using the infinitive of a reflexive verb:
  *Je vais **me** lever, tu vas **te** lever,* etc.

**1 a** Reread the letters of Paul, Sandrine and Aristide in *Ce que j'en pense...* on page 38. Make a list of all of the sentences they use to say what they are going/intend/plan/are hoping to do. For example:
*J'ai l'intention de quitter l'école l'année prochaine.*

**b** Rewrite these sentences using a different verb from the vocabulary box above. For example: ***J'ai l'intention de** quitter l'école* > ***J'espère** quitter l'école.*

**2** Say you are going to/intend to, etc. do the following things this coming weekend. (To help you with the infinitives, use the vocabulary lists on pages 213–22.)
Exemple: **a** = *Ce week-end je vais/compte faire du shopping.*

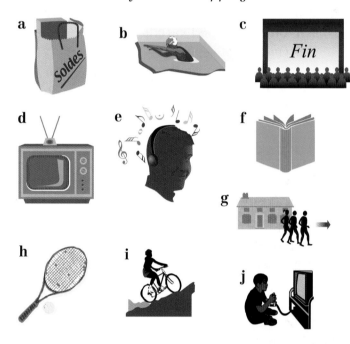

**3** Ask your friend whether he/she is going to be doing the same things:
*Tu vas/comptes faire du shopping?*

**4** What are you going to do during your leisure time next week? Write about your plans for each day of the week.
Exemple: *Lundi, je vais jouer au football avec les copains. Mardi, je compte aller au cinéma,* etc.

**5** What are you going to do during the next school holidays? Write a summary of your plans.
Exemple: *Je vais peut-être...*
*J'espère également...*

**6** Write a paragraph about your hopes and plans for the future. Say when you intend to finish studying, the type of house you intend to have, where you plan to live, the job you hope to have, etc.

page 180

## D'autres verbes suivis de l'infinitif

- There are other verbs which can be followed by an infinitive, some of which are extremely useful. For example:

  *aimer* + inf. = to like to…
  *adorer* + inf. = to love to…
  *détester* + inf. = to hate (-ing)
  *préférer* + inf. = to prefer to…/prefer (-ing)

**7** What do the following mean? Write out the French and the English translations.

1 J'aime regarder la télé.
2 Je n'aime pas faire mes devoirs.
3 J'adore nager.
4 Je déteste aller à l'école.
5 Je préfère aller au cinéma.

- Another group of (unfortunately!) irregular verbs are also followed by an infinitive, and are useful in many different situations.

| ***vouloir*** to want to | ***pouvoir*** can/to be able to |
|---|---|
| *je veux* | *je peux* |
| *tu veux* | *tu peux* |
| *il/elle/on veut* | *il/elle/on peut* |
| *nous voulons* | *nous pouvons* |
| *vous voulez* | *vous pouvez* |
| *ils/elles veulent* | *ils/elles peuvent* |

| ***devoir*** must/to have to | ***savoir*** to know how to |
|---|---|
| *je dois* | *je sais* |
| *tu dois* | *tu sais* |
| *il/elle/on doit* | *il/elle/on sait* |
| *nous devons* | *nous savons* |
| *vous devez* | *vous savez* |
| *ils/elles doivent* | *ils/elles savent* |

**8** What do the following mean? Write out the French and the English translations.

1 Il ne veut pas aller au cinéma.
2 Nous devons partir.
3 Il ne sait pas nager.
4 Vous pouvez venir avec nous.
5 On ne peut pas entrer avant dix heures.

**9** Choose suitable verbs from the lists on the left to fill in the gaps in the bubbles, then write the English translation alongside the French. Sometimes more than one verb will be suitable, but remember to use the correct form.

Est-ce que tu ____ venir au cinéma avec moi ce soir?

Je suis désolé, mais je ne ____ pas, car je ____ sortir avec mes parents. Et de toute façon je n'____ pas aller au cinéma. Je ____ aller en boîte!

**10** Write a paragraph about what you can and cannot do at home, and say why/why not. Say also what household chores you have to do and whether you like doing them or not.

Exemple:
*Je peux sortir en boîte le week-end mais je ne peux pas sortir en semaine parce que je dois me lever tôt le lendemain. Je dois faire la vaisselle tous les soirs mais je déteste ça!*

page 183

# 2 A On prend le train, on prend le bus

## 1 🎧 Au guichet

Écoute ce dialogue à la gare. Choisis les bonnes réponses:

**1** La femme veut...
   **a** un aller simple     **b** un aller-retour     **c** un billet de groupe.

**2** Ça coûte...
   **a** 15€14         **b** 15€40         **c** 15€80.

**3** Son train va partir à...
   **a** 3h20
   **b** 13h20
   **c** 15h20.

**4** Le train part...
   **a** du quai 1
   **b** du quai 2
   **c** du quai 3.

**5** La femme...
   **a** doit changer une fois
   **b** doit changer deux fois
   **c** ne doit pas changer.

| C'est bien le | train bus | pour (*+ville*)? | | |
|---|---|---|---|---|
| Le | train bus | de... arrive pour... part | à quelle heure, s'il vous plaît? | Il s'arrête à...? Il faut changer? C'est direct? |
| Il | arrive sur quelle voie/à quel quai? part de quelle voie/de quel quai? | | | |
| Un | aller simple aller-retour | pour... | s'il vous plaît, | première classe. deuxième classe. |
| Ça coûte combien? Il y a une réduction pour familles/groupes/étudiants? | | | | Plein tarif? Tarif réduit? |

## 2 🔊 Qu'est-ce qu'ils disent?

Travaille avec un/une partenaire. Essayez de déchiffrer ces trois dialogues (vous trouverez toutes les expressions dans le tableau ci-dessus). **A** est touriste, **B** est employé(e) de la SNCF.

Exemple: **1 A** *Je voudrais un aller simple pour Paris,*
           *s'il vous plaît, deuxième classe.*
      **B** *Voilà, monsieur/madame/mademoiselle.*
           *Ça fait 10€50.*
      **A** *Le train arrive à Paris à quelle heure?*
      **B** *À 10h15.*

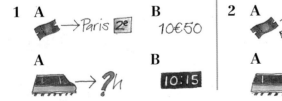
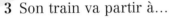

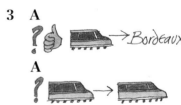

# 3 ⌒ À la gare routière

Regarde les images ci-dessous. Écoute les six
personnes qui parlent. Ils prennent le bon bus?
Écris *oui* ou *non*.

**1** parc?   **2** centre-ville?   **3** gare?   **4** Hôtel de
Ville?   **5** place du
marché?   **6** piscine
municipale?

# 4 ◢ C'est quelle ligne?

Travaille avec un/une partenaire.
**A** doit prendre un bus et **B** (employé(e))
de la gare routière) donne des
renseignements. Inventez des
dialogues basés sur les informations
du tableau à droite.

| Ligne | P et T 3 | SNCF 6 | Saint-Cyr 20 | MJC 9 |
|---|---|---|---|---|
| Tarif | 1€ | 1€50 | 2€ | 2€50 |
| Heures de départ | 9h15 | 8h55 | 9h00 | 8h45 |
|  | 9h30 | 9h25 | 9h10 | 9h45 |
|  | 9h45 | 9h55 | 9h20 | 10h45 |
|  | 10h00 | 10h25 | 9h30 | 11h45 |

Exemple:  (l'heure de votre conversation.)

**A** *Je voudrais aller à Saint-Cyr. C'est quelle ligne, s'il vous plaît?*   **B** *C'est la ligne numéro vingt.*
**A** *Il y a un bus tous les combien?*   **B** *Toutes les 10 minutes*
**A** *Le prochain bus part d'ici à quelle heure?*   **B** *À neuf heures.*
**A** *Vous savez combien ça coûte?*   **B** *Deux euros.*

# 5 ◢ Un aller-retour pour...

Travaille avec un/une partenaire. Regardez
le tarif et achetez les billets suivants.

Exemple: **A** *Je voudrais un aller-retour pour...
pour un adulte.*

**B** *Voilà. Ça fait... euros.*

| TARIF | | |
|---|---|---|
| DESTINATION | ADULTE | ENFANT |
| Bron | AS 3€70 | 1€85 |
|  | AR 6€90 | 3€45 |
| Villeurbanne | AS 1€25 | 0€50 |
|  | AR 2€40 | 1€00 |
| Francheville | AS 4€10 | 1€95 |
|  | AR 7€00 | 3€30 |
| AS = aller simple   AR = aller-retour | | |

**1**

COMITÉ URBAIN DE
TRANSPORTS EN COMMUN

**FRANCHEVILLE**

*CGTE*
**ALLER-RETOUR**
**ADULTE: 1   ENFANT: 0**

**2**

COMITÉ URBAIN DE
TRANSPORTS EN COMMUN

**BRON**

*CGTE*
**ALLER-RETOUR**
**ADULTE: 1   ENFANT: 2**

**3**

COMITÉ URBAIN DE
TRANSPORTS EN COMMUN

**VILLEURBANNE**

*CGTE*
**ALLER SIMPLE**
**ADULTE: 1   ENFANT: 1**

# En route!

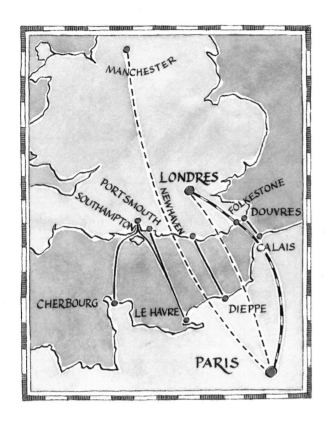

On peut traverser la Manche en bateau...

en avion...

par le Shuttle...

ou en catamaran.

## 1 En voyage

1 Quel est le moyen de transport le plus rapide?
2 Le plus confortable? Et le moins cher?
3 Lequel est le plus pratique pour les hommes/ femmes d'affaires?
4 Pour les groupes scolaires? Et pour les personnes âgées?
5 Dans quels pays étrangers es-tu déjà allé(e)?

6 Quand?
7 Comment as-tu voyagé?
8 Combien de temps a duré le voyage?

| J'ai pris | le | bateau | parce que c'est | plus | rapide. |
| Je prends | | ferry | | | direct. |
| Je vais prendre | | Shuttle | | | confortable. |
| | | | | | pratique. |
| Je suis allé(e) | en | Eurostar | | moins cher. |
| J'y vais | | train | | | |
| Je vais y aller | | catamaran | | | |

page 208

## 2 🎧 Moi, j'y vais en...

Écoute ces cinq personnes. Copie la grille et remplis-la.

| Le métier de la personne? | Il/Elle voyage comment? | Pourquoi? | Comment n'aime-t-il/ elle pas voyager? | Pourquoi? |
|---|---|---|---|---|
| 1 étudiante | en ferry | c'est pas cher | en avion | c'est cher/elle a peur |

## 3  ◢ Quelle route?

Travaille avec un/une partenaire. Choisis
deux villes sur la carte et explique l'itinéraire.
Changez de rôle.

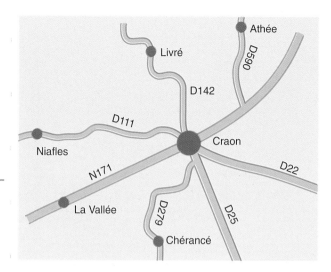

| Prenez<br>Il faut prendre<br>Prenez | cette route<br>l'autoroute<br>la N 25/la D111 | jusqu'à… |
|---|---|---|

| À…, tournez | à gauche.<br>à droite. | Continuez tout droit jusqu'à… |
|---|---|---|

## 4  Hier… demain…

**a**  Parle d'une visite que tu as faite
récemment (Quand? Avec qui? Pourquoi?
Comment?).

Exemple:

> Le week-end dernier, je suis allé(e) en
> ville avec une copine faire du shopping.
> J'y suis allé(e) en autobus.

**b**  Parle d'une visite que tu as l'intention
de faire (Quand? Avec qui? Pourquoi?
Comment?).

Exemple:

> Lundi prochain, je vais aller à Londres
> avec mes parents visiter les
> monuments. Je vais y aller en train.

## 5  ᘒ Où vont-ils?

Écoute ces deux dialogues et complète les phrases.

**À la gare routière**
1 La femme veut aller au…
2 Elle doit prendre la ligne…
3 Elle doit descendre rue…
4 C'est le… arrêt.

**Taxi!**
1 L'homme veut aller à…
2 Comme bagages il a… et…
3 Son avion part dans…
4 Dans le taxi il va faire les… kilomètres en… minutes.
5 Heureusement, il n'y a pas de…

## 6  Pour se déplacer

**a**  Voici des remarques concernant
certains moyens de transport.
Trouve un moyen de transport
qui correspond à chaque
remarque (il y a souvent plus
d'une possibilité).

1  Aux heures d'affluence, c'est affreux!

2  On peut aller directement
à sa destination!

3  C'est souvent bondé.

4  C'est agréable, s'il fait beau!

5  Ce n'est pas pratique
si on a des bagages.

6  Ça s'arrête tout le temps!

**b**  ◢ Imaginez un dialogue: utilisez au moins trois des
expressions ci-dessus.

# Pouvez-vous m'aider?

## 1 🎧 En ville

Regarde le plan du centre-ville
de Camaret-sur-Mer en
Bretagne et écoute ces cinq
personnes. Où vont-elles?
Note les destinations.

Exemple: **a** = *10 (le cinéma
Astoria)*

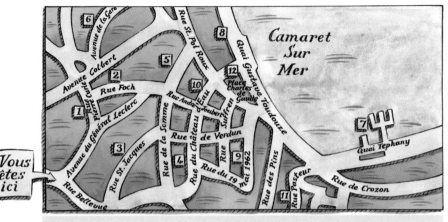

### Légende

| | |
|---|---|
| 1  Le centre omnisport | 7  Le port de plaisance |
| 2  La piscine municipale | 8  La Banque Nationale de Paris |
| 3  La poste | 9  L'Hôtel Lagrange |
| 4  La mairie | 10  Le cinéma Astoria |
| 5  La gare routière | 11  L'Hôpital Ste Anne |
| 6  La gare SNCF | 12  Le Syndicat d'Initiative |

| Pardon | monsieur,<br>madame,<br>mademoiselle, | où est le cinéma,<br>pour aller à la poste,<br>je cherche l'office de tourisme, | s'il vous plaît(?) |
|---|---|---|---|

| Allez<br>Continuez | tout droit | jusqu'à la rue…<br>jusqu'au carrefour. |
|---|---|---|

| Prenez la | première<br>deuxième | rue | à gauche.<br>à droite. |
|---|---|---|---|

Descendez la rue…   Traversez le pont/la place…

| C'est | droit devant vous.<br>sur votre gauche.<br>sur votre droite. |
|---|---|

page 208

## 2 ◢ Pardon, madame/monsieur…

Travaille avec un/une partenaire. Regardez le plan de la ville.
**A** cherche les endroits illustrés à droite. Il/Elle demande
la bonne route à **B**.

Exemple:  **A** *Pardon, madame/monsieur, pour aller à l'Hôtel
Lagrange, s'il vous plaît?*
**B** *Suivez la rue Bellevue jusqu'à la rue du
Château d'Eau et prenez cette rue.
Après, tournez à droite dans la rue
du 19 mai 1962. Descendez cette
rue et tournez à gauche. Et voilà,
c'est sur votre gauche.*

## 3 🎧 Au Syndicat d'Initiative

Regarde les photos à droite et écoute la cassette. Indique quelle photo correspond à quel passage.

Exemple: **1** = *c*

a

b

c

d

e

## 4 🎧 À votre service!

Écoute ces trois personnes dans un Syndicat d'Initiative. Pour chaque personne note:

- ce qu'il/elle veut
- combien ça coûte.

Exemple: **1** = *un horaire des trains/gratuit*

## 5 ◢ Je peux vous aider?

Travaille avec un/une partenaire. Inventez des dialogues: utilisez les expressions du tableau ci-dessous. **A** est employé(e) du Syndicat d'Initiative, **B** est touriste.

Exemple: **A** *Bonjour, monsieur/madame. Je peux vous aider?*

**B** *Pouvez-vous me donner une liste des restaurants, s'il vous plaît?*

**A** *Oui, bien sûr.*

**B** *C'est combien?*

**A** *C'est gratuit/c'est 2€50, monsieur/madame.*

| Je voudrais Je cherche | un plan de la ville. | |
|---|---|---|
| | une liste | de restaurants/campings. d'hôtels. |
| | un horaire des bus/trains. des renseignements sur les concerts/musées. | |
| Combien ça coûte? | C'est... euros/C'est gratuit. | |

page 208

# 2 B Vive les vacances!

## 1 🎧 Formules de vacances

a Écoute et identifie les personnes qui parlent.

Exemple: **1** = *b*

**a**

**b**

**c**

**d**

b Lequel de ces quatre séjours préférerais-tu? Pourquoi?
Lequel aimerais-tu le moins? Pourquoi?
Avec qui passes-tu les vacances d'habitude?
Pourquoi le caravaning est-il si populaire?
Quelles autres formules de vacances existe-t-il?

## 2 🎧 Qu'est-ce qu'ils en pensent?

Écoute ces six personnes. Copie la grille et remplis-la.

| Type de séjour | Aime (✓)/N'aime pas (✗) | Pourquoi (pas)? |
|---|---|---|
| **1** *vacances à la montagne* | ✓ | *adore faire des promenades* |

## 3 Et toi? Où passes-tu tes vacances d'habitude?

Parle de tes vacances. Utilise les expressions suivantes.

| D'habitude, Normalement, | je passe nous passons | huit jours 15 jours trois semaines un mois | dans un gîte dans un hôtel dans une AJ en camping dans une caravane dans une pension | au bord de la mer. à la montagne. à la campagne. au pays de Galles. en France. |
|---|---|---|---|---|
| | Je ne pars pas. | | | |

pages 208–9

Exemple: *Je passe 15 jours en camping à la campagne.*

Imagine ce que dirait: **1** un père de famille qui n'a pas beaucoup d'argent.
**2** une mère de famille qui n'a pas de problèmes d'argent.
**3** un jeune couple qui est très riche.
**4** un couple marié (ils sont tous les deux profs – donc pauvres!).
**5** un(e) étudiant(e).

## 4 On s'informe…

Tu vas passer un séjour avec ta famille dans une ville française. Écris une lettre au Syndicat d'Initiative. Pose les questions qui correspondent aux préférences des membres de ta famille ci-dessous.

| On peut Est-ce qu'il est possible de | | faire | de l'équitation? de la pêche? de la planche à voile? des randonnées? |
|---|---|---|---|
| Il y a | de bons restaurants une piscine | | dans le coin? près de la ville? |

pages 208–9

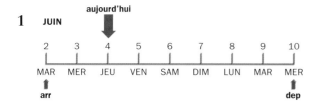

**1** I'd like to learn to windsurf.

**3** I like lots of restaurants!

**5** I just want to go for walks.

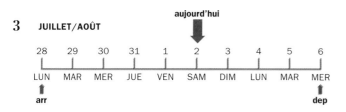

**2** I want to go horse-riding.

**4** I wonder if there's a swimming pool?

**6** I hope you can go fishing there.

Exemple: *Madame, Monsieur,*
*Je vous écris pour vous demander des renseignements sur*
*votre ville. Est-ce qu'il est possible de faire…?*

## 5 ◢ Dis-moi!

Un/Une Français(e) interviewe quatre Britanniques sur leur séjour en France. Ces schémas représentent les séjours en question. Prépare une série d'interviews avec un/une partenaire.

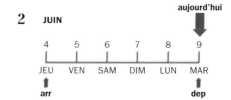

**1** JUIN

| 2 | 3 | aujourd'hui 4 | 5 | 6 | 7 | 8 | 9 | 10 |
|---|---|---|---|---|---|---|---|---|
| MAR | MER | JEU | VEN | SAM | DIM | LUN | MAR | MER |
| ↑ arr | | | | | | | | ↑ dep |

**2** JUIN

| 4 | 5 | 6 | 7 | 8 | aujourd'hui 9 |
|---|---|---|---|---|---|
| JEU | VEN | SAM | DIM | LUN | MAR |
| ↑ arr | | | | | ↑ dep |

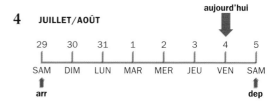

**3** JUILLET/AOÛT

| 28 | 29 | 30 | 31 | 1 | aujourd'hui 2 | 3 | 4 | 5 | 6 |
|---|---|---|---|---|---|---|---|---|---|
| LUN | MAR | MER | JUE | VEN | SAM | DIM | LUN | MAR | MER |
| ↑ arr | | | | | | | | | ↑ dep |

**4** JUILLET/AOÛT

| 29 | 30 | 31 | 1 | 2 | 3 | aujourd'hui 4 | 5 |
|---|---|---|---|---|---|---|---|
| SAM | DIM | LUN | MAR | MER | JEU | VEN | SAM |
| ↑ arr | | | | | | | ↑ dep |

Exemple **1** = A *Depuis quand es-tu en France?*
**B** *Je suis ici depuis deux jours.*
**A** *Tu restes encore combien de temps?*
**B** *Je reste encore six jours. Je pars mercredi.*
**A** *Qu'est-ce que tu as fait depuis que tu es là?*
**B** *J'ai visité beaucoup de monuments, j'ai…*

# Sorties, excursions, visites

## 1 Excursions en autocar

Lis les détails de ces cinq excursions.

a Quelle(s) visite(s) recommanderais-tu
pour…

**1** … des personnes âgées?
**2** … des jeunes gens sportifs?
**3** … quelqu'un qui aime l'histoire?
**4** … quelqu'un qui aime les animaux?
**5** … quelqu'un qui aime se promener?

Explique ton choix de visites pour ces
différentes personnes.

Exemple: *Je recommanderais la
Croisière sur l'Yonne pour
des personnes âgées
parce qu'elles pourraient
se relaxer et regarder
le beau paysage.*

**EXCURSIONS RATP**

| | |
|---|---|
| **112** | **Arromanches – 6 juin 1944:** «D Day»: Les plages du Débarquement: visite guidée du Musée du Débarquement présentant un ensemble de maquettes, de photographies, de dioramas, d'armes et d'équipements de soldats alliés. Film projeté en fin de visite. Le port artificiel. Omaha-Beach: le cimetière américain de Normandie et les monuments commémoratifs situés au sommet d'une falaise dominant la plage qui fut le théâtre de la plus grande opération amphibie de débarquement de troupes de l'histoire. |
| **118** | **Croisière sur l'Yonne:** Au départ d'Auxerre, embarquement sur le bateau-mouche qui au fil de l'Yonne et au pied du vignoble de l'Auxerrois fait découvrir quelques-uns des plus beaux paysages de Bourgogne. Déjeuner à bord inclus dans le prix avec boissons. Dégustation du Crémant de Bourgogne dans une cave à Bailly. |
| **122** | **Gala au Lude:** Spectacle nocturne retraçant cinq siècles d'histoire sur les bords de la Loire, dans le cadre de l'ancien château féodal du Lude, transformé en demeure de plaisance. Soirée animée par les habitants du Lude qui vous présenteront 350 personnages costumés, des ballets, des jeux d'eau et un feu d'artifice. Visite du château-fort de Châteaudun (se munir de vêtements chauds). |
| **127** | **Déjeuner au Parc du Marquenterre:** Visite du parc ornithologique du Marquenterre: un site pour l'homme, un refuge pour les oiseaux. Déjeuner inclus dans le prix. |
| **133** | **Le Touquet:** Un après-midi à «Paris-Plage», la station la plus élégante de la Côte d'Opale, créée au XIXe siècle à l'embouchure de la Canche. Son front de mer toujours animé, sa plage de sable fin, sa forêt dissimulant villas cossues ou cottages britanniques, sans oublier son hippodrome. |

b Quelle(s) visite(s) ces personnes devraient-elles éviter
à tout prix? Pourquoi?

**1** Quelqu'un qui souffre du mal de mer.
**2** Quelqu'un qui prend facilement froid.

c Et toi? Laquelle des visites choisirais-tu
personnellement? Pourquoi? Laquelle des
visites n'aimerais-tu pas? Pourquoi pas?

Exemple:

*Moi, je choisirais le Gala au
Lude parce que j'aime bien
les spectacles et les feux
d'artifice.*

## 2 ⌂ Des renseignements

Quelqu'un a demandé:

a **1** l'heure du départ.
**2** l'heure du retour.
**3** le prix des cinq excursions.

Copie la grille et remplis-la.

| Excursion | Heure du départ | Heure du retour | Prix |
|---|---|---|---|
| 112 | 7h30 | 22h00 | 45€ |
| 118 | | | |
| 122 | | | |
| 127 | | | |
| 133 | | | |

b ◢ Travaille avec un/une partenaire. Inventez une conversation entre **A**, un/une touriste qui veut réserver des places, et **B**, un/une employé(e) de la RATP.

| Je voudrais | réserver louer | une place deux places | pour | la visite de/du/de la… l'excursion à/au/à la… |
|---|---|---|---|---|

Il y a une réduction pour enfants/groupes/étudiants/personnes âgées?

| Ça part Ça revient | quand? à quelle heure? | Ça part Ça revient | à… heures, | je crois? n'est-ce pas? |
|---|---|---|---|---|

Ça coûte combien?   Ça coûte… euros, je crois.

pages 208–9

Exemple:

**A** *Bonjour. Je voudrais réserver deux places pour l'excursion au Touquet, s'il vous plaît.*

**B** *Certainement, monsieur/madame/mademoiselle.*

**A** *Ça part à quelle heure?*

**B** *Ça part à…*

## 3 ⌂ Venez nombreux!

Écoute ce haut-parleur qui annonce trois activités.
Copie la grille et remplis-la.

Exemple:

| Activité | À quelle heure? | Où | Prix |
|---|---|---|---|
| 1 cirque | 20h30 | stade municipal | 5€ enfants 10€ adultes |

- Laquelle des trois activités t'intéresserait le plus? Pourquoi?
- Laquelle t'intéresserait le moins? Pourquoi?

## 4 Qu'est-ce qu'il y a à visiter?

a Trouve l'image qui correspond à chaque activité.

b ◢ En utilisant le dépliant sur St-Gratien, inventez une conversation avec un(e) partenaire:

Exemple: – *Qu'est-ce que tu penses d'aller au/à la…?*
– *Moi, j'aime bien/J'adore…*
*Je n'aime pas/Je déteste… etc.*

c Prépare un dépliant touristique sur ta région.

## Visitez St-Gratien!

**a  son jardin public**
(25ha de verdure avec bois et terrains de jeux)

**b  son musée**
(objets des âges de pierre, de fer et de bronze)

**c  son parc d'attractions**
(zoo, manèges, promenades à cheval)

**d  son lac**
(sports nautiques, location de planches à voile et de bateaux)

**e  sa galerie d'art moderne**
(peinture et sculpture du XXᵉ siècle)

**f  son centre sportif**
(volley-ball, badminton, musculation, etc.)

**g  son château**
(visites guidées, donjon, chambres de tortures, etc.)

**h  sa piscine**
(couverte, chauffée)

55

# Ça s'est bien passé?

## 1 🎧 Comment c'était?

Écoute ces deux dialogues où des Français parlent de leurs vacances. Copie les phrases et mets *C'est vrai* ou *C'est faux*. Si c'est faux, corrige la phrase.

Exemple: – *Le séjour était catastrophique.*
*C'est faux. Ça s'est bien passé.*

**1 a** Ils ont passé les vacances à l'étranger.
  **b** Ils ont campé.
  **c** Le terrain était sale et bruyant.
  **d** Ils n'ont pas aimé les propriétaires du terrain.
  **e** Le paysage était très beau et intéressant.
  **f** Ils ont préparé leurs repas au terrain de camping; les repas à l'hôtel coûtaient cher.

**2 a** Ils sont restés en France.
  **b** Ils étaient près de la plage.
  **c** Ils étaient logés dans un grand hôtel.
  **d** La propriétaire était très gentille.
  **e** Les repas n'étaient pas délicieux.
  **f** Il a fait beau presque tout le temps.

| Je suis allé(e) à/en… | On est allés à/au/en/aux… | J'ai<br>On a | visité…<br>fait…<br>vu… |
|---|---|---|---|
| Ça m'a beaucoup plu.<br>Ça ne m'a pas plu. | Je me suis bien amusé(e).<br>Je me suis ennuyé(e). | C'était formidable/extra!<br>C'était ennuyeux/nul! | |

pages 208–9

## 2 🎧 Mon séjour

**a** Écoute Martine, Chantal, Loïc et Gérard parler de leurs vacances. Complète les phrases suivantes pour chaque personne.

**1** … est allé(e)… (*où?*) avec… (*qui?*).
**2** Il/Elle a vu/visité… (*quoi?*).
**3** Il/Elle a trouvé ça… (*comment?*).

Exemple:

**1** *Martine est allée à Versailles avec ses parents.*
**2** *Elle a visité le château.*
**3** *Elle a trouvé ça ennuyeux!*

**b** 🔺 Travaille avec un/une partenaire. Racontez un séjour que vous avez fait, à tour de rôle. Donnez votre opinion du séjour.

Exemple:

> *L'année dernière, je suis allé(e) en Bretagne avec mes parents. On a fait du camping et on est allés à la plage tous les jours. C'était extra!*

## 3 À mon avis...

Voici des remarques faites par des Français qui sont en vacances en Grande-Bretagne. Comment réagis-tu? Si tu n'es pas d'accord, justifie ta réponse!

Exemple: **1** *Ce n'est pas vrai. On mange des légumes verts aussi.*

**1** Des frites… des frites… Ils ne mangent que ça!

**2** Du thé… du thé… Ils ne boivent que ça!

**3** Les garçons sont impolis et violents.

**4** Les filles sont très snobs!

**5** Il y a des graffiti partout!

**6** Le soir, ils ne font que regarder la télé!

## 4 Une carte postale

Un Français a écrit cette carte à ses parents de Londres:

Écris ces cartes à un(e) ami(e) français(e) comme l'a fait Paul.

Chers papa et maman,

Je suis bien arrivé chez les Jackson. Ils sont très gentils!
Hier, nous sommes allés à Londres. J'ai vu la Tour de Londres et Buckingham Palace (malheureusement je n'ai pas vu la Reine!). Nous avons visité plusieurs musées. Après avoir pique-niqué dans Regent's Park, nous sommes allés au zoo. J'ai acheté plein de souvenirs (et des cadeaux pour vous!). C'était une journée formidable!

Je vous embrasse.

Paul

M.

4,

Vill

93

## 5 Qu'est-ce que tu as fait là-bas?

Mets-toi à la place de cette femme. Elle vient de rentrer de ses vacances. Imagine ce qu'elle écrit dans une lettre à une copine française, une fois de retour en Angleterre.

Base la lettre sur ces illustrations:

# 2 C Au camping, à l'hôtel

## 1 Cherchons un terrain de camping

**a** Lis ces informations sur le Camping Tréguer-Plage.
Réponds en français aux questions suivantes.

Exemple: **1** = *Il s'appelle Tréguer-Plage.*

1 Comment s'appelle le terrain de camping?
2 Dans quelle région de France se trouve-t-il?
3 Quel est son code postal?
4 C'est près ou loin de la plage?
5 Qu'est-ce qu'on peut louer au camping de
  Tréguer-Plage?
6 Le camping a combien d'étoiles?
7 Qu'est-ce que le camping offre
  aux clients?
8 Qu'est-ce qu'on peut faire dans
  la région?

**Tarifs**

| | |
|---|---|
| Emplacement (tente) | 4 € |
| Adultes | 4 € |
| Enfants (à partir de 7 ans) | 2 € 50 |
| Voiture | 3 € |
| Moto, Cyclomoteur, Vélo | 2 € |
| Chien | 2 € 20 |
| Camping-car, Caravane | 4 € |

**b** Lis les tarifs du Camping de Tréguer-Plage.

• Fais une liste de tout ce que cette famille doit
  payer pour une nuit au camping.
• Fais l'addition. Combien doit-elle payer en tout?

5 ans

## 2 Qu'est-ce qu'il y a au camping?

Voici des symboles que l'on trouve dans les dépliants
et listes de campings.

**a** Trouve la légende qui correspond à chaque symbole.

Exemple: **1** = *tennis*

Réservations  Plage  Tennis  Piscine  Centre équestre
Golf  Alimentation  Bord de rivière  Location de vélos
Jeux pour enfants  Location de caravanes  Sports nautiques
Toute l'année  Restaurant ou plats cuisinés
Pêche en rivière  Prise d'eau pour caravanes
Branchement électrique pour caravanes

**b** Combien de ces choses considères-tu comme
importantes/essentielles? Pourquoi?

Exemple: *Je considère la location de vélos importante
parce que j'adore faire du vélo…*

## 3 ◢ Vous avez de la place?

Imaginez ces conversations à la réception du Camping Tréguer-Plage
(**A** est touriste, **B** travaille à la réception).

Exemple: **1 A** *Vous avez encore de la place pour une tente?*
**B** *Oui. Pour combien de nuits?*
**A** *Deux nuits.*
**B** *Vous êtes deux adultes, n'est-ce pas?*
**A** *C'est ça.*
**B** *Vous avez une voiture?*
**A** *Non, une moto.*
**B** *Eh bien, ça vous fait…*

| Vous avez encore | de la place pour | une tente?<br>une caravane?<br>un camping-car? |
|---|---|---|
| Nous sommes | un(e) adulte<br>deux adultes | et | un(e) enfant.<br>deux enfants. |
| Nous voulons rester | une nuit.<br>deux nuits. | | |
| Nous avons | une | voiture.<br>moto. | |

page 209

## 4 ⌒ On arrive au camping

Écoute cette conversation. Une famille arrive dans un terrain de camping en France.
Toutes ces phrases sont fausses. Corrige-les!

**1** Ils sont trois adultes et deux enfants.
**2** Les enfants ont cinq et sept ans.
**3** Il faut payer pour une des enfants.
**4** Ils veulent rester une semaine.

Exemple:
– *La famille a une voiture et une caravane.*
   *Non, la famille a une voiture et une tente.*

**5** Ça fait 17€ en tout.
**6** Ils ont l'emplacement 27, loin du bloc sanitaire.
**7** Victor est le père du propriétaire.

## 5 Pour réserver des places…

Écris une lettre à un terrain de camping:
cette lettre te servira de modèle.

| | |
|---|---|
| 1 date? | 5 combien d'adultes/d'enfants? |
| 2 combien d'emplacements? | 6 combien de voitures/de motos? |
| 3 tente(s)? caravane(s)? | 7 signature |
| 4 date(s) du séjour? | |

le ……(1)……

Monsieur / Madame

Pourriez-vous | nous | réserver ……(2)…… pour ……(3)……
              | me   |

| pour la nuit du ……(4)……? |
| du ……(4)…… au ……(4)……? | Nous serons ……(5)……

et aurons ……(6)……

Je vous prie d'agréer, monsieur, l'expression de mes sentiments
les meilleurs, ……(7)……

59

# À l'hôtel

## 1 C'est parfait!

Lis cette conversation puis réponds aux questions suivantes.

– Allô... Hôtel d'Agnes Sorel.

– Bonjour. Est-ce qu'il vous reste des chambres libres pour demain, c'est-à dire la nuit du 4 juillet?

– Que désirez-vous exactement?

– Une chambre pour deux personnes et une autre pour une personne, de préférence avec douche et WC.

– Oui, je peux vous trouver ça. C'est à quel nom?

– C'est au nom de Baker. B-A-K-E-R.

– Vous voulez rester combien de temps, madame?

– Une nuit seulement. Combien coûtent les chambres?

– Soixante-dix euros la grande chambre, cinquante euros la petite.

– Parfait. Merci... et à demain.

– Au revoir, madame.

Au revoir!

**1** Mme Baker fait une réservation pour quelle date?
**2** Qu'est-ce qu'elle voudrait comme chambres?

**3** Pour combien de nuits a-t-elle réservé?
**4** Combien coûtent les chambres?

Vous avez réservé?
C'est pour combien de personnes?
Vous voulez une chambre avec douche?/salle de bain?/WC?/en pension complète?
Je regrette, il n'y a plus de chambres (avec...)
Vous voulez rester combien de nuits?
C'est... euros par nuit.
C'est pour combien de nuits?
C'est pour quelle date?
Voici votre clé. La chambre est au rez-de-chaussée/au premier étage.

page 209

## 2 🎧 À la réception

Écoute ces cinq conversations entre une réceptionniste et ses clients. Réponds aux questions suivantes.

Exemple: **1** *Elle se trouve à gauche, dans la même rue que l'hôtel.*

**1** Où se trouve la Maison de la Presse?
**2** Que cherche cette femme? Pourquoi?
**3 a** Cet homme a demandé quelle sorte de chambre?
   **b** Comment est-ce qu'il peut résoudre son problème?

**4 a** Est-ce qu'il y a des chambres libres?
   **b** Où se trouve l'Hôtel des Voyageurs?
**5 a** Quand est-ce que cette femme va partir?
   **b** Pourquoi doit-elle payer avec sa carte de crédit?

## 3 ◢ Jeu de rôles

Travaille avec un/une partenaire.
Regardez l'image, puis inventez des
dialogues: **A** est le/la client(e);
**B** est le/la réceptionniste.

Exemple: **A** *Je voudrais une chambre*
*pour une personne, qui*
*donne sur la mer.*
**B** *C'est pour combien de*
*nuits?*
**A** *C'est pour deux nuits.*
**B** *Je regrette, mais je n'ai*
*plus de chambres qui*
*donnent sur la mer.*

| Je voudrais une chambre pour | ... personne(s), | avec | un grand lit.<br>salle de bains.<br>douche/WC. |
| | | | à deux lits. |
| Je voudrais une chambre | en | demi-pension.<br>pension complète. | C'est pour... nuits. |
| | qui donne | sur la mer.<br>sur la cour. | |

page 209

## 4 Une lettre de réservation

Écris une lettre de réservation à un
hôtel. Regarde la lettre à droite, écrite
par la famille Adams. Remplace les
images par les mots qui conviennent.

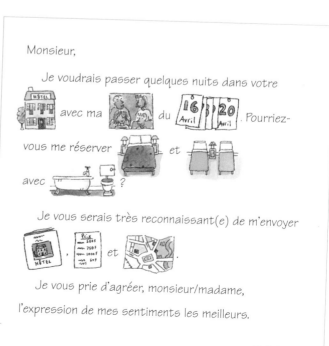

Monsieur,

Je voudrais passer quelques nuits dans votre [hôtel] avec ma [famille] du [16 Avril] au [20 Avril]. Pourriez-vous me réserver [un grand lit] et [une chambre] avec [salle de bains/douche/WC]?

Je vous serais très reconnaissant(e) de m'envoyer [une brochure de l'hôtel], [les prix] et [un plan].

Je vous prie d'agréer, monsieur/madame, l'expression de mes sentiments les meilleurs.

*P. Adams*

61

# Parle-moi de ton hôtel...

## 1 Comment est l'hôtel?

Regarde le dépliant ci-dessous et à droite sur les hôtels français. Lis les phrases 1–10. Écris *vrai* ou *faux* pour chaque phrase. Si la phrase est fausse, corrige-la.

Exemple: **1** = *faux: il y en a cinq.*

| LOCALITÉS HÔTELS-ADRESSES CONFORT | Téléphone | Ouverture | Nbre de chambres | PRIX | | Demi-pension |
|---|---|---|---|---|---|---|
| | | | | Chambre mini/maxi | Pension mini/maxi | |
| **** NOVOTEL • Tx940470 *ZAC DE KERGARADEC* ⓨ ♧ Ⓟ ⌂ H | 03.34.02.32.83 | T.A. | 85 | 90€/104€ | | |
| *** H. CONTINENTAL • Tx 940575 *SQUARE DE LA TOUR AUVERGNE* Ⓐ ⌂ H | 03.34.80.50.40 | T.A. | 76 | 82€/93€ | 90€/118€ | * |

LÉGENDE DES ABRÉVIATIONS
ⓨ = Garage   ⌂ = Chiens admis   Ⓐ = Ascenseur   T.A. = Toute l'année
♧ = Jardin   ♟ = Tennis   ⌐ = Piscine   Ⓟ = Parking
H = Chambres accessibles aux handicapés physiques

**1** Il y a quatre catégories d'hôtels.
**2** L'Hôtel Continental se trouve en banlieue.
**3** L'Hôtel Continental a un grand jardin.
**4** Le Novotel n'a pas d'ascenseur.
**5** L'Hôtel Continental est pratique pour aller au cinéma ou aux magasins.
**6** Les deux hôtels ont une piscine.
**7** Les gares ne sont pas loin de l'Hôtel Continental.
**8** Toutes les chambres dans l'Hôtel Continental ont un wc privé.

## L'Hôtel Continental

**SITUATION:** En plein centre-ville en face d'un square calme et fleuri. Un emplacement agréable qui permet de visiter la ville sans prendre son véhicule. Proche des gares et des ports.

**CONFORT DES CHAMBRES:** Belle décoration fonctionelle et classique. La plupart des chambres avec bains ou douches et wc privés. Certaines ont un balcon ou une terrasse avec vue agréable sur le square et sur la mer. Téléphone direct réseau, télévision.

**AGRÉMENTS DE L'HÔTEL:** Ascenseur, bar, piano-bar, 6 salons, billiard. Parking pour voitures à 5 m. Garages pour voitures et stationnement pour autocars à 50 m. Chiens admis à l'hôtel et au restaurant. Change.

Cartes de crédit: Diners Club, American Express, Visa Carte Bleue, Access, Eurocard, Master.

**RESTAURANT:** 1 salle pour 250 couverts. 5 salons de 10 à 35 couverts. Très vaste salle au décor moderne, sono, piste de danse. Cuisine classique.

**NOS POINTS FORTS:** Une soirée jazz a lieu chaque jeudi jusqu'à 2h du matin, dans le cadre original et luxueux du bar Belle Epoque. Notre restaurant gastronomique propose des menus pour gourmets et, dans nos salons, nous organisons vos cocktails, lunchs et dîners de fête. Avec en plus, le grand avantage d'un emplacement en plein centre de la ville, à deux pas des cinémas, théâtres et boutiques.

### CLASSEMENT DES HÔTELS

| | |
|---|---|
| ****L: | Hôtel hors classe. Palace |
| ****: | Hôtel très grand confort |
| ***: | Hôtel de grand tourisme, grand confort |
| **: | Hôtel de tourisme, bon confort |
| *: | Hôtel de moyen tourisme, confort moyen |

LES PRIX SONT INDIQUÉS EN EUROS.
Les hôtels sans ascenseur ont généralement leurs chambres d'un accès facile ou même de plein-pied.
RÉDUCTION HORS SAISON: Tous les hôtels consentent à des réductions appréciables. Écrivez-leur.
CHAUFFAGE CENTRAL: Dans tous les hôtels.
AGENCE DE VOYAGES: Tous les hôtels travaillent avec les Agences à l'exception de quelques établissements de faible capacité.

**9** On peut payer avec une carte de crédit.
**10** L'Hôtel Continental a plus de chambres que le Novotel.

## 2 L'Hôtel Fantaisie et l'Hôtel Moche

Imagine que tu es inspecteur/inspectrice d'hôtels. Tu viens de faire une visite d'inspection à deux hôtels: l'Hôtel Fantaisie est parfait, mais l'Hôtel Moche laisse beaucoup à désirer! Écris un rapport sur les deux hôtels.

Exemple: *À L'Hôtel Fantaisie les tarifs sont raisonnables mais ils sont scandaleux à l'Hôtel Moche! Les repas sont excellents/Les repas sont de très mauvaise qualité,* etc.

## 3  🎧 Qu'est-ce qu'il y a dans votre hôtel?

a   Écoute cette conversation entre une réceptionniste et un client.
Copie les plans ci-dessous et remplis-les selon la conversation.

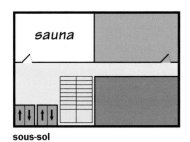

**sous-sol**

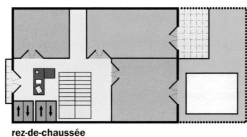

**rez-de-chaussée**

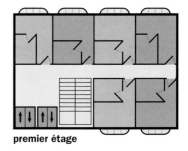

**premier étage**

b   ◣ Travaille avec un/une partenaire. Tu travailles comme
réceptionniste dans un hôtel. Tu aides les clients à se diriger
dans l'hôtel. Inventez des dialogues à partir des plans ci-dessus.

   Exemple:  – *Excusez-moi, monsieur/madame. Où est le sauna?*
      – *Le sauna se trouve au sous-sol, en face de*
      *l'ascenseur, monsieur/madame.*

| Où se trouve | la chambre (*numéro 23*)? | Il/Elle se trouve | au | sous-sol. |
|---|---|---|---|---|
| | la salle à manger? | | | rez-de-chaussée. |
| | le restaurant? | | | premier étage. |
| | l'ascenseur? | | | deuxième étage. |

| à côté du restaurant | en face de la réception | au bout du couloir | à gauche | à droite |
|---|---|---|---|---|

page 209

## 4  Quel cauchemar!

Une famille française a séjourné dans
un hôtel recommandé par le Syndicat
d'Initiative de la ville. Leur séjour
était très décevant. Copie cette lettre
de réclamation et remplis les blancs
avec les mots appropriés.

honte   dépliant   étoiles   recommandez
arrogant   semaine   mal poli   déçus
dérangement   baignoire   sales   chaud
douche   fenêtres   eau

Monsieur, Madame,

Dans votre _____ 'Où Loger à Mocheville' vous
_____ l'Hôtel Splendide. Nous venons d'y passer
une _____ et avons été vivement _____ !

Par exemple, les chambres étaient _____, il y faisait
trop _____ et on ne pouvait pas ouvrir les _____ .
Il n'y avait jamais suffisamment d' _____ chaude,
la _____ ne fonctionnait pas bien, et la _____ était
sale. L'ascenseur était en _____ pratiquement tout le
temps. Nous avons trouvé le personnel _____ et le
directeur extrêmement _____ . Cet hôtel ne mérite
certainement pas quatre _____ !

C'est une _____ !!

63

# 2 Flash grammaire 1

## Le passé composé (1)

- If you want to talk about something which **happened**, or **has happened** in the past, you use the *passé composé* (perfect tense) in French:

> ***J'ai perdu** mon passeport*
> = I lost my passport (yesterday, last week, etc.).
>   I have lost my passport.

You'll notice that in both cases you need to add *J'ai (*I have) in French, even though we don't in English. This is why French people sometimes make the mistake of including it in English when they shouldn't!

- The two parts you need to form the *passé composé* are:
  – the correct form of *avoir**, which is called the **auxiliary** (*j'ai, tu as*, etc.)
  – a special part of the verb called the **past participle** (*mangé, fini, attendu*, etc.).

  * Some verbs use *être* as their auxiliary (see pages 80–81).

- To form the past participle of regular verbs, take off the *-er, -ir, -re* of the infinitive and add the following endings:

> *manger* > mang + **é** = **mangé**
> *finir* > fin + **i** = **fini**
> *attendre* > attend + **u** = **attendu**

- You need to add the appropriate part of the verb *avoir* to the past participle to form the *passé composé*, but remember that it has two meanings. For example:

| ***manger** to eat* | |
|---|---|
| *j'ai mangé* | I ate/I have eaten |
| *tu **as** mangé* | you ate/you have eaten |
| *il/elle **a** mangé* | he/she ate/has eaten |
| *on **a** mangé* | they ate/have eaten |
| *nous **avons** mangé* | we ate/have eaten |
| *vous **avez** mangé* | you ate/have eaten |
| *ils/elles **ont** mangé* | they ate/have eaten |

> *Tu **as** fin**i**?* = Did you finish...?/Have you finished?
> *Il **a** attend**u*** = He waited/has waited.
> *Il **n**'a **pas** répond**u*** = He didn't answer/hasn't answered.
> *J'ai regard**é*** = I watched/have watched.

- Some common verbs have irregular past participles and these need to be learnt carefully.

Here are some examples:

*avoir* > *j'ai* **eu** = I had/have had
*dire* > *j'ai* **dit** = I said/have said
*être* > *j'ai* **été** = I was/have been
*lire* > *j'ai* **lu** = I read/have read
*ouvrir* > *j'ai* **ouvert** = I opened/have opened
*prendre* > *j'ai* **pris** = I took/have taken
*recevoir* > *j'ai* **reçu** = I received/have received
*voir* > *j'ai* **vu** = I saw/have seen
*boire* > *j'ai* **bu** = I drank/have drunk
*écrire* > *j'ai* **écrit** = I wrote/have written
*faire* > *j'ai* **fait** = I did/have done
*mettre* > *j'ai* **mis** = I put/have put

You can find the past participles of irregular verbs in the verb tables on pages 202–6.

**1** How many examples of the *passé composé* can you find in the postcard on page 57? What do they mean?

• Here are some time expressions which can be used with the *passé composé*:

*hier (matin/après-midi/soir)* =
   yesterday (morning/afternoon/evening)
*avant-hier* = the day before yesterday
*lundi dernier* = last Monday
*le week-end dernier* = last weekend
*le mois dernier* = last month
*la semaine dernière* = last week
*l'année dernière* = last year
*il y a trois jours* = three days ago

**2** Make up 10 sentences using the *passé composé* and some of the time expressions above.

Exemple:

Hier, j'ai reçu une carte postale de mon copain. Avant-hier, j'ai acheté des CD. Le week-end dernier, j'ai...

**3** Copy out this letter with the correct form of the *passé composé*:

Hier matin, j' [*prendre*] le bus au centre-ville et j' [*visiter*] des monuments. J' [*manger*] au MacDo. L'après-midi, nous [*regarder*] la télé. Puis nous [*décider*] d'aller à la piscine. Malheureusement, j' [*perdre*] mon portefeuille. Le soir, j' [*lire*] des magazines, j' [*écouter*] de la musique et j' [*écrire*] des cartes postales.

Exemple: *Hier matin, **j'ai pris** le bus...*

**4** Écris une description d'une visite en ville que tu as faite récemment. Il faut mentionner...

• le trajet
• avec qui
• les activités (un incident?)
• la rentrée.

Exemple: *J'ai pris le bus au centre-ville et j'ai fait des courses avec mon copain. Après, nous avons...*

**5** Écris une description de tes dernières vacances. Il faut mentionner...

• le voyage
• les activités le jour
• les activités le soir.

Exemple: *L'année dernière, j'ai visité la France.*
*J'ai voyagé en...*
*J'ai vu/visité/acheté/bu/mangé...*

pages 175–8, 197 (18)

65

# 2 Guide pratique 1

## 1 Comment mieux apprendre et réviser

To learn words and phrases you need an *active* approach; just sitting and reading them through is not enough!

**a** Read the words and expressions *out loud*.

**b**
- Decide on a certain number of words and expressions you want to learn today.
- Write the French words on the left, with the English on the right.
- When you think you know them, cover the French up and try to write the French.
- Correct your new list by referring to the original French list.
- Write out the ones you got wrong on a new (shorter?) list and start the process again.
- Use a highlighter pen for words you get stuck on, or for difficult words.

**c** Ask someone (a friend, parent, brother, sister) to test you.

**d**
- Record the words and expressions on a cassette with the English version first.
- Leave a short gap after each one and then give the French.
- Play the cassette again later: try to say the French before you hear it!

**e**
- Write out words and expressions with their meaning on 'Post-its'.
- Put them up in strategic places in your room: next to your bed, on the mirror, on your computer screen, etc.
- You will see them regularly and learn them in this way. You can then exchange them for others.

**f** When you jot down nouns for learning, always 'label' them with an article which will show their gender:

> ***une*** *école*   ***le*** *collège*   ***du*** *pain*   ***au*** *cinéma*

**g** When you learn adjectives, always note irregular feminines:

> *paresseux/paress**euse**   jaloux/jal**ouse**   inquiet/inqu**iète***

**h** When learning verbs, jot down those parts which are irregular (i.e. the parts which don't fit the standard pattern) as well as the infinitive. This avoids having to write out the whole verb:

> *prendre* = to take *(je prends; nous prenons; ils/elles prennent; j'ai pris)*

You can deduce the rest of the present tense and all other tenses from this!

– Sort the following into nouns, adjectives and verbs.

> *actif   lire   yaourt   stade   mettre   blanc   jupe   sérieux   écrire*

– What would be the best way of writing out the above words for learning?

*choux = cabbage*
*en retard = late*
*bottes = boots*
*nager = to swim*

**i** It is obviously better to learn words associated with the same topic, rather than a hotch-potch of unrelated words.

One way of grouping words for learning is the 'spider diagram':

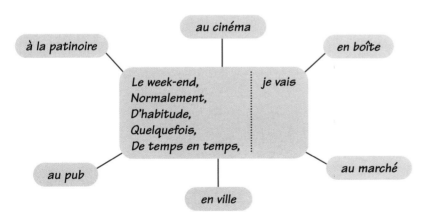

– Construct spider diagrams for the following:

| Au | petit déjeuner | je mange... |
|---|---|---|
| | déjeuner | je bois... |
| | dîner | |

| Pendant les vacances | je vais... |
|---|---|
| | je compte... |
| | j'espère... |

| À l'école | je porte... |
|---|---|
| Au collège | je dois porter... |

# 2 D Au café, au resto

## 1 ▰ C'est combien?

Travaille avec un/une partenaire. Tu vas au Café des Amis. Tu demandes au serveur/à la serveuse le prix des consommations. Ton/Ta partenaire joue le rôle du serveur/de la serveuse.

Exemple: – C'est combien un sandwich au jambon?
– C'est 6 euros.

## 2 🎧 Qu'est-ce que tu prends?

Écoute ces quatre dialogues. Qu'est-ce qu'ils commandent? Copie la grille et remplis-la.

| | À manger | À boire |
|---|---|---|
| 1 | sandwich au jambon | jus d'orange, café express |
| 2 | | |

| On se met | à l'intérieur?<br>à la terrasse? | On peut avoir | la carte,<br>l'addition, | s'il vous plaît? | |
|---|---|---|---|---|---|
| Je voudrais<br>Moi, je prendrai<br>Pour moi, | un thé (au lait/au citron)<br>un café<br>un café-crème | un coca<br>une limonade<br>une eau minérale | | un sandwich | au jambon<br>au fromage<br>au pâté |

Vous avez des crêpes? des glaces? des croque-monsieur?
C'est quoi exactement, 'merguez', s'il vous plaît?
Le service est compris?

page 209

## 3 ▰ Vous désirez?

Travaille avec un/une partenaire.
Commandez les choses suivantes.

Exemple:
– Bonjour, messieurs-dames. Vous désirez?
– Je prendrai une crêpe à la confiture et un coca.
– Et pour vous, monsieur/madame?
– Je voudrais un sandwich au fromage et un grand crème, s'il vous plaît.
– Tout de suite, messieurs-dames.

### Café Des Amis

CAFÉ 1€
THÉ 2€
CHOCOLAT CHAUD 2€50
CAFÉ (GRAND CRÈME) 2€50
THÉ AU CITRON 2€50
COCA LIMONADE FANTA SPRITE 3€
BOISSONS GAZEUSES
FRITES 3€
CROQUE MONSIEUR 5€50
PIZZA 6€50
AU FROMAGE 5€50
BAGUETTES/SANDWICHES
AU JAMBON 6€
AU PÂTÉ 6€

## 4 🎧 L'addition, s'il vous plaît!

Écoute la cassette. Choisis **a**, **b** ou **c** pour compléter chaque phrase.

1 Les deux garçons
   **a** partagent l'addition   **b** se disputent   **c** paient par carte de crédit.
2 L'addition est de
   **a** 12 euros   **b** 15 euros   **c** 9 euros 50.
3 Un des garçons met
   **a** un billet de 20 euros   **b** un billet de 10 euros   **c** un billet de 50 euros.
4 Comme pourboire,
   **a** ils laissent 5 euros   **b** ils laissent 1 euro 50   **c** ils ne donnent rien.

## 5 Une soirée en ville

**a** ◢ Tu es en ville avec tes deux amis/amies. Vous avez vu un film au cinéma. Vous avez faim et vous entrez dans un café. À vous trois, vous avez 30 euros. Regardez le menu à la page 68 et choisissez ce que vous allez manger. Travaillez par groupes de trois et inventez un dialogue.

**b** Quand tu rentres dans ta famille, tu écris une lettre à ton oncle et ta tante. Décris-leur ta soirée – dis ce que tu as pensé du film, du café, de ton repas et de la soirée en général.

## 6 Où est-ce qu'on va manger?

Regarde les affiches à droite. Réponds aux questions suivantes.

1 **a** Qu'est-ce qu'on peut manger dans la Grange au Maximin?
   **b** Où se trouve le café exactement?
   **c** Où se trouve le deuxième café Maximin?
2 **a** Combien d'heures par jour le restaurant Pat' À Pain est-il ouvert?
   **b** Quelles sont les spécialités de ce restaurant?
   **c** Il est fermé en semaine?
3 **a** Qu'est-ce qu'on peut manger de spécial à l'Auberge de l'Âtre?
   **b** C'est un fast-food ou un restaurant traditionnel?
   **c** Il se trouve dans quel village?

**L'AUBERGE DE L'ÂTRE**

*F*rancis et Odile Salamolard vous accueillent dans un cadre agréable et champêtre.
**Spécialités**: poissons, crustacés, champignons, gibiers.
Plus de 300 vins sélectionnés pour votre plaisir...

Les Lavaults - 89630 QUARRÉ-LES-TOMBES
Tél. 03.86.32.20.79 - Fax 03.86.32.28.25

**CRÊPERIE**

LA GRANGE AU MAXIMIN
LES SETTONS 03 86 84 51 76
entre la Base Nautique et le Barrage

LE MAXIMIN À LA VILLE
AUTUN 03 85 26 21 91

29, grande rue Marchaux

**PAT' À PAIN**

PAIN-BRIOCHE SANDWICH
RESTAURANT
Ouvert 7 jours/7
de 6 à 21 h

45 ter, rue H.-Bouquillard
NEVERS - Tél. 03. 86.57.93.17

# Au restaurant

## 1 🎧 Vous avez une table?

Écoute cet homme qui veut réserver une table dans un restaurant.
Copie la grille et remplis-la.

| Nom du restaurant | Quel jour? | À quelle heure? | Nom du client |
|---|---|---|---|
| *Le Petit Bedon* | | | |

| Je voudrais une table | pour | deux<br>quatre | personnes pour | ce soir<br>mardi soir | en salle.<br>en terrasse. |
|---|---|---|---|---|---|

| Voulez-vous nous apporter | la carte?<br>la liste des vins?<br>l'addition? | Vous avez une partie non-fumeur?<br>Le service est compris? |
|---|---|---|

page 209

## 2 ◤ Je peux réserver?

Travaille avec un/une partenaire. Tu es touriste; ton/ta
partenaire est réceptionniste au restaurant *La Dolce Vita*.
Le/La touriste veut des renseignements. Tu poses des
questions. Tu veux savoir:
– quelles sont les spécialités du restaurant?
– s'il y a une fermeture hebdomadaire; si oui, quand?
– si c'est un grand restaurant
– le prix moyen de la carte
– si le restaurant est cher.

Si tu es satisfait(e) des réponses, fais la réservation.

Quand vous aurez fini, changez de rôle. Choisissez un
deuxième restaurant dans la liste ci-dessous.

| RESTAURANTS DE SPÉCIALITÉS | | | | | AVIGNON / 84000 |
|---|---|---|---|---|---|
| *Nom*<br>*Adresse* | *Téléphone*<br>*Fax* | *Fermeture*<br>*Hebdomadaire* | *Nombre*<br>*de couverts* | *Prix*<br>*premier menu* | *Prix*<br>*moyen carte* |
| **GOULBARGE** (*Cuisine indienne*)<br>1, rue Grande Fusterie | 03.90.86.61.94 | | 50 | 16€20 | 30€ |
| **LA COUSCOUSSERIE** (*Cuisine orientale*)<br>5, rue Favart | 03.90.86.87.89 | | 54 | 12€20 | 25€50 |
| **LA DOLCE VITA** (*Spécialités italiennes et provençales*)<br>4, place de la Principale | 03.90.86.81.87 | lundi | 50 | 16€ | 18€10 |
| **LE PAVILLON D'OR** (*Spécialités vietnamiennes et chinoises*)<br>4, rue Carnot | 03.90.82.06.76 | | 110 | 15€ | 17€00 |

## 3   ◢ Ça te plaît?

Travaille avec un/une partenaire.
Demande son opinion sur ces plats.

Exemple: – *Tu aimes les spaghettis?*
          – *Non, ça ne me plaît pas du tout!*

Tu aimes le/la/l'/les….?
Tu as essayé…?
Qu'en penses-tu?

Oui, ça me plaît beaucoup/J'adore ça!
Non, j'ai horreur de ça/Je déteste ça!
C'est super/dégoûtant!

## 4   ⌒ Vrai ou faux?

Écoute cette conversation au restaurant. Écris *vrai* ou *faux*
pour chaque phrase.

1 Le touriste commande à la carte.
2 Il n'aime pas la soupe du jour.
3 Il se décide finalement pour une entrée
   simple.

4 Comme plat principal, il prend un bifteck.
5 Il prend beaucoup de légumes.
6 Il commande une boisson pas trop chère.
7 Il y a un bon choix de parfums exotiques
   pour les glaces.

## 5   La carte, s'il vous plaît!

a   Voici des phrases dites par un serveur/une serveuse
dans un restaurant. Mets-les dans le bon ordre.

1 Qu'est-ce que vous voulez comme dessert?
2 Je vous apporte la carte?
3 Qu'est-ce que vous voulez comme légumes?
4 Comment voulez-vous votre bifteck?
5 Bonsoir, messieurs-dames!
6 Vous prenez du café?

7 Qu'est-ce que je vous
   sers comme entrée?
8 Et à boire?
9 Et comme plat principal?
10 Qu'est-ce que vous voulez comme apéritif?
11 Vous avez fait votre choix?

b   ◢ Relie les réponses (**a–k**) aux bonnes questions (**1–11**).
Ensuite, joue la scène avec un/une partenaire:
**A** est le serveur/la serveuse; **B** commande.

a Nous voudrions deux Pernods et deux
   Schweppes, s'il vous plaît.
b Moi, je vais prendre la soupe de poisson.
   Pour ma femme, la salade de crabe, et
   pour mes filles, la salade paysanne.
c Comme boisson, je voudrais une bouteille
   de vin rouge – Côtes du Rhône – et une
   carafe d'eau.
d Bonsoir, monsieur.

e Nous voudrions quatre glaces au chocolat.
f Oui – merci.
g Comme plat principal nous voulons deux
   poulets chasseur et deux entrecôtes.
h Des haricots, je pense.
i Bien cuit, s'il vous plaît.
j Deux crèmes, s'il vous plaît.
k Oui, je crois que nous avons décidé.

# Bon appétit!

## 1 ◣ Il y a une erreur!

Le serveur s'est trompé d'addition. Regarde ce qu'il a apporté et les commandes ci-dessous. Travaille avec un(e) partenaire: **A** est le serveur/la serveuse; **B** est le/la client(e).

> *Voici votre addition, monsieur/madame/mademoiselle.*

> *Mais non! Il y a une erreur/Vous vous êtes trompé! On a eu... On n'a pas eu...*

> *Pardon/Excusez-moi, monsieur/madame/mademoiselle. Je vais rectifier ça tout de suite!*

## 2 ⌒ Tu as faim? Tu as soif?

Écoute six membres d'une famille française, qui proposent des choses à manger ou à boire à Suzie, une Anglaise. Copie la grille et remplis-la.

| On lui propose | Elle accepte (✓) ou refuse (✗)? | Remarques? |
|---|---|---|
| **1** encore des frites | ✓ | elle adore ça |
| **2** | | |
| **3** | | |

| | | |
|---|---|---|
| Tu veux | encore | du poisson? |
| Vous voulez | | de la viande? |
| | | de l'eau minérale? |
| | | des frites? |

| | |
|---|---|
| Oui, je veux bien. | Non, merci. |
| Oui, j'ai très faim/soif! | Je n'ai plus faim/soif. |
| Oui, j'aime/j'adore ça! | Je n'aime pas ça. |

page 209

## 3 Cher papa...

Lis cet extrait d'une lettre où une jeune Française raconte son séjour en Angleterre.

Au petit déjeuner on mange des céréales, des toasts et des croissants. Ça va, puisque c'est plus ou moins comme chez nous, mais le café que l'on boit n'est pas du vrai café, c'est du café en poudre et je n'aime pas du tout ça. On boit le thé très fort et avec du lait. Je n'aime pas ça non plus.

À l'école on mange à la cantine. La nourriture y est vraiment dégoûtante. Il n'y a que des frites, de la pizza, des hamburgers, c'est comme dans un fast-food. Certains élèves apportent des sandwichs, des chips, du chocolat, etc. Ils sont toujours en train de les manger entre les cours et dans la salle de classe! Cela n'est pas permis chez nous.

Le soir on mange bien. M. et Mme Carter sont de très bons cuisiniers mais on ne dîne pas comme chez nous. Les enfants ne restent pas à table avec leurs parents. Ils quittent la table pour aller manger devant la télé. Je trouve ça bizarre!

Toutes ces phrases sont fausses. Corrige-les en donnant le plus de détails possibles.

Exemple: **1** = *Le petit déjeuner en France est plus ou moins comme chez nous.*

**1** Le petit déjeuner en France est très différent du petit déjeuner anglais.
**2** La fille préfère le café anglais au café français.
**3** Elle aime le thé fort avec du lait.
**4** Elle trouve les repas au collège délicieux.
**5** Mme Carter lui donne des sandwichs comme déjeuner.
**6** Dans son école en France on mange dans les salles de classe.
**7** Elle n'aime pas les repas que Mme Carter lui sert.
**8** En France elle mange devant la télé.

## 4 ⌒ Qu'est-ce qui ne va pas?

Écoute ces six dialogues dans un restaurant. Relie chaque dialogue à la bonne phrase ci-dessous.

Exemple: **1** = *d – on discute de ce qu'on va manger*

**a** On demande le chemin.
**b** On se plaint.
**c** Il y a une erreur.
**d** On discute de ce qu'on va manger.
**e** On donne son avis du repas.
**f** On demande un conseil.

# 2 E À la banque, à la poste

## 1 🎧 À la banque

Écoute ces cinq personnes dans une banque. Pour chaque personne, note:

- s'il/si elle a de l'argent liquide ou des chèques de voyage
- combien voudrait-il/elle changer?
- combien reçoit-il/elle (si la réponse n'est pas mentionnée, mets *?*)

Il y a une banque/un bureau de change près d'ici? Il/Elle ouvre à quelle heure?

| Je voudrais | encaisser changer | un | chèque de voyage traveller's cheque | de... livres (sterling) |
|---|---|---|---|---|

Je voudrais changer... livres (sterling) en euros.

Quel est le taux de change? Est-ce qu'on doit payer une commission?

## 2 ◤ Je voudrais changer de l'argent

Travaille avec un/une partenaire. **A** travaille à la banque, **B** voudrait changer de l'argent. Regardez les images et inventez des dialogues.

**A** Bonjour, monsieur/madame. Je peux vous aider?

**B** Oui, je voudrais changer £40 sterling.

C'est de l'argent liquide ou un chèque de voyage?

C'est un chèque de voyage.

Avez-vous une pièce d'identité?

Oui, voilà mon passeport.

Vous voulez signer ici, s'il vous plaît.

Oui. Quel est le taux de change?

1,30 euros, monsieur/madame.

Est-ce qu'on doit payer une commission?

Oui, il y a un supplément de 2 euros

Bon, d'accord. Merci, monsieur/madame.

**1**     **2**     **3**     **4**     **5**

## 3 J'ai besoin de timbres

Si tu as besoin de timbres ou d'une télécarte, tu peux les acheter...

**1** ... dans certains cafés.
**2** ... dans un tabac.
**3** ... dans un bureau de poste.
**4** ... peut-être même dans le magasin où tu as acheté tes cartes postales.

Trouve la photo qui correspond à chaque endroit mentionné.

## 4 ⌒ Au guichet

Écoute ces quatre personnes dans un bureau de poste.
Qu'est-ce qu'ils envoient? Copie la grille et remplis-la.

| | Carte postale | Lettre | Paquet | Où | Combien ça coûte? |
|---|---|---|---|---|---|
| Exemple: **1** | | ✓ | | *Grande-Bretagne* | *1€* |

| Je voudrais | envoyer | une lettre<br>une carte (postale)<br>ce colis/ce paquet | en...<br>au... (+ *nom du pays*)<br>aux... |
|---|---|---|---|
| Ça fait<br>C'est | combien, s'il vous plaît? | | |
| Je voudrais<br>Voulez-vous me donner | ... timbre(s) à... euros... (?) | | |

## 5 ◢ C'est combien?

Travaille avec un/une partenaire.
**A** est touriste et **B** est employé(e) de la poste.
**A** demande les timbres à droite.

Exemple: **1** = **A** *Je voudrais deux timbres à 0,50€ et un à 1€.*
**B** *Bon, ça fait... 2 euros, s'il vous plaît.*

# Je ne me sens pas bien!

## 1 🎧 À la pharmacie

**a** Écoute la conversation. Choisis les bonnes réponses.

Exemple: **1** = *b*.

1 L'homme cherche quelque chose contre
   **a** le rhume   **b** les coups de soleil   **c** les piqûres.
2 Le pharmacien lui demande s'il a
   **a** mal aux pieds   **b** mal au ventre   **c** mal à la tête.
3 Le pharmacien lui offre
   **a** de l'aspirine   **b** de la crème   **c** du sirop.
4 Le pharmacien dit que
   **a** c'est peut-être grave   **b** c'est extrêmement grave   **c** c'est certainement grave.
5 L'homme va
   **a** rentrer à la maison   **b** aller au travail   **c** aller chez le docteur.

**b** ◢ Travaille avec un/une partenaire. **A** est le/la pharmacien(ne), **B** est le/la client(e).

Exemple: **B** *Vous avez quelque chose contre... ?*
          **A** *Depuis quand êtes-vous malade?*
          **B** *Je suis malade depuis...*
          **A** *Vous avez vomi? Vous avez de la fièvre? ... Alors, je vous recommande...*

| Vous avez quelque chose | contre | le rhume? | la diarrhée? | les piqûres? |
| | pour | la grippe? | la constipation? | les brûlures? |
| Je vous recommande | ce sirop | cette crème | | |
| | ces pastilles | ces comprimés | | |
| Je voudrais | du shampooing | | du sparadrap | une crème antiseptique |
| | des mouchoirs en papier | | du savon | un tube de dentifrice |

pages 209–10

## 2 Qu'est-ce que tu as?

Relie les problèmes aux images.

Exemple: **1** = *d*

1 J'ai de la fièvre.
2 J'ai mal au cœur.
3 J'ai perdu l'appétit.
4 J'ai un coup de soleil.
5 J'ai mal au ventre.
6 J'ai mal à la tête.
7 J'ai un rhume/une grippe.
8 J'ai mal à la gorge.

## 3  🎧 Pauvre Monique!

Monique doit prendre deux
rendez-vous dans la semaine.
Écoute les deux conversations
et choisis les bonnes réponses.

**SAINT PORCHAIRE**
Cabinet Médical Dumas et Duport
............................ 02.46.47.00.28
Raguenaud Claude
13 rte nationale........ 02.46.95.60.24
**SAINT ROMAIN DE BENET**
Charrit Albert Les Pélerins

**a**  1  Son rendez-vous avec le dentiste est
    **a** aujourd'hui  **b** demain  **c** après-demain.
  2  C'est à
    **a** 10h20  **b** 12h20  **c** 20h10.
  3  Son rendez-vous est
    **a** mercredi 9 juillet  **b** mardi 9 juin  **c** mardi 9 juillet.
  4  Son adresse est
    **a** 22 bis, rue Centrale  **b** 22 bis, rue Pigalle  **c** 22 bis, rue Royale.
  5  Elle s'appelle Monique
    **a** Droit  **b** Druot  **c** Drouot.

Exemple: **1** = *b*

**b**  C'est vrai ou c'est faux? Corrige les phrases
fausses.

1  Monique veut voir l'opticien.
2  Le Docteur Dupont est en vacances.
3  Ce n'est pas très urgent.
4  Le rendez-vous est fixé au jeudi 11 juillet.
5  C'est à 19h20.

Exemple: **1** = *Monique veut voir l'opticien.*
          *C'est faux. Elle veut voir le docteur.*

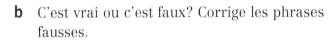

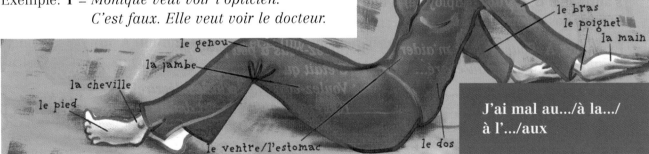

le front
la tête
l'oreille
l'oeil/les yeux
la gorge
le cou
les dents
l'épaule
le coude
le bras
le poignet
la main

le genou
la jambe
la cheville
le pied
le ventre/l'estomac
le dos

**J'ai mal au.../à la.../
à l'.../aux**

## 4  ◢ Ça fait mal!

Travaille avec un/une partenaire. Imaginez un dialogue
où **A** a un problème mais **B** ne compatit pas.

Exemple: **A** *Qu'est-ce que tu as?*  **B** *J'ai mal aux oreilles.*
      **A** *Comment ça se fait?*  **B** *La musique à la discothèque était trop forte.*
      **A** *C'est bien fait! Tu ne devrais pas y aller, alors!*

# 2 Flash grammaire 2

## Le passé composé (2)

- As was mentioned in *Flash grammaire 1* on pages 64–5, a few verbs form the *passé composé* with *être* as the auxiliary:

| | | |
|---|---|---|
| je suis | *allé*(e)(s) | *tombé*(e)(s) |
| tu es | *venu*(e)(s) | *né*(e)(s) |
| il/elle/on est | *arrivé*(e)(s) | *mort*(e)(s) |
| nous sommes | *parti*(e)(s) | *rentré*(e)(s) |
| vous êtes | *monté*(e)(s) | *passé*(e)(s) |
| ils/elles sont | *descendu*(e)(s) | *sorti*(e)(s) |
| | *entré*(e)(s) | *resté*(e)(s) |

- Unlike verbs which take *avoir* in the *passé composé*, the past participle of those which take *être* agrees with the subject of the verb in number and gender, in the same way as adjectives (see page 24):

*il* est resté

*elle* est restée

*ils* sont restés

*elles* sont restées

The full set of agreements with *être* is as follows:

**aller** to go

*je suis allé(e)*
I went/have gone

*tu es allé(e)*
you went/have gone

*il est allé*
he went/has gone

*elle est allée*
she went/has gone

*on est allé(e)(s)*
we went/have gone

*nous sommes allé(e)s*
we went/have gone

*vous êtes allé(e)(s)*
you went/have gone

*ils sont allés*
they (*m.*) went/have gone

*elles sont allées*
they (*f.*) went/have gone

… and in the negative:

*je ne suis pas allé(e)*
*tu n'es pas allé(e)*
*il n'est pas allé*
*elle n'est pas allée*
*on n'est pas allé(e)(s)*
*nous ne sommes pas allé(e)s*
*vous n'êtes pas allé(e)(s)*
*ils ne sont pas allés*
*elles ne sont pas allées*

– How many examples of the *passé composé* with *être* can you find in the postcard on page 57? What do they mean?

- All reflexive verbs (verbs whose infinitives have *se/s'* in front; for example, *se lever, s'habiller*) take *être* in the *passé composé*:

> **se réveiller** to wake up
> *je me suis réveillé(e)*
> *tu t'es réveillé(e)*
> *il s'est réveillé*
> *elle s'est réveillée*
> *on s'est réveillé(e)(s)*
> *nous nous sommes réveillé(e)s*
> *vous vous êtes réveillé(e)(s)*
> *ils se sont reveillés*
> *elle se sont réveillées*

**1** Match up the following sentence halves and say what they mean:

> **1** Le train est...
> **2** Sylvie n'est pas encore...
> **3** Je me suis...
> **4** Mes copains sont...
> **5** Ma copine s'est...
> **6** Mes sœurs sont...
> **7** Mes parents se sont...

> **a** ... allées en ville.
> **b** ... levé tôt ce matin.
> **c** ... amusés en Angleterre.
> **d** ... déjà parti.
> **e** ... rentrés de vacances.
> **f** ... ennuyée en Angleterre.
> **g** ... arrivée.

**2** *Avoir* or *être*? Copy out the following dialogue, filling in the correct form of *avoir* or *être*, then write out the English equivalent.

**MME HUBERT:** Qu'est-ce que tu _____ fait aujourd'hui, Christine?

**CHRISTINE:** Je _____ allée à la tour Eiffel avec ma copine.

**MME HUBERT:** Tu _____ montée au sommet?

**CHRISTINE:** Oui. Mais ma copine n'_____ pas montée avec moi. Elle _____ eu peur! C'était formidable: j'_____ vu tout Paris.

**MME HUBERT:** Et comment _____ -vous rentrées?

**CHRISTINE:** Nous _____ pris le métro jusqu'à Châtelet, puis elle _____ pris le bus.

**MME HUBERT:** Vous _____ acheté des souvenirs?

**CHRISTINE:** Nous _____ acheté des cartes postales.

**MME HUBERT:** Ça t'_____ plu, ton excursion?

**CHRISTINE:** Oui, je me _____ bien amusée.

**3** Écris une description de ton voyage de vacances l'été dernier. Il faut mentionner...
- quand tu t'es levé(e) le jour du départ
- les heures de départ/d'arrivée
- par où tu es passé(e)
- où/pendant combien de temps/pourquoi tu t'es arrêté(e).

Exemple: *Le jour du départ, je me suis levé(e) de bonne heure, à six heures et demie. Je suis parti(e) pour la gare à... On est passés par..., etc.*

pages 175–8, 197 (19–20)

# 2 Guide pratique 2

## L'écriture française

British people often find French handwriting difficult to read. Obviously handwriting differs from person to person, but there are similarities. Here is an example of 'typical' French handwriting:

$$A\ B\ C\ D\ E\ F\ G\ H\ I\ J\ K\ L\ M$$

$$a\ b\ c\ d\ e\ f\ g\ h\ i\ j\ k\ l\ m$$

$$N\ O\ P\ Q\ R\ S\ T\ U\ V\ W\ X\ Y\ Z$$

$$n\ o\ p\ q\ r\ s\ t\ u\ v\ w\ x\ y\ z$$

**1** Here are three different variations on this 'typical' style. Read them, then do the tasks underneath:

**a**
> Hier je suis allée au zoo
> J'ai vu des <u>centaines</u>
> d'animaux <u>sauvages</u>.
> Il y a un zoo près de chez toi?

**b**
> Ça fait 2 jours que je suis
> <u>malade</u>. Je n'ai pas pu aller
> à l'école. Ça va, toi? Tu as
> fini tes <u>examens</u>?

**c**
> C'est <u>bientôt</u> mon anniversaire.
> Je vais avoir 17 ans. Mes
> parents vont m'<u>offrir</u> une moto.
> C'est quand, ton <u>anniversaire</u>?

**1** Check that you can identify all the letters of the alphabet in each of the extracts.
**2** Copy out the underlined words and look up what they mean in English.
**3** Copy out the question in each passage and answer it in French.

## Comment écrire une lettre

• To start a letter to a friend you can use *Cher Patrick/Chère Anny/Chers Chantal et Jean-Claude*, etc. But for formal letters, and letters to people you do not know well, it needs to be *Monsieur/Madame/Messieurs*.

- To close a letter to a friend you have a whole range of possibilities:

> *Bien à toi    Bien amicalement    Amitiés*
> *Grosses bises    Je t'embrasse*

There are a number of formulae for closing formal letters, but a safe all-purpose one would be:

> *Veuillez agréer, monsieur/madame,*
> *l'expression de mes sentiments distingués.*

- Always remember to use *tu* to a friend (*Est-ce que tu as…?*), and *vous* if talking about more than one friend (for example, your penfriend and his/her family): *Est-ce que vous avez…?*

  Always use *vous* to an adult or anyone you don't know: *Est-ce que vous avez…, monsieur?*, etc.

**2  a** Copy out these verbs, filling in the gaps with the correct form of the verb, then write the English equivalent alongside.

| | | | | | | |
|---|---|---|---|---|---|---|
| *tu prends* | > *vous _____* | *tu es* | > *vous _____* | *tu _____* | > *vous allez* |
| *tu fais* | > *vous _____* | *tu _____* | > *vous finissez* | *tu _____* | > *vous pouvez* |
| *tu _____* | > *vous voulez* | *tu dois* | > *vous _____* | *tu _____* | > *vous savez* |

**b** Rewrite the following sentences using the *tu* form instead of *vous*, then write the English meaning.

> <u>*Pouvez-vous*</u> *m'envoyer des informations?*
> <u>*Avez-vous*</u> *un dépliant sur la ville?*
> *Quand* <u>*êtes-vous*</u> *en vacances? Et quand* <u>*rentrez-vous*</u>*?*

**c** Rewrite the following sentences using the *vous* form instead of *tu*, then write the English meaning.

> *À quelle heure est-ce que* <u>*tu vas*</u> *arriver?*
> *Est-ce que* <u>*tu prends*</u> *le bateau ou l'avion?*
> *Qu'est-ce que* <u>*tu veux*</u> *faire à Londres?*

- Here are some other words which must change, too, depending on the person you are writing to.

| Letter to a friend: | | Formal letter: |
|---|---|---|
| *Je vais* <u>*te*</u> *voir* | > | *Je vais* <u>*vous*</u> *voir* |
| <u>*ton*</u> *séjour* | > | <u>*votre*</u> *séjour* |
| <u>*ta*</u> *visite* | > | <u>*votre*</u> *visite* |
| <u>*tes*</u> *vacances* | > | <u>*vos*</u> *vacances* |
| *pour/chez* <u>*toi*</u> | > | *pour/chez* <u>*vous*</u> |

**3  a** Write a letter to your new exchange partner in which you ask five questions using *tu*.

**b** Write a letter to a hotel in which you ask five questions using *vous*.

# 2 Examen blanc (1)

**1** Lis les phrases et relie-les aux bons dessins.

Exemple: **1** = *d*

**1** L'année prochaine, je vais visiter Paris.
**2** Je voudrais devenir médecin dans un grand hôpital.
**3** J'ai l'intention d'avoir trois enfants.
**4** Je rêve de conduire une belle voiture de sport.
**5** Je veux travailler dans un bureau.
**6** J'espère avoir un chien.

a
b

c
d
e
f

**2** Lis cet article sur l'école française et réponds *vrai* ou *faux* pour chaque phrase.

Exemple: **1** = *vrai*

## Plus d'école le samedi?

Dans 70 écoles sur 100, les élèves vont en classe cinq jours par semaine avec une coupure le mercredi et une demi-journée le samedi matin. Mais, selon des sondages, la plupart des parents demandent que la classe du samedi matin soit supprimée parce qu'ils voudraient partir en week-end plus tôt. Certaines écoles ont les cours le mercredi matin au lieu du samedi. D'autres sont ouvertes quatre jours par semaine avec des vacances scolaires plus courtes. Selon le gouvernement, la semaine de quatre jours ne semble pas une très bonne solution. Les enfants ne savent pas comment occuper leurs trois jours libres. Les parents qui travaillent peuvent rencontrer des difficultés pour faire garder leurs enfants. La semaine de cinq jours avec la classe le mercredi matin au lieu du samedi matin semble être une meilleure solution. Le gouvernement veut encourager cette pratique. Alors, plus de cours le samedi matin? Ce n'est pas certain car chaque école est libre d'organiser ses semaines comme elle le veut.

**1** La majorité des élèves vont en classe le samedi matin.
**2** La majorité des parents sont contents de la situation actuelle.
**3** Les parents aiment passer le week-end à la maison.
**4** Le gouvernement est en faveur de la semaine de quatre jours.
**5** On dit que les élèves qui ont trois jours libres par semaine s'ennuient.
**6** Le gouvernement encourage la semaine de cinq jours avec la classe le mercredi.
**7** Les cours le samedi matin seront certainement supprimés par le gouvernement.

**3** 🎧 Écoute ces cinq personnes qui parlent des leurs matières scolaires préférées. Trouve l'image qui correspond à chaque matière et donne la raison pour leur préférence. Copie la grille et remplis-la.

| | Matière | Pourquoi? |
|---|---|---|
| 1 | c | très utile |
| 2 | | |
| 3 | | |
| 4 | | |
| 5 | | |

**a**

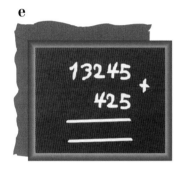

**b**

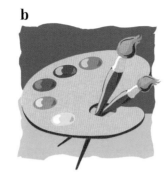

**c**

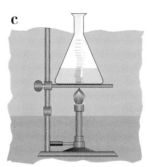

**d**

**e**

13245 +
425

**f**

Guten Tag!

**4** 🎧 Écoute Kévin, qui parle de sa ville. Note *vrai* ou *faux* pour chacune des phrases suivantes.

Exemple: **1** = *faux*

**1** La ville de Kévin est très pittoresque.

**2** Dans la ville de Kévin, il y a peu de parcs.

**3** Il fait beaucoup de trajets en autobus.

**4** Il n'aime pas aller aux magasins.

**5** Il trouve les rues très sales.

**6** Il sort très rarement.

**7** Il n'y a rien à faire dans sa ville.

# 3 A C'est comme ça chez nous

## 1 🎧 Les repas

**a** Écoute la cassette en lisant les bulles en même temps.

*Le petit déjeuner*

D'habitude, je prends le petit déjeuner à sept heures et demie avec mes deux enfants.

*Le déjeuner/Le repas de midi*

Le week-end, on mange ensemble...à la terrasse, s'il fait beau.

En semaine, je mange à la cantine de l'école. C'est pas mal comme bouffe!

*Le dîner/Le repas du soir*

Le week-end, on dîne toujours en famille. Souvent ça prend une heure... une heure et demie!

*Le goûter*

En rentrant de l'école, je prends un petit quelque chose... normalement du pain et du chocolat.

**b** Et toi? Réponds aux questions.

À quelle heure prends-tu les différents repas en semaine?
Avec qui? Où?
Qu'est-ce que tu manges et bois?
Est-ce que c'est différent le week-end?
S'il fait beau l'été, est-ce que tu manges dehors?
Tu prends un casse-croûte en rentrant du collège?
Vous déjeunez en famille le dimanche?

'Y a des gens qui mangent pour vivre. Moi, je vis pour manger.

## 2 🎧 Quant aux repas...

Écoute ces cinq personnes qui parlent des différents repas. Copie la grille et remplis-la.

| Repas? | Quand?/À quelle heure? | Avec qui? |
|---|---|---|
| 1 petit déjeuner | en semaine à 6 heures | son mari |
| 2 | | |

## 3 ◢ Sondage: les tâches ménagères

Quelle est la tâche ménagère la plus populaire parmi tes camarades de classe? Et la moins populaire? Pose des questions à tes camarades.

**a** Copie et complète le questionnaire selon les opinions de chaque tâche: *0 = horrible; 1 = acceptable; 2 = raisonnable; 3 = agréable.* Mettez-vous d'accord sur deux autres tâches que vous faites assez régulièrement et ajoutez-les en bas du questionnaire.

Exemple: – *Promener le chien, qu'est-ce tu en penses?*

– *Promener le chien, je trouve ça agréable!*

– *Alors, je mets '3'. Et laver la voiture, qu'est-ce que tu en penses?*, etc.

**b** Faites le total des points pour chaque tâche.

**c** Étudiez les totaux et faites une liste par ordre de popularité. Présentez les résultats de votre sondage.

Exemple: *La tâche la plus populaire, c'est … … est (un peu/beaucoup/nettement) plus populaire que… La tâche la moins populaire, c'est…*

**Sondage sur les tâches ménagères**

| | |
|---|---|
| | promener le chien |
| | laver la voiture |
| | faire la vaisselle |
| | jardiner |
| | ranger sa chambre |
| | passer l'aspirateur |
| | repasser |
| | faire les courses |
| ? | |
| ? | |

## 4 Des opinions sur les jeunes

Lis les opinions sur les jeunes d'aujourd'hui. Tu es d'accord ou pas d'accord? Pourquoi/Pourquoi pas?

Exemple: **1** *Ce n'est pas vrai! On travaille dur à l'école. On fait beaucoup de tests et d'examens*, etc.

**1** Les jeunes ne font rien à l'école.

**2** Ils sont très paresseux!

**3** Ils ne s'intéressent à rien.

**4** Ils n'aident pas leurs parents.

**5** Ils s'amusent tout le temps.

| | |
|---|---|
| C'est (tout à fait) possible. | C'est impossible/bête/ridicule. |
| C'est (probablement) vrai. | C'est faux. |
| Il/Elle a raison. | Il/Elle a tort. |
| Je suis (tout à fait) d'accord. | Je ne suis pas (du tout) d'accord. |

page 210

# À mon avis…

## 1 🎧 Ah, le bon vieux temps!

**a** Écoute ce vieillard parler de son enfance, puis lis la bulle.

> C'était dur, la vie quand j'étais jeune.
> Les jeunes d'aujourd'hui ne peuvent
> pas s'imaginer! Ils sont gâtés…
> paresseux… fainéants!

**b** Copie le texte en remplissant les blancs avec les mots appropriés.

*Selon ce vieillard, quand il avait _____ ans, il
_____ déjà pour aider ses parents. Mais ils ne
lui donnaient pas d' _____ . Il se levait à ——
heures pour chercher de l' _____ et du _____ .
Il allait à l'école _____ et le trajet prenait une
_____ . Il se couchait _____ car il n'y avait ni
_____ ni _____ . La vie était _____ et il
considère que les jeunes d' _____ sont _____ .*

radio   eau   travaillait   neuf   gâtés   dure
argent de poche   six   bois   demi-heure
à pied   aujourd'hui   télévision   tôt

## 2 Quand j'étais jeune…

Mets-toi à la place d'un homme/d'une
femme de 80 ans. On t'a demandé
d'écrire un article sur ton enfance pour
un magazine: explique comment la vie
était dure à cette époque-là. (Tu vas sans
doute exagérer un tout petit peu!)

Pour t'aider, utilise les phrases à droite.

Regarde aussi les pages 104–5.

Quand j'étais jeune, je devais…/j'avais…/je n'avais
pas de/d'…

Quand j'avais (14) ans, il y avait…/il n'y avait pas
de/d'…

Je travaillais…/J'aidais…

On pouvait/on ne pouvait pas (+ infinitif)

Il fallait (+ infinitif).

Mes parents me permettaient/ne me permettaient
pas de/d'(+ infinitif).

## 3 À table au Canada

Lis cette page d'un dépliant touristique sur ce qu'on mange au Canada, puis réponds aux questions ci-dessous.

### Les Canadiens sont moitié anglais et ça se voit!

**À TABLE!** Le soleil se lève sur la ville couverte de neige. Votre journée commence avec le petit déjeuner (on dit déjeuner) traditionnel… L'estomac dans les talons, il va vite remonter.

Étalez sur une tranche de pain de mie une bonne couche de margarine. Recouvrez copieusement de beurre d'arachide (du "Nutella" âcre aux cacahuètes, en plus gras). Stop. Une tranche vous suffit, goûtez d'abord. Mmmmmnnn… une autre? OK, on passe au dîner (le repas de midi).

Les morceaux de viande, baignant dans la sauce barbecue de votre assiette, font partie de la "Poutine". L'accompagnement est composé de frites avec de gros morceaux de fromage…

Déjà le repas du soir (17h30!) pointe son nez. Vous constatez que le poulet, très répandu, est excellemment préparé pour votre souper. En passant, vous remarquez qu'ici le Coca ne règne pas. Pepsi et ses bouteilles dorées sont plus souvent sur les tables.

Mais gardons le meilleur pour la fin de la journée…

Dans votre tilleul, quelques gouttes de jus d'arbre vous ravissent. On ne peut en effet parler du Canada sans citer le sirop d'érable. En fait, il s'agit tout simplement de la sève de l'arbre que l'on fait bouillir. Le temps de cuisson donne successivement du sirop, de la terre ou du sucre d'érable. Délicieux!

Le temps passe, il est déjà temps de dormir et de digérer cette journée chargée. Demain promet d'être long! Bonne nuit.

**a** 1 Comment appelle-t-on au Canada:
   **a** le petit déjeuner?    **b** le déjeuner?    **c** le dîner?
2 Fais une liste de tous les aliments et boissons mentionnés dans le texte (mets *le/la/l'/les* ou *du/de la/de l'/des* à chaque fois).
3 Lesquels de ces aliments et boissons est-ce que vous mangez/buvez d'habitude chez vous?
4 Quelle est ton opinion du régime canadien?

**b** Rédige une page similaire pour expliquer aux Canadiens (et à d'autres étrangers) en quoi consistent les repas typiques de votre région.

| Au petit déjeuner, | qui se sert à environ (8) heures, | on mange… |
| Au déjeuner, | | on boit… |
| Au goûter, | | on prend… |
| Au dîner, | | |

page 210

# C'est la fête!

## 1 🎧 C'est mon anniversaire

**a** Écoute ces cinq personnes qui expliquent
comment ils ont fêté leur anniversaire.
Relie chaque personne à la bonne image.

Exemple: **1** = *e*

**b** Laquelle de ces célébrations préférerais-tu? Pourquoi?

| Quelle est la date de<br>C'est quand | ton anniversaire? | C'est le | premier (août, etc.)<br>deux |
|---|---|---|---|
| En quelle année<br>Quand | es-tu né(e)? | Je suis né(e) en 19... | |
| Quel âge as-tu? | J'ai<br>Je viens d'avoir<br>Je vais bientôt avoir | (18, etc.) ans. | |

## 2 ◢ Et toi?

Travaille avec un/une partenaire. Posez-vous les
questions suivantes, à tour de rôle.

> Tu as quel âge en ce moment?
> C'est quand ton anniversaire?
> Que fait ta famille normalement pour fêter ton anniversaire?
> Comment as-tu fêté ton dernier anniversaire?
> Comment espères-tu fêter ton prochain anniversaire?

## 3 Nos fêtes

Lis les descriptions. Choisis le bon mot pour compléter chaque phrase en-dessous.

**1**

UNE fois par an, on observe le jeûne du Ramadan. Il peut durer 29 ou 30 jours. Pendant tout ce temps on ne mange, boit ni fume pendant les heures de jour – c'est-à-dire entre le lever et le coucher du soleil. Les petits jusqu'à dix ans environ ne sont pas obligés de jeûner et si on est en voyage ou malade on ne doit pas l'observer si strictement. À la fin du Ramadan, une fois les prières à la mosquée finies, on rentre chez soi pour faire la fête – c'est l'Aïd.

**2**

Le 24 décembre au soir, beaucoup de gens vont à la messe. Après, ils rentrent chez eux pour réveillonner, c'est-à-dire ils font un grand repas avec, selon la région, de la dinde aux marrons ou une oie, des huîtres et du foie gras. Comme dessert il y a une bûche de Noël ou un gâteau. Les enfants laissent leurs chaussures au pied du sapin pour que le père Noël, qui s'introduit dans la maison par la cheminée (accompagné du Père Fouettard), puisse y déposer les cadeaux. Dans certaines régions, c'est le petit Jésus qui apporte les cadeaux, et les enfants reçoivent aussi de petits cadeaux le 6 décembre, la Saint-Nicolas.

**3**

*Au mois de décembre, on a une fête qui s'appelle Hanoukka. Ça dure huit jours. Le premier jour, on allume une chandelle sur la menora, qui est notre chandelier traditionnel. Puis on en allume une autre chaque jour jusqu'à ce que huit chandelles soient allumées. Les enfants aiment ce festival parce qu'ils reçoivent des cadeaux en jouant au dreidel, une toupie traditionnelle à quatre faces.*

1  a  La personne qui parle est  juive / musulmane / chrétienne.
   b  Le Ramadan dure environ  un jour / une semaine / un mois.
   c  Pendant le Ramadan, on peut manger pendant  la nuit / la journée / le jeûne.
   d  Le jeûne est obligé pour les malades / jeunes / adultes.
   e  À la mosquée, on fait la fête / fait les prières / mange.

2  a  La personne qui parle est juive / musulmane / chrétienne.
   b  Le 24 décembre, beaucoup de gens vont à l'école / à l'église / au restaurant.
   c  On fait un grand repas avant / pendant / après la messe.
   d  Le Père Noël entre par la porte / la fenêtre / la cheminée.
   e  Il arrive avec le Père Fouettard / le petit Jésus / tout seul.

3  a  La personne qui parle est juive / musulmane / chrétienne.
   b  Hanoukka dure environ un jour / une semaine / un mois.
   c  La *menora* est une chandelle / une fête / un chandelier.
   d  Le *dreidel* est un jeu / un festival / un cadeau.
   e  En jouant au *dreidel*, on reçoit des toupies / des chandelles / des cadeaux.

## 4 Chez nous

Choisis un jour spécial que vous fêtez chez vous. Écris une description de cette fête à ton/ta correspondant(e) français(e). Explique…

**a**  … comment vous fêtez ce jour-là normalement: activités, repas, sorties, avec qui, ton opinion.
Exemple: *D'habitude/Normalement, pour fêter… on va/fait…, etc.*

**b**  … comment vous l'avez fêté la dernière fois.
Exemple: *L'année dernière, pour fêter… on est allés…, on a fait…, etc.*

page 210

# 3 B La santé

## 1 🎧 Une vie saine

Lis le poster puis écoute la cassette. Dans laquelle des
quatre catégories du poster entre chaque personne?
Justifie ton choix. Copie la grille et remplis-la.

# Soignez votre santé

Aujourd'hui un grand nombre de maladies pourraient être évitées grâce à
une vie mieux équilibrée. Alors, plutôt que de recourir systématiquement
aux médicaments, pourquoi ne pas prendre mieux soin de sa santé?

**1**
Redécouvrez l'exercice physique.
Le sport peut être un excellent remède
contre la nervosité et l'essoufflement. Il
assouplit les muscles et les articulations. Il
en existe sûrement un adapté à vos goûts
et à votre forme physique. Au besoin, votre
médecin pourra vous conseiller.

**2**
Évitez les substances toxiques.
Le tabac et l'alcool consommés
régulièrement sont des dangers pour
la santé.

**3**
Mangez juste.
Variez vos menus. Ne sautez pas de
repas. Prenez un petit déjeuner complet.
Évitez les sucreries et les graisses.

**4**
Dormez suffisamment.
Un sommeil suffisamment long est
indispensable pour être en forme, surtout
pour les jeunes enfants.

| | catégorie | raisons |
|---|---|---|
| Exemple: **Yves** | *2* | *il ne fume plus/ça fait 5 ans qu'il ne fume plus* |
| **Sylvie** | | |
| **Grégoire** | | |
| **Nicole** | | |

| Je mange | assez beaucoup trop | de/d' | fruits matières grasses sucreries | viande légumes produits congelés |
|---|---|---|---|---|
| Je ne mange pas assez | | | | |
| Je bois | assez beaucoup trop | | lait eau | boissons gazeuses jus de fruits |
| Je ne bois pas assez | | | | |

Je dors bien.          Je ne dors pas assez.
Je fais de l'exercice régulièrement.   Je ne fais pas assez d'exercice.

page 210

## 2 Interview

**a** Interviewe ton/ta partenaire. Pose-lui des questions sur son mode de vie pour voir s'il/si elle mène une vie saine. Copie la grille et remplis-la selon ses réponses.

Exemples:
*Tu es sportif/sportive?...*
*Tu fumes? (Combien de cigarettes par jour?)...*
*À quelle heure te couches-tu en semaine?...*
*Et le week-end?*
*Qu'est-ce que tu manges/bois?* etc.

|  | Sain | Pas sain |
|---|---|---|
| Régime | | |
| Exercice | | |
| Consommation de produits toxiques | | |
| Sommeil | | |

**b** Étudie tes notes. Puis prépare des conseils pour ton/ta partenaire.

| Il faut Tu devrais | manger | plus de moins de | légumes. |
|---|---|---|---|
| | boire | | boissons gazeuses. |
| | te coucher plus tôt. faire plus d'exercice. | | |

| Il ne faut pas Tu ne devrais pas | fumer. |
|---|---|
| | manger trop de sucreries. |

page 210

## 3 En forme!

**1** Décris une personne (copain, copine, membre de ta famille, professeur, vedette, etc.) qui est très en forme.
**2** Décris une personne qui n'est pas en forme.

Sers-toi des quatre catégories qui figurent dans le poster de la page 92.

Exemple: *Mon copain, John, est très en forme.*
*Il fait beaucoup de sport et...*
*Ma copine, Emma, n'est pas en forme.*
*Elle fume trop et...*

# À votre santé!

## 1 Manger et boire sainement

Voici une journée de régime
proposée par un(e) diététicien(ne).

| Lundi | |
|---|---|
| **PETIT DÉJEUNER** <br> * 150 g de fromage blanc plus une demi-pomme râpée plus 3 cuillerées à soupe de muesli non sucré <br> * 1 tasse de café <br><br> **À 10 HEURES** <br> * 1 potage en sachet <br><br> **DÉJEUNER** <br> * 250 ml de jus de légumes <br> * 2 harengs au vinaigre plus crudités <br> * 2 petits grillés complets <br> * 2 mandarines <br> * 1 tasse de café | **GOÛTER** <br> * 1 tasse de thé <br> * 125 g de yaourt maigre aux fruits <br><br> **DÎNER** <br> * omelette de 2 œufs aux courgettes assaisonnée de fromage râpé maigre <br> * une pomme de terre <br><br> **COLLATION** <br> avant la nuit <br> * 1 tasse de thé <br> * 2 tranches d'ananas |

**a** Qu'est-ce que tu penses de ce menu?
Y a-t-il des choses que tu aimes? Y a-t-il des choses que
tu n'aimes pas?
Qu'est-ce que tu manges normalement au petit déjeuner?
Et au déjeuner? Et au goûter? Et au dîner?
Est-ce que tu sautes des repas? Lesquels?
Est-ce que tu manges entre les repas? Quand? Quoi?

**b** ◢ Interviewe ton/ta partenaire sur ce qu'il/elle a mangé
hier aux différents repas (et entre les repas!). Compare
ce qu'il/elle a consommé avec le menu ci-dessus.
Donne-lui des conseils.

Exemple: *Tu devrais manger plus de produits
frais/moins de sucreries/un repas plus
consistant,* etc.

**c** Propose un menu à ton goût
pour la journée! Copie la grille
et remplis-la.

| Petit déjeuner | Déjeuner | Goûter | Dîner | Entre les repas |
|---|---|---|---|---|
| | | | | |

## 2 ⌂ Je suis comme ça!

Écoute ces six personnes (Alex, Caroline, Serge,
Nathalie, Yves et Sandrine). À ton avis, leur mode
de vie est-il sain? Copie la grille et remplis-la.

| | | Ce qu'ils /elles font... | C'est bon/mauvais pour la santé? |
|---|---|---|---|
| Exemple: | **Alex** | *il fume trop* <br> *il boit trop d'alcool* | *mauvais* |
| | **Caroline** | | |

## 3  Que me conseillez-vous?

Une jeune Française a un problème qu'elle explique à la psychologue de *OK Magazine*.

Lis la lettre et la série de conseils à droite.

**Laure X.,**

### «ILS ME SNOBENT PARCE QUE JE NE FUME PAS»

J'ai quinze ans et je suis en seconde dans un nouveau lycée. Il faut donc que je me fasse de nouveaux amis. Il y a un groupe qui me paraît sympa, mais les garçons et les filles qui en font partie me snobent parce que... je ne fume pas. J'ai pourtant d'autres «qualités»: sans me vanter, je suis plutôt mignonne, gaie et je ne manque pas d'humour. Et d'habitude, je n'ai pas de difficulté à me faire des amis. Alors, que dois-je faire? Laisser tomber cette bande (et m'ennuyer) ou bien fumer moi aussi, bien que je sois absolument contre? Merci de me conseiller.

**a**  Copie les phrases qui sont utiles pour décourager Laure de fumer.

**b**  Écris une réponse à Laure de la part de *OK*.

Exemple:

> Chère Laure,
> À mon avis...
> Je pense que...
> Il me semble que...

**c**  Discute avec un/une partenaire. Qu'est-ce que vous pensez de la situation de Laure? Qu'est-ce que vous lui diriez?

**1**  La situation est bien grave! Pourquoi ne pas fumer avec eux?

**2**  Regarde bien autour de toi! Tu ferais mieux de laisser tomber ce groupe de fumeurs.

**3**  Ne t'inquiète pas! Il y a sûrement d'autres jeunes dans ton nouveau lycée qui ne fument pas.

**4**  À quinze ans tu as le droit de fumer!

**5**  Ils ne sont pas si sympa que ça. Si tu étais moins timide tu aurais des copains.

**6**  Leur attitude est très bête. Ils ne devraient pas t'exclure à cause de ça. Après tout, tu as le droit de choisir.

**7**  Pour avoir des copains, il faut fumer de temps en temps.

**8**  Tu te rendrais peut-être malade, mais tu aurais des amis!

## 4  Le tabagisme

Interviewe des ami(e)s au sujet du tabagisme. Voici des questions possibles:

– Est-ce que tu as déjà fumé? (Est-ce que tu fumes toujours? Combien par jour? Depuis quand fumes-tu?)

– La fumée te gêne?

– Qu'est-ce que tu penses des gens qui fument?

– Est-ce que tu respectes les droits des non-fumeurs?

# On va bouffer?

## 1 La télé – bonne ou mauvaise influence?

**a** Choisis l'image qui correspond à chacune des opinions.

Exemple: **a** = *3*

**1** Il y a quand même des émissions de cuisine où on apprend à bien cuisiner et à préparer des repas bien équilibrés. Moi, je trouve ça très pratique.

**2** On passe souvent de vieux films à la télé où les personnages ne cessent de fumer et de boire. À mon avis, on devrait les interdire.

**3** Je suis au régime en ce moment pour maigrir un peu. Mais il y a tant de publicités à la télé pour les sucreries. C'est un vrai supplice!

**4** À mon avis, la télé exerce une mauvaise influence sur les gens. Ça n'a rien à voir avec ce que l'on passe <u>à</u> la télé – c'est plutôt le temps que l'on passe <u>devant</u> la télé!

**5** Ce qui m'énerve le plus, c'est que l'on montre tant de filles et de femmes super-minces et élégantes à la télé. Ça donne l'impression que c'est normal d'être mince. Ça met beaucoup de pression sur les gens, et ça peut être très dangereux!

**b** Avec lesquelles de ces opinions es-tu d'accord/pas d'accord? Pourquoi/Pourquoi pas?

## 2 🎧 Désastre!

Écoute ces cinq personnes parler de désastres culinaires. Pour chaque personne, note les détails suivants:

**a** la personne qu'il/elle avait invitée
**b** ce qu'il/elle avait préparé
**c** pourquoi ça a tourné mal.

Exemple: **1** = **a** *sa sœur et son mari*
**b** *un bon couscous*
**c** *elle a mis du sel à la place du sucre*

## 3 Mangez juste!

Les diététiciens nous recommandent de manger cinq portions de fruits/légumes par jour. Lis les bulles, puis réponds aux questions.

Que veut dire exactement une "portion"?

Eh bien, une "portion" veut dire un fruit frais... une pomme, une orange, une banane, une prune ou une pêche, par exemple. Ou bien au moins une grande cuillerée de légumes frais ou de salade. Pas de légumes en boîte!

Mangez-vous juste?

a  – Combien de portions de fruits/légumes as-tu mangées hier? Et avant-hier?
   – Combien en mangez-vous par jour d'habitude?
   – Pose ces deux questions à cinq camarades de classe. Vous mangez assez de portions de fruits/légumes, ou faut-il en manger davantage?

b  ◢ Travaille avec un/une partenaire. Propose-lui un repas bien équilibré.

Exemple: *Comme entrée, je te propose des carottes râpées avec un peu de vinaigrette. Comme plat principal, tu peux manger... Comme boisson... et comme dessert...*

## 4 Délicieux... dégoûtant!

Écris une description du meilleur repas que tu aies jamais mangé, et du pire! N'oublie pas de mentionner dans ton récit les détails suivants:

– *où/chez qui tu étais*

– *dans quelles circonstances (anniversaire? vacances?)*

– *quand ça s'est passé*

– *ce que tu as mangé*

– *ce que tu as bu*

– *pourquoi c'était si bon/mauvais*

– *quelle a été ta réaction.*

# 3 c Au travail!

## 1 🎧 Pour gagner de l'argent...

Écoute la cassette et réponds aux questions.

**a** Où travaillait ce garçon?
**b** Qu'est-ce qu'il faisait?
**c** Pourquoi est-ce qu'il l'a trouvé fatigant?
**b** Qu'est-ce qu'il pensait du salaire?

Pendant les vacances d'été, j'ai travaillé dans un café comme serveur. Je servais les clients, je débarrassais les tables et je mettais les couverts. Heureusement, je ne faisais pas la vaisselle! C'était fatigant puisque la journée était longue et certains clients étaient, disons, un peu difficiles. C'était assez bien payé. Je gagnais 60 euros par jour... plus les pourboires, bien entendu!

## 2 Qu'est-ce que tu faisais?

Trouve l'image qui correspond à chaque bulle.

Exemple: **a** = *3*

**a** Je chargeais les rayons.

**b** Je travaillais à la caisse.

**c** Je surveillais les baigneurs.

**d** Je lavais les voitures.

**e** Je faisais la vaisselle.

**f** Je répondais au téléphone.

**g** Je balayais le plancher.

**h** Je tapais des lettres à l'ordinateur.

**i** Je gardais les enfants.

**j** Je désherbais les parterres.

## 3  Tu travaillais où... tu faisais quoi?

Trouve les moitiés de phrases qui vont ensemble et
copie les phrases complètes.

Exemple: **1** = *Je travaillais chez les voisins, où je
gardais les enfants.*

| | | | |
|---|---|---|---|
| 1 | Je travaillais chez les voisins... | où | je chargeais les rayons. |
| 2 | Je travaillais dans un bureau... | | je faisais la vaisselle. |
| 3 | Je travaillais chez une coiffeuse... | | je lavais les voitures. |
| 4 | Je travaillais dans un garage... | | je surveillais les baigneurs. |
| 5 | Je travaillais à la plage... | | je balayais les cheveux. |
| 6 | Je travaillais dans la cuisine d'un café... | | je classais les documents. |
| 7 | Je travaillais dans un supermarché... | | je gardais les enfants. |

## 4  🎧 Un petit boulot d'été

Écoute ces cinq jeunes qui ont fait des petits
boulots pour gagner de l'argent en plus.
Copie la grille et remplis-la.

| | Il/Elle travaillait où? | Ça lui a plu? | Pourquoi (pas)? |
|---|---|---|---|
| 1 | dans un bureau au centre-ville | non (pas du tout) | le travail était monotone |
| 2 | | | |

## 5  Une lettre

Écris une lettre à un(e) copain/copine français(e),
en lui parlant d'un petit boulot que tu as fait.

Exemple:

> Cher/Chère...
> Cet été, j'ai travaillé dans (un supermarché, etc. ).
> Je travaillais de... heures du matin jusqu'à... heures du soir.
> Je (chargeais les rayons, etc.).
> J'ai aimé/Je n'ai pas aimé le travail car...
> C'était bien/mal payé.
> Je gagnais... livres par heure/jour/semaine.
> ...

# Au boulot!

## 1 🎧 Comment vont-ils au travail?

Écoute ces cinq personnes, qui parlent de comment ils se rendent à leur lieu de travail.

**a** Trouve la bulle qui correspond à chaque image.

Exemple: **1** = *c*

**a** Je vais au travail en voiture.

**b** J'y vais en métro.

**c** J'y vais en autobus, moi.

**d** Je vais au boulot à pied.

**e** Et moi en patins en ligne!

**b** Réécoute. Copie la grille et remplis-la.

| | Le trajet dure combien de temps? | Il/Elle est content(e) ou pas content(e)? | Remarques |
|---|---|---|---|
| Exemple: | **1** *10 minutes* | *content* | *pratique*<br>*bus tous les quarts d'heure* |

## 2 ◣ Et maintenant à toi!

Travaille avec un/une partenaire. Posez-vous les questions suivantes, à tour de rôle.

Tu as un petit boulot?
Où travailles-tu?
Quand/Quel(s) jour(s)?
Combien d'heures travailles-tu?
Qu'est-ce que tu en penses?
Comment tu y vas?
Combien gagnes-tu?
Comment dépenses-tu l'argent?
Qu'est-ce que tu penses de tes collègues?

Avec mon argent, j'achète ⋮ du maquillage et des vêtements.
⋮ des chaussures et des baskets.
⋮ des livres et des jeux.
⋮ des bonbons et des boissons.

Avec mon argent, je vais ⋮ au cinéma et en boîte.

Je mets £... à la banque toutes les semaines/tous les mois.

Je fais des économies pour ⋮ acheter ⋮ une platine laser.
⋮ un baladeur.
⋮ une moto.
⋮ un ordinateur.
⋮ un poste de télévision.
⋮ partir en vacances.

pages 210–11

## 3   Comment réussir à l'entretien

Rédige un dépliant avec des conseils destinés
aux jeunes Français de ton âge. Pour t'aider,
utilise le modèle donné. Relie les bonnes moitiés
de phrases pour faire des phrases complètes.
Peux-tu ajouter d'autres conseils?

Tu as un entretien?

**NE PANIQUE PAS!!!**

Voici des conseils qui t'aideront
à l'affronter avec
**CALME**
et avec
**CONFIANCE!**

| | |
|---|---|
| Il faut | être poli(e). |
| Il ne faut pas | écouter attentivement. |
| Il est essentiel de/d' | mentir. |
| Il est prudent de/d' | paniquer. |
| N'oublie pas de/d' | parler distinctement. |
| | s'habiller correctement. |
| | mâcher un chewing-gum. |
| | se faire couper les cheveux. |
| | se coiffer. |

| Quelles sont tes qualités? | Qu'est-ce que tu as étudié? | Est-ce que tu as de l'expérience? | | |
|---|---|---|---|---|
| Je suis/Je ne suis pas... | J'ai étudié/Je n'ai pas étudié... | J'ai déjà travaillé | dans | une banque. |
| ... motivé(e) | ... les maths | | | un supermarché. |
| ... travailleur(-euse) | ... le français | | à temps partiel. | |
| ... ambitieux(-euse) | ... l'anglais | | | |
| ... efficace | ... les sciences | J'ai déjà travaillé comme | baby-sitter. | |
| ... gentil(le) | ... le dessin | | vendeur (vendeuse). | |
| ... organisé(e) | ... les arts ménagers | | | |
| ... actif (active) | ... le commerce | J'ai fait un stage | dans une banque. | |
| ... patient(e) | ... la technologie | | chez un dentiste. | |
| ... intelligent(e) | | | | |
| | | Je n'ai jamais travaillé. | | |

pages 210–11

## 4   Dites moi...!

Imagine que tu as posé ta candidature pour le poste
de réceptionniste dans un hôtel. À l'entretien, on te
pose les questions suivantes. Prépare tes réponses.

Quelles sonts vos qualités?
À votre avis, qu'est-ce qui vous rend apte à occuper ce poste?
Quelles matières avez-vous étudiées à l'école?
Quels diplômes avez-vous?
Quels sont vos passe-temps?
Quelle expérience avez-vous eue du monde de travail?

Bonne chance!

Nom? Âge? Adresse?

# Allô!

## 1 ⌢ Un coup de téléphone

Natalie a posé sa candidature pour le poste ci-contre.
Elle reçoit cet appel sur son répondeur automatique.
On la convoque à un entretien. Copie et complète les phrases.

**1** Elle doit venir le _____ (*jour + date?*) à _____ (*heure?*).
**2** Elle doit aller au bureau de _____ (*qui?*) qui se trouve _____ (*où?*).
**3** Si elle a un problème, elle peut téléphoner au _____ (*numéro de téléphone?*) ou faxer au _____ (*numéro de fax?*).

> **RECHERCHONS**
> étudiant(e) pour
> **TRAVAIL de BUREAU**
> (heures et salaire à débattre)
> **Contactez:**
> M. Giraud
> 3 rue Barbe
> 77420 Melun sous Bois

## 2 ⌢ J'ai horreur des répondeurs automatiques!

Tu veux te porter candidat(e) au même poste. Tu téléphones, mais il y a un répondeur automatique. Prépare un court message pour expliquer la situation: Tu dois:

**a** expliquer qui tu es
**b** expliquer que tu t'intéresses au poste
**c** demander des détails.

## 3 ⌢ Qu'est-ce que ça veut dire?

Écoute ces cinq messages enregistrés. Explique en anglais ce qu'ils veulent dire.

## 4 ⌢ Stage de travail

Pour ton stage de travail, tu travailles à
la réception du bureau ci-contre. Voici la liste
des employés qui ne sont pas là aujourd'hui.
Écoute ces cinq appels téléphoniques.
Qu'est-ce que tu répondras? Quel message
prendras-tu si la personne n'est pas là?

Exemple: **1** = *Mlle Ernst… je vous la passe.*

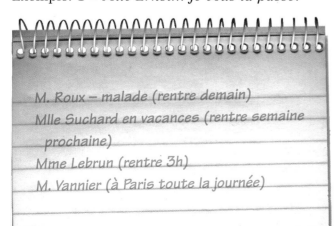

M. Roux – malade (rentre demain)
Mlle Suchard en vacances (rentre semaine prochaine)
Mme Lebrun (rentre 3h)
M. Vannier (à Paris toute la journée)

– Allô, c'est (Jean) à l'appareil. Je peux parler à (M./Mme Lagrange)?
– C'est lui-même/elle-même.

_____

– Pourriez-vous me passer (M./Mme Lagrange)?
– Ne quittez pas. Je vous le/la passe.

_____

– Il/Elle n'est pas là en ce moment. Voulez-vous laisser un message?

## 5  C'est fini!

Lis cette lettre où Louis décrit son stage de travail.

*Cher Mark,*

*Hier j'ai fini mon stage de travail dans un hôpital. C'était un stage de quatre jours. Le premier jour, je suis arrivé en retard car je me suis réveillé trop tard et j'ai manqué le train. Je commençais à sept heures et demie et je finissais à cinq heures. Le voyage à l'hôpital prenait à peu près trois quarts d'heure, donc je n'arrivais pas chez moi avant six heures moins le quart.*

*Mes collègues étaient très sympa, à part l'homme avec qui je travaillais le plus. Il s'appelait Gustave et il me taquinait tout le temps! Ça m'énervait. Le travail était dur. On accompagnait les patients aux toilettes, nettoyait le plancher et vidait les poubelles. Pas marrant, hein?*
*Je suis content que ce soit fini!*

*Amitiés,*
*    Louis*

a  Lis ces phrases, puis copie-les avec le mot/l'expression qui convient.

1  Louis a fini son stage *récemment / il y a longtemps*.
2  Le stage a duré *plus / moins* d'une semaine.
3  Le premier jour, il est arrivé *après / avant* 7 heures.
4  Le trajet durait environ *15 / 30 / 45* minutes
5  La plupart de ses collègues étaient *hostiles / amicaux*.
6  Il s'entendait *bien / mal* avec Gustave.
7  Le travail était *facile / amusant / difficile*.
8  Le travail lui *a plu / a déplu*.

b  Écris une autre lettre de ce genre en changeant les détails qui sont imprimés en rouge. Mais attention! Il faut que ce que tu écris soit logique!

# Flash grammaire 1

## L'imparfait

The imperfect tense (*l'imparfait*) expresses what **used to happen** or what **was happening**. It is an easy tense to learn, provided that you have learnt the present tense thoroughly (see pages 24–5).

- The stem is formed from the *nous* part of the present tense, with the *-ons* ending removed.

| | | |
|---|---|---|
| nous regard**ons** | > | regard- |
| nous finiss**ons** | > | finiss- |
| nous av**ons** | > | av- |
| nous entend**ons** | > | entend- |

- To this stem you add the following endings:

| | | | |
|---|---|---|---|
| je/j' | **-ais** | nous | **-ions** |
| tu | **-ais** | vous | **-iez** |
| il/elle/on | **-ait** | ils/elles | **-aient** |

For example:

**regarder** to watch

je regard**ais**
I used to watch/was watching

tu regard**ais**
you used to watch/were watching

il/elle regard**ait**
he/she used to watch/was watching

on regard**ait**
we used to watch/were watching

nous regard**ions**
we used to watch/were watching

vous regard**iez**
you used to watch/were watching

ils/elles regard**aient**
they used to watch/were watching

- There is only one irregular stem in the imperfect:
  *être > ét-*
  (*j'étais* = I was; *c'était* = it was).

**1** Find the stem of the following verbs:

| | | | |
|---|---|---|---|
| porter | attendre | choisir | boire |
| prendre | faire | lire | écrire |
| vivre | aller | aimer | manger |

**2** Write out the imperfect tense of *avoir* in full.

**3** **a** How many imperfect tenses meaning "used to (*do*)" can you find on page 98?
**b** How many imperfect tenses (meaning "was/were (*doing*)" can you find on page 98?
**c** What do they mean in English?

**4** Imagine that you had an accident. Look at the pictures and explain what you were doing at the time.
Exemple: **a** = *J'ai eu un accident pendant que je travaillais dans le jardin.*

**a**
*travailler dans le jardin*

**b**
*faire du camping*

**c**
*jouer au rugby*

**d**
*faire du judo*

**e**
*être en vacances*

**f**
*jouer au tennis*

**g**
*faire de la natation*

**h**
*faire une promenade*

**i**
*prendre des photos*

**j**
*aller à la pêche*

**5** Explain what these people were doing when you arrived.

Exemple: **a** = *Quand je suis arrivé(e), ils prenaient leur petit déjeuner.*

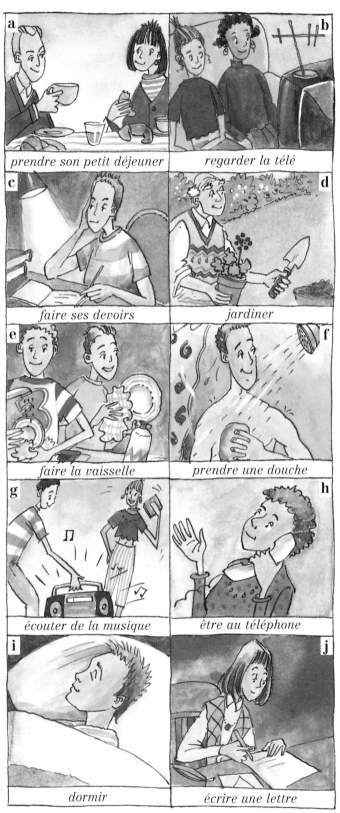

a prendre son petit déjeuner
b regarder la télé
c faire ses devoirs
d jardiner
e faire la vaisselle
f prendre une douche
g écouter de la musique
h être au téléphone
i dormir
j écrire une lettre

**6** Explain what you used to do when you were young.

Exemple: **a** = *Quand j'étais jeune, je buvais du lait.*

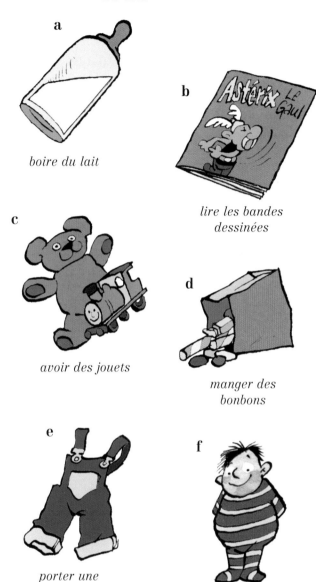

a boire du lait
b lire les bandes dessinées
c avoir des jouets
d manger des bonbons
e porter une salopette
f être très sage

**7** Write five sentences explaining what you used to do *more* when you were younger.

Exemple:

*Quand j'étais jeune, je dormais plus. Quand j'étais jeune, je mangeais plus de bonbons.*

pages 178–9, 197 (21–4)

# 3 Guide pratique 1

## Comment améliorer tes notes...

However much practice your teacher gives you, however many times she/he explains things, unless you actually take time to learn them yourself, you will not remember them. There are several tips which will help you improve your performance.

- **Monitoring your own progress:**
  Ask yourself all the time: "How well do I know this?", "How well can I do this?". If the answer to the questions is "I can do better," then set yourself clear targets to improve.

- **Targets should be SMART targets:**
  - **S**pecific, **M**easurable, **A**chievable, **R**ealistic/**R**elevant, **T**ime-related targets.
  - Targets should be **short-term**: you can check them after a month or a half-term.
  - Targets need to be **realistic**: a small, measurable improvement.
  - Write your targets down. Make up a table like the one below:

| Target | How? | Date to check | Achieved? |
|--------|------|---------------|-----------|
| Improve written accuracy | Check my work. Learn the spellings I often get wrong. Learn verb endings. | 25th Oct | ✓✓ |
| Get a 'C' in writing | Improve accuracy. Learn the past, future and present tenses well. Ask my teacher for advice. | 10th Dec | ✓ |
| Improve my listening | Learn vocabulary in topic groups; learn verb endings; practise out of lessons (e.g. CD-Roms, tapes in the library) | 15th Feb | ✓✓✓ |

## ... à l'oral et à l'écrit

The areas where you can make the biggest difference are speaking and writing.

- **Improving your writing skills:**
  - Learn verb tenses thoroughly, so that you feel more confident writing them down.
  - Improve your accuracy: check verb endings, genders, agreements, etc.
  - Use link words/phrases (*puis, ensuite, car,* etc.) to write longer sentences.
  - Use as wide a vocabulary as possible.
  - Use a variety of tenses.
  - For Grades A and A*, use more complex grammar structures.

- **Improving your speaking skills:**
  - Improve your fluency by working through pairwork tasks more quickly.
  - Learn by heart answers to questions which are likely to come up in the oral examination; answers should ideally be two or three sentences long. Buy a phrase book to help you with the role-play task in the oral examination.
  - Learn verb tenses thoroughly, so that you feel more confident using them.

**1** In conversation, it is important to give as much information as possible when answering, rather than one-word or very short answers. Read Didier's and Xavier's job interviews below. Who do you think will get the job?

*Employeuse*

*Didier*

*Xavier*

| Employeuse | Didier | Xavier |
|---|---|---|
| Bonjour. | Salut. | Bonjour, madame. Vous allez bien? |
| Parle-moi un peu de toi. | Je m'appelle Didier. | Je m'appelle Xavier. Je suis assez calme mais très sociable. J'aime aider les gens. Je suis sportif. |
| Quel âge as-tu? | Quinze ans. | J'ai quinze ans. J'aurai seize ans au mois de mars. |
| Tu travailles en ce moment? Qu'est-ce que tu fais? | Oui. Je suis serveur. | Oui. Je travaille dans un petit magasin le week-end. Je sers les clients, je stocke les rayons et je travaille aussi à la caisse. |
| Pourquoi voudrais-tu travailler avec nous? | C'est bien payé. | Premièrement, j'ai toujours voulu travailler dans un grand supermarché. Deuxièmement, les heures vont bien avec mon travail scolaire. |

**2** You need to be aware of "closed" and "open" questions.

- Closed questions usually have only one answer (*à quelle heure? quand? qu'est-ce que? où?*).
- Open questions do not narrow down the answer (for example, *parle moi de… pourquoi?*).

In the conversation on the right, which are the open and which are the closed questions? How could all of the answers be improved?

| | |
|---|---|
| Parle-moi de ce que tu fais comme exercice. | Je joue au foot trois fois par semaine. |
| Qu'est-ce que tu manges pour garder la forme? | Je mange bio. J'aime les produits frais. |
| Pour quelles raisons est-ce que tu fais attention à ce que tu manges ? | J'ai horreur des produits chimiques dans la nourriture et il est important de prendre suffisamment de vitamines. |
| Tu fumes? | Non, je ne fume pas. |
| Qu'est-ce que tu penses des personnes qui fument? | C'est bête! |
| À quelle heure est-ce que tu te lèves en semaine? | Normalement vers 7 heures. |

# 3 D Qu'est-ce qu'on va faire?

## 1 ▰ On va sortir?

| Si on allait... ? | | | Oui, je veux bien! | D'accord! |
|---|---|---|---|---|
| Si on sortait... ? | | | Bien sûr! | Bonne idée! |
| | | | Non, merci. | |
| Est-ce que tu | veux<br>voudrais<br>as envie de/d' | + *infinitif...* ? | Je ne veux pas/C'est impossible.<br>Je ne peux pas (parce que...).<br>Ça ne me dit pas (parce que...). | |
| Ça te dit de/d' | | + *infinitif...* ? | Je veux/voudrais<br>Je ne veux/voudrais pas<br>J'aimerais | |
| Où est-ce qu'on se retrouve?<br>Quand est-ce qu'on se retrouve?<br>À quelle heure? | | | J'ai envie de/d'<br>Je n'ai pas envie de/d'<br>Je préférerais | + *infinitif...* |
| | | | On se retrouve à...<br>On se donne rendez-vous à... | |

page 211 ▶

## 2 Je vais consulter mon agenda

Regarde l'agenda et écris les réponses aux questions.

Exemple: – *Tu veux venir nager mardi matin?*
– *Je regrette, je ne peux pas venir car je vais chez le dentiste à 11h45.*

1 Tu veux venir au tournoi de tennis vendredi après-midi?
2 Ça te dit de venir à la patinoire samedi soir?
3 Tu as envie de faire une randonnée dimanche?
4 Si on allait au café avec les copains mercredi soir?
5 Tu veux aller à la boum chez Anny vendredi soir?

| | |
|---|---|
| **DIM. 8** | *Chez les grands-parents toute la journée.* |
| **LUN. 9** | *Piscine avec Simone, 14 h 00.* |
| **MAR. 10** | *Dentiste, 11 h 45.* |
| **MER. 11** | *20 h 00 concert, foyer des jeunes* |
| **JEU. 12** | *Paris, toute la journée.* |
| **VEN. 13** | |
| **SAM. 14** | *Coiffeur, 10 h 00.*<br>*Cinéma avec Pascale, 21 h 00.* |

## 3 ◢ Ça te dit de… ?

Travaille avec un/une partenaire.
Regardez les images. Choisissez:

1 ce que vous allez faire…
2 où vous vous retrouverez…
3 à quelle heure.

Exemple:  – *Ça te dit d'aller à la piscine?*
– *Non, je n'ai pas envie. Je préférerais aller au cinéma.*
– *D'accord. Où est-ce qu'on se retrouve?*
– *Chez moi, vers 14 heures 30?*
– *Bonne idée. À tout à l'heure.*

**1** *ce que vous allez faire…*

**2** *où vous vous retrouverez…*

**3** *à quelle heure.*

| Demain, Après-demain, Ce week-end, | il va faire beau/froid/chaud. il va pleuvoir. il va neiger. il va y avoir du brouillard, du vent. le temps va être beau, pluvieux. | ou | il fera beau/froid/chaud. il pleuvra. il neigera. il y aura du brouillard, du vent. le temps sera beau, pluvieux. |
|---|---|---|---|

page 211

## 4 🎧 Écoutons la météo

Écoute la conversation et choisis les bonnes réponses:

Exemple: **1** = *c*

1 La famille a envie d'aller…
   **a** à la plage   **b** à la montagne   **c** à la campagne.
2 Le matin…
   **a** il fera beau   **b** il fera froid   **c** il pleuvra.
3 L'après-midi…
   **a** le ciel sera gris   **b** le ciel sera bleu   **c** il y aura du brouillard.
4 Le soir…
   **a** il fera chaud   **b** il pleuvra   **c** il neigera.
5 Demain…
   **a** le temps sera froid   **b** le temps sera chaud   **c** le temps sera orageux.

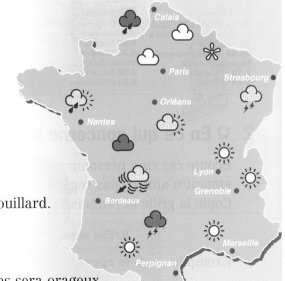

109

# Faire les magasins

## 1 ◢ Le magasin de souvenirs

Travaille avec un/une partenaire. Tu achètes des souvenirs pour
ta famille. Inventez un dialogue avec le vendeur/la vendeuse.

Exemple:

**A** *Bonjour, monsieur/mademoiselle.*
*Je peux vous aider?*

**B** *Oui, je cherche un cadeau pour ma mère. Dans la
vitrine, j'ai vu une jolie écharpe. Je peux la voir?*

**A** *De quelle couleur?*

**B** *Bleu, vert et blanc.*

**A** *Oui, voilà. Celle-ci est à 30€ et
celle-là est à 35€.*

**B** *Je prends celle-ci parce qu'elle est moins chère.*

**A** *D'accord. Je vous fais un
paquet cadeau?*

**B** *Merci, c'est très gentil.*

| Combien coûte | le/la/l'/les..., s'il vous plaît? |
|---|---|
| Il me faut | un cadeau pour mon père/ma mère/un garçon de 13 ans. |
| C'est pour offrir. Pourriez-vous | me faire un paquet-cadeau? l'/les emballer? |

page 211

## 2 ◠ Cadeaux et souvenirs

Écoute ce jeune Anglais qui rentre bientôt en Angleterre.
Copie la grille et remplis-la.

| | Personne | Cadeau | Déjà acheté | Autres informations |
|---|---|---|---|---|
| Exemple: | **Papa** | *portefeuille* | *oui* | *en cuir* |
| | **Maman** | | | |
| | **Paul** | | | |
| | **Christine** | | | |
| | **Mémé** | | | |

## 3 Qu'est-ce que tu vas acheter comme cadeau?

À l'aide d'un dictionnaire, écris ce que tu achèterais comme cadeau pour les personnes suivantes. Explique ton choix.

**1** cinq professeurs de ton école
**2** cinq membres de ta famille
**3** cinq camarades de classe que tu aimes bien
**4** cinq vedettes de télévision.

Exemple: *Pour mon professeur d'anglais, j'achèterais*
*un livre parce qu'elle aime beaucoup lire.*

## 4 ⌒ Je voudrais réclamer!

**a** C'est quel problème? Trouve l'image qui correspond à chaque personne.

Exemple: **1** = *e*

**b** ◢ As-tu dû réclamer quelque chose?
Quoi? Quand? Où? Quel était le problème?

| | |
|---|---|
| Je suis allé(e) au/à la/à l'... | J'ai pris l'autobus/le train |
| J'ai quitté la maison à... | J'ai voyagé en... |
| Je suis entré(e) dans... | J'ai acheté un(e)... |
| Je suis sorti(e) à... | J'ai decidé de... |
| Je suis resté(e)... | J'ai choisi... |
| Je suis arrivé(e) à... | J'ai pris le bleu/le plus grand... |
| Je suis rentré(e) à... | J'ai été... |

page 211

## 5 À toi maintenant! Qu'est-ce que tu as fait?

Pendant la dernière semaine de tes vacances, tu écris une lettre à un/une ami(e). Tu lui racontes ce que tu as fait en ville. Dans ta lettre, réponds aux questions suivantes.

– Où es-tu allé(e)?
– Avec qui?
– Comment, et quand?
– Tu es entré(e) dans quels magasins?
– Qu'est-ce que tu as acheté? Pour qui, et pourquoi?
– Combien d'argent as-tu dépensé?
– Tu étais content(e) de tes achats?

If it's all sold, I don't
see the point of putting
it in the window!!

# À la mode

## 1 Tu veux faire du shopping?

un pull(over)

un manteau

un chemisier

une cravate

un chapeau

une ceinture

des gants (m)

une chemise

un blouson

un pardessus

un imper(méable)

un pantalon

une jupe

des chaussettes (f)

des bottes (f)

des chaussures (f)

Dans la vitrine j'ai vu un/une/des...

| | | | | |
|---|---|---|---|---|
| Je cherche un/une/des...<br>C'est combien ce/cet/cette/ces... ? | | Est-ce que je peux | le/la/l'/les | prendre?<br>essayer? |
| Vous avez | ce/cet/cette/ces...<br>cet article<br>un/une/des... comme ça | en bleu (clair/foncé), rouge, noir, vert, jaune?<br>en laine, coton, cuir, velours, acrylique? | | |
| Vous avez quelque chose de | plus<br>moins | grand, petit, cher? | | |

page 211

## 2 ∩ Je vais acheter des vêtements

Myriam, Jean-Luc, Marie-Pierre, Sophie et Laurent achètent (ou essaient) d'acheter) des vêtements. Note: le vêtement/les détails/le prix (si mentionné).

Exemple: **Myriam** = *un t-shirt/avec «J'aime Paris»/ –*

## 3 Ça me plaît, mais...

Ces personnes aiment les articles en question mais voudraient une autre couleur, un autre tissu, etc.

Qu'est-ce qu'ils disent au vendeur/à la vendeuse?

Exemple: **1** = *Vous avez ce pantalon en gris, s'il vous plaît?*

## 4 ◢ Argent de poche et petits boulots

Travaille avec un/une partenaire. Lisez l'exemple,
puis regardez les dessins et préparez trois dialogues.

**A** Tes parents te donnent de l'argent de poche?
Tu as un petit boulot?
Combien tu gagnes?
En quoi tu dépenses ton argent?
Il te faut acheter des vêtements?

**B** Oui, ils me donnent… par semaine
Oui, je travaille le samedi au supermarché.
Je gagne… par semaine.
J'achète des CD et des magazines.
Non, mes parents me paient mes vêtements.

## 5 ◢ Où faut-il aller?

**a** Travaille avec un/une partenaire. **A** cherche
quelque chose au grand magasin, **B** l'aide à
trouver le bon rayon/étage selon l'affiche.

Exemples:

**A** Je dois acheter un
cadeau pour mon
neveu, qui a six ans.

**B** Le rayon des jouets est
au deuxième étage

**A** Je dois m'acheter
du mascara.

**B** Le rayon des produits de
beauté est au sous-sol

**3ème étage**
Réclamations    Meubles
Restaurant      Literie

**2ème étage**
Cuisine    Musique
Jouets     Papeterie
Livres

**1ère étage**
Vêtements: Hommes
            Femmes
            Enfants

**Rez-de-chaussée**
Électro-ménager
Bricolage

**Sous-sol**
Produits de Beauté
Parfumerie

**b** Y a-t-il un grand magasin près de chez vous ou dans la
ville voisine? Où se trouvent les divers rayons? Qu'est-ce
qu'on peut/ne peut pas y acheter? Écris un paragraphe.

# 3 Flash grammaire 2

## Les pronoms

You are already familiar with the subject pronouns (*je/j'* = I, *tu* = you, etc.), which you use with every verb. You can get by without the use of too many other pronouns, except that this sometimes makes your language sound repetitive – and a bit strange (see right):

We would more usually answer "Yes, I know **him**" and "Yes, I gave **it to him**." 'Him', 'to him' and 'it' are **pronouns**, used to avoid pointless repetition and to make answers sound more natural. Using pronouns in French will help to improve your grade in an exam!

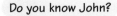
Do you know John?

Yes, I know John.

Did you give the letter to your brother?

Yes, I gave the letter to my brother.

- The most important thing to remember about pronouns in French is that, in statements and questions, they come **before** the verb, not after it as in English.

- If you need to use more than one pronoun in the same sentence, they should appear in the order shown below:

Tu m'aimes?

Oui, je t'aime!

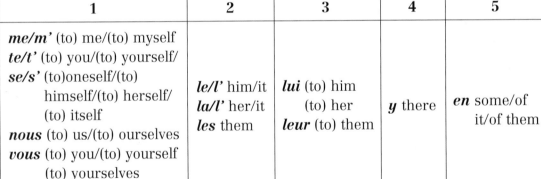

| 1 | 2 | 3 | 4 | 5 |
|---|---|---|---|---|
| *me/m'* (to) me/(to) myself<br>*te/t'* (to) you/(to) yourself/<br>*se/s'* (to)oneself/(to)<br>    himself/(to) herself/<br>    (to) itself<br>*nous* (to) us/(to) ourselves<br>*vous* (to) you/(to) yourself<br>    (to) yourselves<br>*se/s'* (to) themselves | *le/l'* him/it<br>*la/l'* her/it<br>*les* them | *lui* (to) him<br>    (to) her<br>*leur* (to) them | *y* there | *en* some/of<br>    it/of them |

- There are three basic rules about where to place the pronouns:

  1 Normally, the pronoun goes *before* the main verb:
  *Je **t'aime.***

2 When the main verb takes an infinitive, the pronoun goes directly before the infinitive:
*Je vais **te voir** demain.*

3 In the *passé composé*, the pronoun goes in front of the auxiliary verb:
*Je **t'ai acheté** un petit cadeau.*

• Normally, the *ne... pas, ne... plus, ne... jamais, ne... rien*, etc. of the negative are placed around the pronoun + verb: *Je ne t'aime plus*. But when the main verb takes an infinitive, it is placed around the main verb only: *Je ne vais jamais te revoir*.

In the *passé composé*, the negative is placed around the pronoun + auxiliary verb: *Je ne t'ai rien acheté*.

**1** Read the following questions and answers, then (referring to the chart on page 120 if necessary) say what they mean in English:

**a** Tu as les billets?
*Oui, je **les** ai.*
**b** Tu as acheté du coca?
*Oui, j'**en** ai acheté.*
**c** Tu as donné le cadeau à ta mère?
*Oui, je **le lui** ai donné.*
**d** Tu es allée à Paris?
*Oui, j'**y** suis allée hier.*
**e** Tu veux revoir ce garçon?
*Oui, je veux bien **le** revoir.*

**2** Rewrite the following sentences, replacing the words underlined with pronouns, then say what they mean in English.

**a** J'ai trouvé <u>mon passeport</u>!
**b** Je ne connais pas <u>Philippe.</u>
**c** Je prends <u>les cartes.</u>
**d** Je prends deux <u>cartes.</u>
**e** Je vais offrir <u>ce livre</u> <u>à tes parents.</u>
**f** Sylvie va acheter <u>des glaces.</u>
**g** Je suis resté deux jours <u>à Paris</u>.
**h** Je vais envoyer <u>la carte</u> <u>à ma mère.</u>

Exemple:

**a** *J'ai trouvé mon passeport >*
*Je l'ai trouvé.*

• If you can use the pronoun **me/m'** correctly, this will help to improve your grade in exams. It occurs in a lot of phrases:

*Ça m'énerve/Ça ne m'énerve pas...*
*Ça me plaît/Ça ne me plaît pas...*
*Ça m'intéresse... Ça m'amuse...*
*Ça me passionne... Ça m'ennuie...*
*Ça me dégoûte... Ça me fait rire...*
*Ça me fait pleurer... Ça me fait peur, etc.*

**3** Working with a partner, answer these questions using the pronoun **me/m'**.
Exemple: – *Ça te plaît, le cinéma?*
– *Oui, ça me plaît beaucoup/Non, ça ne me plaît pas.*

**a**
**a** Ça t'amuse, les bandes dessinées?
**b** Ça t'intéresse, le français?
**c** Ça te fait peur, les examens?
**d** Ça te passionne, le foot?
**e** Ça t'ennuie, l'école?

**b**
**a** Qui te donne de l'argent de poche?
**b** Qui te téléphone le plus?
**c** Qui dans ta famille t'énerve le plus?
**d** Tes amis t'invitent souvent?
**e** Quelle matière scolaire te plaît le plus?

pages 187–91, 200 (38, 39)

# 3 Guide pratique 2

## Contrôle continu: écrire

- When preparing coursework writing tasks, it is best to use only those sentences and structures that have been taught in class. When writing longer sentences, in particular, ask yourself: "Have we done work on this in class?" If the answer is no, then the best advice is not to use that sentence as you may well make mistakes.

- Make sure you understand exactly what you have to do. Pay careful attention to the number of words you are asked to write: too few and you will lose marks; too many offers greater scope for error and is likely to result in more lost marks.

- Follow instructions precisely: if for example your task is to write about what you do to help at home and how you spend your pocket money, then writing about what your family is like and whether or not you like them is irrelevant. Your French might be quite brilliant, but it is not what you were asked to do and you will score no marks!

- Ask your teacher for a copy of the mark scheme. This will show you exactly what the exam board is looking for.

- Low marks are often caused by spelling mistakes, so use your dictionary to cross-check spellings you are not sure of. When you get your  marked work back, choose two or three spellings you always get wrong and learn those words carefully. Always read your work thoroughly, checking for errors, before you hand it in for assessment.

- If possible, do your written coursework on a computer. You can then do a little bit at a time over a period of days/weeks. Your teacher may well be able to advise you about improving your first draft. Changing a draft on the computer is quicker and easier than rewriting the whole piece.

- Plan the coursework carefully in advance. Avoid leaving it until the last minute and having to rush through it. Put a sequence of dates into your diary to show when you will do the work and stick to it. Set your last date before the final deadline; this will give you some margin for error.

# Encore des conseils...

- Lots of short, simple sentences will not score highly. Make your work more sophisticated by using link words (*et, mais, parce que, et donc, cependant, néanmoins, puisque, où, quand, qui*) and link phrases (*après cela, après avoir fini, après être arrivé(e)(s), quelques heures plus tard, heureusement, malheureusement*, etc.)

**1** Rewrite the passage below, using some of the link words and phrases suggested above to make longer, more complex sentences.

> *Je suis allé(e) au château. Le château était fermé. J'ai décidé d'aller aux magasins. Il pleuvait. J'ai pris le bus. Je suis arrivé(e) au centre-ville. Je suis allé(e) d'abord au café. J'avais froid. J'ai bu un thé. J'ai vu des amis. Nous sommes allés ensemble au magasin de vêtements. J'ai acheté un pull. Le pull était très cher. Il était bleu marine.*

- Use a wide range of vocabulary where possible. If you only use words which are just like their English equivalent (*football, café, pullover, télévision, autobus*, etc.) or simple words (*maison, chien, jouer, j'aime*, etc.) you will only score a grade D at best.

- Use more complex grammar structures where appropriate (ask your teacher for advice on this). For example, use:
  - a variety of tenses
    (*je crois que... je croyais que...*)
  - different adverbs
    (*malheureusement, finalement*, etc.)
  - the present participle
    (*en allant au cinéma..., en faisant mes devoirs...*)
  - pronouns
    (*je le trouve génial..., ma mère me gronde...*).

- Make sure the verbs you are using are in the correct tense; learn verbs by heart so that you do not have to look them up every time you need to use them. If you are unsure, use the verb tables (pages 202–6) to make sure you have the right ending.

**2** Match the French with its English equivalent.

> 1 Je visiterai Londres.
> 2 J'ai visité Londres.
> 3 J'y allais en voiture.
> 4 J'y suis allé(e) en voiture.
> 5 Mon père fait beaucoup de travail.
> 6 Mon père a fait beaucoup de travail.
> 7 J'aime aller au match de foot.
> 8 J'aimerais aller au match de foot.

> a I went there by car.
> b I like going to the football match.
> c My dad did a lot of work.
> d I will visit London.
> e I used to go there by car.
> f I would like to go to the football match.
> g I visited London.
> h My dad does a lot of work.

**3** Rewrite the following piece of coursework, improving it by correcting any mistakes in the tenses and incorporating some of the suggestions outlined on pages 122 and 123.

> *Pour mon stage l'année dernière, je travaille dans un bureau. Je vais au bureau à vélo. J'ai aimé le travail. Mes collègues ont été sympa. Un jour, je travaillais à l'ordinateur. J'ai fait une grande erreur. Je changerai le programme et je changerai tous les salaires des employés. C'était bien, finalement. Mon patron voit le problème et corrigeait l'erreur. J'étais très embarrassé(e)!*

# 3 Projet (2)

## *Venez au Sénégal!*

Les plaisirs de l'océan

Les hô

Tout coule «cool»

### Le scénario

Tu travailles pour Air Charter, filiale d'Air France, à Nantes.
On t'a chargé(e), avec l'aide d'un groupe de
collègues (tes camarades de classe), de rédiger de la
publicité. Votre objectif – la promotion de leur service aérien
Nantes–Dakar, et le Sénégal comme destination de vacances.

### La tâche

Il vous faut produire:
**a** une série d'affiches
**b** un dépliant
**c** une annonce à insérer dans le journal régional
‹‹Le Courrier Nantais››
**d** une suite de publicités pour la station de radio locale
‹‹Radio-Nantes››.

### Les données

 Vous allez baser votre publicité sur les renseignements et
détails ci-contre, et sur les remarques d'une série de
vacanciers interviewés à leur retour du Sénégal.

### À inclure

N'oubliez pas que vous devez attirer toute la gamme de
clients: de ceux qui chercheront la paix, la tranquillité et la
détente à ceux qui seront à la recherche de l'aventure! Voici
une liste de questions que vos futurs clients vont
peut-être se poser avant de se décider pour un séjour au
Sénégal:

• Où se trouve le Sénégal?
• Pourquoi aller si loin? Est-ce vraiment si différent que ça?
• Comment est le pays?
• Qu'y a-t-il à voir, à faire et à visiter?
• Comment sont les habitants?
• Est-ce que j'aurai des problèmes de langue?
• Quelles sont les différentes formules de logement?
Et le rapport qualité-prix?
• Qu'est-ce qu'on mange là-bas?
• Comment est le climat?
• Est-ce que je vais me sentir dépaysé(e)?
• Est-ce trop primitif là-bas?
• Y a-t-il des problèmes sociaux ou politiques?
• Est-ce qu'on en a pour son argent?

Radio Nantes

# Le Courrier

Découvrez une faune exceptionnelle!

Couleurs, parfums, animation

Pays moderne qui garde ses traditions

fort

# Sénégal

**République du Sénégal**

Superficie: 197,161 km$^2$

Population: 8 millions

Capitale: Dakar

Monnaie: le franc CFA
(1 euro = 600 francs CFA)

Langue ethnique principale: le wolof

Langue officielle: le français

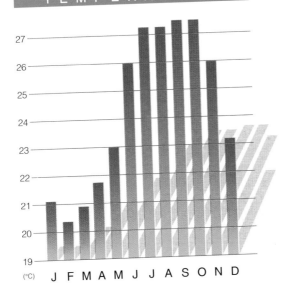

T E M P É R A T U R E

(°C)   J F M A M J J A S O N D

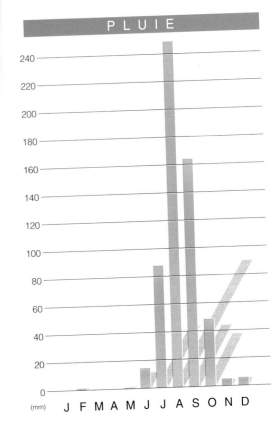

P L U I E

(mm)   J F M A M J J A S O N D

ntais

3F

# 4 A Les rapports

## 1 Dis-moi qui tu es

Lis les phrases ci-dessous et choisis l'image qui correspond à chaque membre de la famille.

Exemple: **1** = *d*

**1** Mon frère est très paresseux. Il ne fait rien à la maison.

**2** Ma sœur est très intelligente. Elle est très forte en maths.

**3** Mon père est assez timide.

**4** Ma mère est drôle et amusante.

**5** Mon grand-père adore faire du sport. Il est très sportif.

## 2 🎧 Quelles qualités?

Écoute et choisis la qualité qui correspond le mieux à chaque personne.

| | | **a** | **b** | **c** |
|---|---|---|---|---|
| **1** | Fatima est… | travailleuse | paresseuse | modeste. |
| **2** | Arnaud est… | honnête | généreux | avare. |
| **3** | Julie est… | snob | romantique | polie. |
| **4** | Jérôme est… | timide | tranquille | extraverti. |

## 3 Comment te vois-tu?

**a** Comment es-tu, à ton avis? Réponds honnêtement!

| Je suis | très | timide | bavard(e) |
|---|---|---|---|
| | assez | honnête | agressif/agressive |
| | un peu | jaloux/jalouse | arrogant(e) |
| | | sérieux/sérieuse | travailleur/travailleuse |
| Je ne suis pas du tout | | égoïste | sympa |

page 212

Exemple: *Je suis assez sérieux/sérieuse et très bavard(e)…*

**b** ◢ Travaille avec un/une partenaire. Il/Elle est d'accord avec ta description? Écrivez le résumé de vos opinions.

Exemple: *À mon avis, je suis assez timide, mais mon ami dit que je suis très bavard(e).*

# 4  Il ne faut pas juger sur les apparences!

a    b    c    d

Regarde ces dessins avec un/une partenaire et imaginez les détails suivants pour chaque personne. Notez vos descriptions!

Exemple: *Il me semble… Je crois qu'il a environ vingt ans…*
*Il a l'air intelligent…*
*Il est peut-être mécanicien… Il aime le foot… À mon avis, il est généreux et sympa,* etc.

Âge:

Profession:

Intérêts:

Qualités:

Défauts:

| Je m'entends | bien<br>très bien<br>assez bien | avec | mon | père<br>beau-père<br>frère (aîné) | parce qu'il/elle me respecte. |
|---|---|---|---|---|---|
| | | | ma | mère<br>belle-mère<br>sœur (cadette) | parce qu'il/elle est gentil/gentille. |
| | | | mes | parents<br>frères<br>sœurs | parce qu'ils/elles me respectent. |
| Je ne m'entends pas bien | | | | | parce qu'ils/elles m'énervent. |

page 212

# 5  🎧 La vie de famille

Écoute Alain qui parle de sa famille et de ses amis.
Choisis les personnes avec qui il s'entend bien.

**a**  sa mère

**b**  son frère

**c**  son père

**d**  son beau-père

**e**  son demi-frère

**f**  son copain, Fabien

**g**  sa petite amie, Sara

# Famille, je vous aime...

## 1 🎧 On se dispute...

**a** Écoute ces disputes entre des parents et leurs enfants.
Choisis l'image qui correspond à chaque fois.

Exemple: **1** = *d*

c

a

b

d

e

**b** Trouve les paires.

Exemple: **1** = *d*

**1** Ta chambre est en désordre!
**2** C'est à cette heure-ci que tu rentres?
**3** Tu as vu la note de téléphone?
**4** Tu ne vas pas sortir habillé de cette façon?
**5** Baisse ta musique!
**6** Tu veux que je vienne te chercher?

**a** Je ne suis pas une banque, tu sais!
**b** Prends plutôt un taxi!
**c** Ce n'est pas un hôtel!
**d** Va vite la ranger!
**e** Va mettre un jean propre!
**f** Elle est trop forte!

## 2 🎧 Les vacances: l'enfer!

Écoute Sandrine qui parle de ses vacances.
Choisis la bonne réponse à chaque fois.

**1** Avec qui veut-elle partir en vacances?
   **a** avec ses parents     **b** avec sa petite sœur     **c** avec ses copines.

**2** Où va-t-elle?
   **a** au bord de la mer     **b** à la campagne     **c** dans une grande ville.

**3** Qu'est-ce qu'elle pense du camping?
   **a** c'est excellent     **b** c'est barbant     **c** c'est animé.

**4** Qu'est-ce qu'elle voudrait faire en vacances?
   **a** elle voudrait nager     **b** elle voudrait danser     **c** elle voudrait se reposer.

## 3 Jeu-test: Es-tu sympa avec tes parents?

Note **a**, **b** ou **c** à chaque fois.

# Es-tu sympa
# avec tes parents?

**1** Tes parents t'annoncent que vous allez tous passer la journée chez tes grands-parents. Quelle est ta réaction?

**a** Oh, quelle barbe!
**b** Je préfère rester à la maison, mais j'y vais quand même.
**c** Chouette!

**2** Tu parles avec tes parents du sujet des vacances.

**a** Je refuse de partir en famille cette année.
**b** Je préfère partir avec mes amis, mais je ne veux pas me disputer avec mes parents.
**c** J'ai vraiment envie de retourner au même endroit où nous allons depuis douze ans.

**3** Tu veux passer la nuit chez ton copain/ta copine.

**a** Je vais le faire. Mes parents n'ont pas le droit de me le refuser.
**b** Je vais essayer de les persuader.
**c** J'aimerais mieux rentrer à la maison avant minuit.

**4** Tes parents n'aiment pas tes nouveaux vêtements.

**a** Tant pis pour eux.
**b** C'est dommage.
**c** Je ne vais pas les mettre.

**5** Tu veux emprunter de l'argent à tes parents.

**a** Tous mes copains reçoivent plus d'argent que moi.
**b** Je vais aider à la maison pour obtenir l'argent.
**c** Tout compte fait, je n'en ai pas vraiment besoin.

**Si tu as surtout des a:**
Tu es gâté(e) et pas très agréable. Tu veux de la liberté, mais prendre des responsabilités en même temps.

**Si tu as surtout des b:**
Tu es très gentil/gentille et tu fais de gros efforts pour t'entendre bien avec tes parents. Tu réfléchis avant d'agir et tu es responsable.

**Si tu as surtout des c:**
Tu es peut-être trop timide et pas très mûr(e). Tu dépends trop de tes parents. Il faut faire un effort pour être plus indépendant(e).

# Les affaires du cœur

## 1 Mariage ou Pacs?

Aujourd'hui en France, il y a plus de 12 millions de couples mariés. Maintenant, le gouvernement a créé le pacte civil de solidarité (Pacs) pour les 2,5 millions de couples non-mariés. Les couples non-mariés profiteront des mêmes droits que les couples mariés: ils paieront par exemple moins d'impôts.

Le Pacs a été durement critiqué pour deux raisons principales:

- Il y a des catholiques qui croient que certains couples risquent de préférer le Pacs au mariage. Pour eux, le mariage est un lien sacré qui doit être encouragé.
- Il concerne aussi les couples homosexuels. Un certain nombre de Français n'accepte pas que deux personnes du même sexe puissent avoir les mêmes droits que les autres couples.

Il y a toujours des différences entre les couples mariés et les couples liés par un Pacs. Par exemple, l'adoption des enfants est autorisée seulement pour des couples mariés. ∎

Lis l'article et réponds *vrai* ou *faux*.

1 En France, il y a plus de couples non-mariés que de couples mariés.
2 Le pacte civil de solidarité est destiné aux couples mariés.
3 Avec un Pacs, les impôts pour un couple non-marié vont augmenter.
4 Certains membres de l'Église catholique sont contre les Pacs.
5 Certains Français ne veulent pas que les couples homosexuels aient les mêmes droits.
6 Seuls les couples mariés ont la permission d'adopter un enfant.

Exemple: **1** = *faux*

## 2 ⌕ Mariage et enfants?

Écoute la cassette. Copie la grille et relie les bonnes phrases.

| Prénom | Mariage | Nombre d'enfants |
|---|---|---|
| Sylvain | à l'âge de 20 ans | pas d'enfants |
| Caroline | à l'âge de 25 ans | une enfant |
| Stéphane | à l'âge de 30 ans | des jumeaux/jumelles |
| Louise | jamais | trois enfants |

## 3 Vous nous écrivez...

# Vos lettres

### CAROLE, ANNECY (73)

Je suis bonne élève et j'espère devenir enseignante un jour. Mon problème? Mes parents croient que je travaille trop. Quand je fais mes devoirs, ils me disent que je devrais plutôt aller au cinéma et sortir en boîte avec mes amies. Ils m'accusent d'être trop sérieuse, mais je veux réussir à tout prix et ils ne veulent pas me comprendre.

### GHISLAINE, MONTPELLIER (34)

Je sors avec un garçon super depuis trois mois. Mon problème? Mes parents ne me permettent pas de le voir le week-end. Ils disent que je dois travailler et préparer mes examens, que je suis trop jeune pour sortir avec un garçon. Et quand j'ai le droit de passer une soirée au ciné ils insistent que je rentre avant 23 heures. Mes amies se moquent de moi et j'en suis très embarrassée. Que dois-je faire?

### PHILIPPE, LE VÉSINET (78)

J'espère que vous pouvez m'aider car je suis vraiment désespéré. J'aime une fille qui va au même centre équestre que moi. Je voudrais bien lui parler, mais je n'ose pas. Chaque fois qu'elle s'approche de moi, je rougis et je ne peux pas m'exprimer.

Lis les lettres. Qui...

1 ... aime les chevaux?
2 ... est gênée par l'attitude de ses amies?
3 ... a des parents qui veulent qu'elle travaille plus?
4 ... a des parents qui veulent qu'elle travaille moins?

5 ... est trop timide?
6 ... doit rentrer assez tôt à la maison?
7 ... voudrait sortir plus souvent?
8 ... ne veut pas sortir?

Exemple: **1** = *Philippe*

## 4 Ma vie de famille

Écris un article sur ta vie de famille. Pour t'aider, réponds aux questions suivantes.

– Tu t'entends bien avec tes parents/tes frères et tes sœurs?
– Tu préfères partir en vacances avec ta famille ou avec tes copains/copines?
– Raconte une sortie que tu as faite avec ta famille dans le passé.
– Tu veux te marier plus tard? Pourquoi/Pourquoi pas?
– Tu veux avoir des enfants? Pourquoi/Pourquoi pas?

# 4 B L'environnement

## 1 ♫ Défendons la Terre!

a Écoute ces cinq jeunes qui parlent de l'environnement. Note la lettre de leur préoccupation principale.

Exemple: **1** = *a*

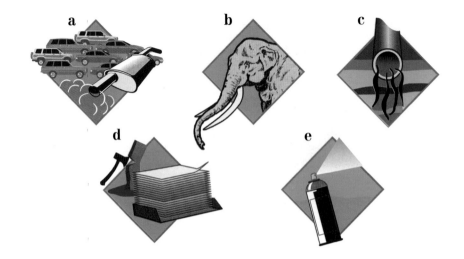

b Réécoute. Quel slogan correspond à chaque préoccupation?

A **Protégeons la couche d'ozone!**

C *Recyclons le papier!*

D **Défendons nos amis les bêtes!**

B *Utilisez les transports en commun!*

E *Luttons ensemble pour la qualité des eaux!*

Exemple: **1** = *B*

c Trouve une solution pour chaque slogan.

Exemple: **A** = *3*

**Les solutions: on peut…**

**1** … aller au travail à vélo ou en autobus.
**2** … utiliser moins de shampooing quand on se lave les cheveux.
**3** … ne plus utiliser de déodorants en aérosol.
**4** … adhérer à une organisation qui protège les espèces menacées.
**5** … recycler les vieux journaux et les magazines.

## 2 L'environnement en chiffres

Sais-tu…? Lis les phrases et trouve le chiffre correct pour un Français moyen par an.

**1** … le nombre de bouteilles jetées?
**2** … le poids d'ordures produites?
**3** … le nombre de poubelles remplies?

**4** … le nombre d'arbres utilisés pour le papier?
**5** … le poids de journaux jetés?

1 tonne   45 kilos   environ 120   85   3

Exemple: **1** = *85*

## 3 Véronique Vert protège l'environnement

Véronique fait des efforts pour protéger l'environnement.
Note les choses    **a** qu'elle fait régulièrement
                   **b** qu'elle ne fait jamais.

**1** Elle prend une douche plutôt qu'un bain.
**2** Elle va au collège à vélo.
**3** Elle réutilise des sacs en plastique quand elle fait ses
courses au supermarché.
**4** Elle laisse tomber des papiers dans la rue.
**5** Elle éteint les lumières quand elle quitte une pièce.
**6** Elle se brosse les dents, le robinet ouvert.
**7** Elle jette des bouteilles dans sa poubelle.
**8** Elle baisse le chauffage quand elle commence à avoir chaud.

Exemple: **a** = *1, 2, ...*

## 4 Où est-ce que je mets...?

Lis les bulles. C'est quelle poubelle de recyclage?

**a**     **b** 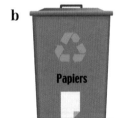    **c**     **d**     **e**

Métaux    Papiers    Végétaux    Verre    Plastique

**1** J'ai un gros tas de journaux.

**2** J'ai un bouquet de fleurs mortes.

**3** Je viens d'éplucher des pommes de terre.

**4** Je vais jeter des boîtes de conserves vides.

**5** Hier soir, on a bu trois bouteilles de vin!

**6** Voici quelques magazines dont je n'ai plus besoin.

Exemple: **1** = *b*

## 5 Pour protéger l'environnement, il faut...

Comment protéger l'environnement, à ton avis? Écris un paragraphe.

Pour protéger l'environnement, il faut...    diminuer la circulation des voitures.
aménager des zones piétonnes au centre-ville.
créer plus d'espaces verts.
recycler les déchets.
planter plus d'arbres.
développer les transports publics.

page 212

133

# Là où j'habite...

## 1 🎧 C'est quelle ville?

a Écoute ces quatre jeunes qui parlent de leur ville.
Trouve la photo qui correspond à chaque ville.

b Réécoute. Il/Elle aime ou n'aime pas sa ville? Choisis
une raison pour ton choix. Copie la grille et remplis-la.

| | Aime... | N'aime pas... | Raison |
|---|---|---|---|
| Nicolas | ✓ | | *très joli* |
| Aurélie | | | |
| Cindy | | | |
| Thomas | | | |

trop de voitures    trop calme
très joli    très animé

## 2 Et toi?

Tu aimes habiter dans ton village/ta ville?
Quels sont les avantages et les
désavantages? Écris le résumé.

| Il y a trop | de | voitures.<br>pollution.<br>bruit. |
|---|---|---|
| Il n'y a pas assez | | rues piétonnes.<br>pistes cyclables. |
| Ce que j'aime le plus | c'est | l'ambiance.<br>le climat. |
| Ce que je déteste le plus | | la pollution automobile.<br>le bruit. |

page 212

## 3 Autour de chez moi...

Comment est ta rue/ta ville/ton village?
Choisis des adjectifs pour décrire ton
environnement. Écris la liste.

| | | | |
|---|---|---|---|
| calme | animé | joli | moche |
| chic | dangereux | résidentiel | industriel |
| propre | sale | vieux | moderne |
| vert | commercial | vivant | pollué |
| intéressant | ennuyeux | dynamique | tranquille |

## 4 🎧 La ville ou la campagne?

Écoute ces jeunes. Ils préfèrent la ville ou la campagne?
Choisis une raison pour ton choix. Copie la grille et remplis-la.

| | Préfère la ville | Préfère la campagne | Raison |
|---|---|---|---|
| Claire | ✓ | | *trop calme à la campagne* |
| Salma | | | |
| Guillaume | | | |
| Coralie | | | |

c'est trop bruyant en ville    c'est sale en ville
c'est trop calme à la campagne    c'est moche en ville

## 5 Le monstre

Lis le poème et continue-le.

### LE MONSTRE

Il adore les graffiti, mais il déteste les fleurs,
Il n'aime pas les oiseaux, il aime les arbres qui meurent.

Il adore les papiers, mais il déteste les bois,
Il n'aime pas les jardins, il aime le béton froid.

Il adore les ordures, mais il déteste tout animal,
Il n'aime pas les forêts, il préfère les rues sales

Exemple: *Il adore la pollution, mais il déteste les espaces verts,*
*Il n'aime pas le recyclage, il préfère tout jeter dans la mer.*

## 6 Un nouveau quartier

Tu as la possibilité d'aménager un nouveau quartier dans
ta ville. Dessine un plan du quartier. Marque sur un plan
les équipements qui te semblent nécessaires pour une bonne
qualité de vie.

Qu'est-ce qu'il faut pour… les enfants? les jeunes? les sportifs?
les personnes âgées? les handicapés?

# Sauvons la planète!

## 1 Les problèmes... les solutions

Écris un dépliant sur l'environnement. Explique les problèmes et donne les résultats et les solutions possibles.

Exemple:

*Le problème:* Les voitures causent la pollution de l'air.

*Le résultat:* La pollution rend les gens malades.

*La solution*: Il faut interdire les voitures au centre-ville.

### D'autres problèmes:

• Les gens laissent tomber des papiers par terre.

• Les usines jettent des ordures dans les rivières.

• On tue des animaux à la chasse.

## 2 La pollution de l'air

Lis l'article sur la pollution. Choisis un titre pour chaque section du texte.

Exemple: **1** = *les dangers pour la santé*

les zones piétonnes
les dangers pour la santé
les transports en commun
de nouvelles habitudes
des mesures insuffisantes

page 212

**1** Chaque année, on remarque une augmentation dans les niveaux de la pollution de l'air. Cette pollution provoque les maladies des poumons.

**2** Il y a des mesures contre la pollution mais jusqu'ici ces mesures ne sont pas très efficaces.

**3** On pourrait encourager les gens à aller au travail en autobus ou en train.

**4** Dans certaines villes, le centre est interdit aux véhicules et on a créé des parkings aux alentours de la ville.

**5** Peu à peu, les gens commencent à se rendre compte des dangers de la pollution. On a remarqué une légère augmentation du nombre de cyclistes et les automobilistes sont plus prêts à partager leurs voitures.

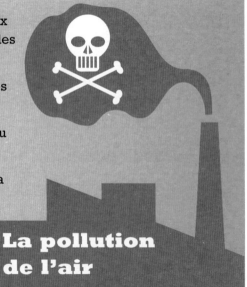

**La pollution de l'air**

## 3 Animaux en voie de disparition

Lis les phrases et relie-les à l'animal correspondant.
Fais des recherches, si nécessaire!

Exemple: **a** l'éléphant d'Afrique = *7, …*

1 Il habitait dans plusieurs pays d'Asie,
mais il en reste environ 7 000 en Inde.
2 Elle vit dans les eaux chaudes de l'océan
Pacifique.
3 Il habite essentiellement dans le sud du
Sahara.
4 Il vit dans les forêts tropicales.
5 Elle peut atteindre 2m. de long et peser
plus de 500g.
6 Il a des ailes bleues.
7 On le chasse pour son ivoire.
8 Il est souvent capturé par des collectionneurs.

*l'éléphant d'Afrique*

*le tigre du Bengale*

*la tortue-luth*

*le papillon Morpho*

## 4 Espèces en péril!

Lis l'article. Dans les phrases ci-dessous, lesquelles sont vraies?
Note les numéros.

Exemple: **phrases vraies** = *1, 2, …*

On connaît aujourd'hui près de 1,8 millions d'espèces vivantes sur la Terre. Chacun de ces animaux et de ces plantes est nécessaire à l'équilibre de la planète.

Les insectes qui transportent le pollen permettent aux plantes de se reproduire. Ces plantes fabriquent de l'oxygène. Des animaux survivent en mangeant des plantes.

*Espèces en péril!*

Nous-mêmes, nous trouvons chez les animaux et les plantes de la nourriture, des fibres et des médicaments.

On sait que les hommes causent la disparition de certaines espèces. La déforestation, la chasse et la pêche, la pollution de l'air et de l'eau par les industries ont causé la disparition de millions d'animaux. Notre façon de cultiver la terre est également responsable de la disparition d'espèces végétales.

1 Il y a une grande diversité d'animaux et de plantes sur la Terre.
2 Ces espèces assurent l'équilibre de la Terre.
3 Les insectes ne sont pas très importants.
4 Des plantes fournissent de la nourriture aux animaux.
5 Certaines substances peuvent être transformées en médicaments.
6 Des espèces sont menacées par la destruction de la forêt.
7 Les industries protègent les animaux.
8 Les agriculteurs ont aussi causé la destruction de certaines espèces.

# 4 C Au collège

## 1 ⌨ Le collège de Laura

Écoute Laura qui parle de son collège. Vrai ou faux?
Corrige les erreurs.

Exemple: **1** = *faux: l'école commence à 8h30.*

**1** L'école commence à 7h30.
**2** On n'a pas cours le jeudi après-midi.
**3** On peut apprendre quatre langues: le français, l'anglais, le latin et l'espagnol.
**4** On porte l'uniforme scolaire.
**5** Juste les garçons peuvent jouer au foot.
**6** À midi, à la cantine, on mange une entrée, un plat principal et du fromage.
**7** Sa matière préférée est le français.
**8** Elle n'aime pas le dessin, parce que le prof est mauvais.

## 2 ⌨ Le travail scolaire

Écoute ces élèves qui parlent de leur travail scolaire.
Choisis la bonne réponse à chaque fois.

**1** Élise est:
  **a** paresseuse      **b** travailleuse      **c** bavarde.
**2** Thomas est:
  **a** paresseux      **b** travailleur      **c** étourdi.
**3** Claire est:
  **a** paresseuse      **b** travailleuse      **c** bavarde.
**4** Matthieu est:
  **a** excellent à l'oral      **b** ne travaille pas assez      **c** fait peu d'efforts.

## 3 ◢ À toi...

Écris les matières dans l'ordre d'importance pour toi,
puis compare tes opinions avec celles de ton/ta partenaire.
Donne des raisons.

Exemple: *Moi, je trouve les langues importantes*
        *parce que je veux voyager.*

*l'histoire-géo*

*le français*

*la technologie*

*le dessin*

*l'anglais*

*les maths*

*les sciences*

*l'informatique*

*la musique*

*le sport*

## 4  Mon collège à moi!

Écris les réponses à ces questions sur ton école.

**1** Combien d'élèves y a-t-il dans ta classe?
**2** Combien de matières étudies-tu?
**3** À quelle heure commencent les cours?

**4** À quelle heure finissent les cours?
**5** Combien d'heures de devoirs as-tu le soir?
**6** Quels sports pratique-t-on?

## 5  Le lycée à Ouagadougou

# Le lycée à Ouagadougou

Nous sommes soixante-cinq dans notre classe – vingt-neuf filles et trente-six garçons. Nos parents ne nous ont pas envoyés plus tôt à l'école parce que c'était trop cher. Nous étudions sept matières: histoire, géo, maths, français, anglais, EPS, et sciences humaines. Les cours commencent tous les jours à sept heures et finissent vers dix-huit heures. Le samedi, nous finissons à onze heures. Nous avons deux ou trois heures de devoirs tous les soirs.

Comme sport, nous jouons au foot, au volley, au basket et au hand-ball. Nous avons une bibliothèque, mais il n'y a pas beaucoup de livres et ceux qu'il y a sont vieux et usés. Nous avons trois grands jardins dans notre école. Notre prof nous apprend à cultiver les légumes, par exemple les haricots, les carottes et le bitto. On utilise le bitto pour faire des sauces. Nous vendons les légumes pour gagner de l'argent. Nous avons aussi des poules et nous vendons des œufs.

**a** Lis l'article sur le lycée à Ouagadougou au Burkina Faso, en Afrique. Quelles phrases sont vraies? Note les numéros.

**1** Il y a plus de filles que de garçons dans la classe.
**2** Il faut payer pour aller au lycée.
**3** Les élèves étudient l'informatique.
**4** Ils ont cours le samedi matin.
**5** Les cours finissent assez tard le soir.
**6** Ils ne font pas de sport.
**7** La bibliothèque est bien équipée.
**8** Ils cultivent des légumes au lycée.
**9** Ils vendent aussi des œufs.

Exemple: **phrases vraies** = *2, …*

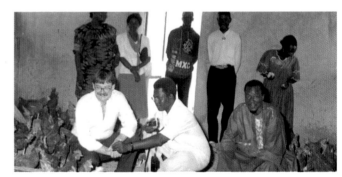

**b** Réponds aux questions 1–6 de l'activité 4 pour l'élève du lycée à Ouagadougou. Ensuite, fais une comparaison entre les deux collèges. Écris le résumé.

Exemple: *Dans mon collège à moi, il y a 30 élèves par classe. À Ouagadougou, il y en a 65…*   page 212

# La vie scolaire

## 1 Le règlement intérieur

Voici le règlement d'un collège extraordinaire.
Il y a des erreurs: corrige-les!

Exemple: **1** = *Il **n'est pas** permis de fumer en classe.*

### Règlement de l'école

 1 Il est permis de fumer en classe.

 2 Il faut manger le chewing-gum dans les salles de classe.

3 Les élèves sont obligés de porter des bijoux.

4 Il faut absolument lancer du pain à la cantine.

5 On peut sortir du collège sans permission.

6 Si on est absent, on n'a pas besoin d'informer le collège.

7 Il est interdit d'être poli.

8 Il est défendu de se tenir à gauche dans les couloirs.

9 Il ne faut pas faire les devoirs.

10 On peut arriver en retard.

## 2 ◌ Ce que j'ai aimé le plus...

**a** Écoute ces cinq personnes qui parlent de ce qu'elles ont aimé le plus au collège. Choisis l'image qui correspond à chaque personne.

**b** Et toi, qu'est-ce que tu as aimé le plus au collège jusqu'à présent? (*J'ai aimé...*) Qu'est-ce que tu as détesté le plus? (*J'ai détesté...*)

## 3 Mon école primaire

Qu'est-ce que tu faisais quand tu avais sept ans?
Complète les phrases.

Exemple: *Quand j'avais sept ans, je mangeais des bonbons, je sautais à la corde, je...*

– Je jouais....      – Je portais...      – Je regardais...
– Je mangeais....      – Je faisais...      – J'apprenais...

## 4  Quelles sont les qualités d'un bon prof?

Mets ces phrases dans l'ordre d'importance pour toi.

1  Il est gentil et sympa.
2  Il nous écoute.
3  Il aime sa matière et a beaucoup de connaissances.
4  Il permet à ses élèves de lui parler.
5  Il dit toujours la vérité.
6  Il aime bien les enfants.
7  Il nous aide quand nous avons des difficultés.
8  Il est toujours patient.
9  Il est respecté par ses élèves et par leurs parents.
10  Il ne nous crie pas dessus.

## 5  Les manuels scolaires

Lis l'article. Choisis **a**, **b** ou **c** à chaque fois.

# Les manuels scolaires

**Trop gros, trop lourds, trop chers et surtout trop difficiles à comprendre! Voilà des critiques des manuels scolaires faites par les inspecteurs de l'Éducation nationale.**

● Les illustrations sont trop nombreuses et souvent là pour faire joli. Les livres scolaires sont écrits pour plaire aux profs plutôt qu'aux élèves.

● Les explications ne sont pas très claires et n'aident pas les élèves à comprendre leurs leçons.

● Un autre gros problème: les hommes sont plus présents dans les manuels que les femmes. Les femmes sont souvent à la maison ou au supermarché, tandis que les hommes sont au travail ou sur le terrain de sport.

1  Selon les inspecteurs, les manuels scolaires
  **a**  sont faciles à comprendre
  **b**  sont bon marché
  **c**  ne sont pas clairs.
2  Dans les manuels
  **a**  il n'y a pas assez d'illustrations
  **b**  les illustrations ne sont pas toujours nécessaires
  **c**  les illustrations ne sont pas très jolies.

3  Dans l'ensemble, les manuels
  **a**  sont très utiles
  **b**  aident les élèves à comprendre
  **c**  sont difficiles à comprendre.
4  En plus, certains manuels semblent être
  **a**  sexistes
  **b**  en vente au supermarché
  **c**  trop influencés par les femmes.

# Vive la différence!

## 1  🎧 En France... et en Grande-Bretagne

Écoute Laurent qui parle des différences entre la vie scolaire en France et en Grande-Bretagne. Choisis **a**, **b** ou **c** à chaque fois.

1  Il trouve l'uniforme scolaire
  **a** joli             **b** étrange           **c** trop cher.
2  Les professeurs britanniques sont
  **a** plus sympa      **b** sévères         **c** intelligents.
3  En Grande-Bretagne, les élèves ont
  **a** plus de devoirs    **b** moins de devoirs    **c** trop de devoirs.
4  Il trouve la journée scolaire en France
  **a** trop fatigante    **b** trop courte      **c** parfaite.
5  En Grande-Bretagne, plus de temps est consacré
  **a** au sport         **b** à la récréation    **c** aux repas.

## 2  🎧 La cantine scolaire

Écoute Mylène et Benoît. Qui... ?
Exemple: **1** = *Benoît*

1  ... aime manger à la cantine?
2  ... n'aime pas manger à la cantine?
3  ... apprécie l'ambiance?

4  ... trouve que la discipline est mauvaise?
5  ... voudrait manger des frites plus souvent?
6  ... voudrait être consulté sur les menus?

## 3  Une brochure

a  Lis la brochure. Comment est le style?
  **a** sérieux
  **b** vraisemblable
  **c** sarcastique.

b  À ton avis, qui a écrit la brochure?
  **a** un prof
  **b** un journaliste
  **c** un élève.

c  Écris une brochure pour ton collège. Choisis un style de l'activité **a**.

Collège Auguste Renoir

Venez visiter notre collège et vous verrez...

▪ ses salles de classe historiques

▪ sa cantine (guide Michelin) – goûtez sa cuisine raffinée et délicieuse!

▪ sa cour de récréation avec une jolie vue sur le dépôt d'ordures

▪ son gymnase du dix-septième siècle

▪ son site calme et tranquille à deux pas de l'autoroute

## 4   🎧 Mes années d'école

Écoute ces élèves qui viennent de quitter le collège.
Ils ont aimé l'école, oui ou non? Pour quelle raison?
Copie la grille et remplis-la.

|  | A aimé l'école | N'a pas aimé l'école | Raison |
|---|---|---|---|
| Thibault |  | ✓ | *profs désagréables* |
| Karine |  |  |  |
| Oum |  |  |  |
| Guillaume |  |  |  |
| Marylène |  |  |  |

**Raisons possibles**:

a fait beaucoup d'amis    a aimé les visites scolaires    a appris des choses utiles
a appris des choses inutiles    profs sympa    profs désagréables

## 5   Redoubler ou ne pas redoubler?

Lis l'article. Réponds aux questions en français.

# Le redoublement

Le redoublement veut dire recommencer une année scolaire dans la même classe. Le jour de la rentrée, il faut abandonner les copains et les copines qui ont réussi à passer dans la classe suivante. Au début, on a peut-être l'impression de perdre son temps. C'est pourquoi certains parents refusent que leur enfant redouble.

En réalité, le redoublement n'est pas une punition. Il permet aux élèves de travailler à un meilleur rythme et d'améliorer ses résultats. En France, trois élèves sur cinq redoublent au moins une fois.

**Romain, 15 ans:**

*Je sais que je vais redoubler cette année, surtout à cause des maths. Ma mère n'est pas contente mais elle pense finalement que c'est pour mon bien. À mon avis, je vais perdre une année et ça ne me plaît pas du tout.*

1  Le redoublement, qu'est-ce que c'est?
2  Quels sont les désavantages du redoublement?
3  Donne un avantage du redoublement.
4  Combien d'élèves français redoublent, selon l'article?
5  Pourquoi est-ce que Romain redouble l'année?
6  Quelle est la réaction de sa mère?
7  Quelle est l'opinion de Romain?

# 4 Flash grammaire 1

## Le futur simple (1)

- The future tense is used to talk or write about what you will do in the future. To form the future tense of most verbs, take the **stem** – which is same as the **infinitive**, the form of the verb you find in a dictionary (*manger, finir, répondre*) – and add these endings:

| je | **-ai** | nous | **-ons** |
|----|---------|------|----------|
| tu | **-as** | vous | **-ez** |
| il/elle/on | **-a** | ils/elles | **-ont** |

For example:

| **manger** to eat | |
|-------------------|--|
| je manger**ai** | I will eat |
| tu manger**as** | you will eat |
| il/elle/on manger**a** | he/she/we will eat |
| nous manger**ons** | we will eat |
| vous manger**ez** | you will eat |
| ils/elles manger**ont** | they will eat |

| je partir**ai** | nous partir**ons** | elles partir**ont** |

- NB: if you are using an *-re* verb, take away the final *e* before adding the endings:

**écrire** (to write) > *écrir* > *j'écrir***ai**
**répondre** (to answer) > *répondr* > *je répond***rai**

**1** Fill in the gaps in the passage below by choosing a verb from the list.

> Ce soir je _____ des frites. Ensuite, je _____ la télévision avec ma mère. Nous _____ du coca. Plus tard, mon père _____ aux cartes avec moi. Je me _____ à dix heures et demie.

> regarderai    boirons    coucherai
> mangerai    jouera

**2** Match up the English and French sentences.

1 Je voyagerai autour du monde.
2 Il voyagera autour du monde.
3 Elle étudiera les maths à l'université.
4 Elles étudieront les maths à l'université.
5 Tu finiras à quelle heure?
6 Ils partiront vers huit heures.
7 Le chat mangera n'importe quoi.
8 On mangera vers huit heures.

a *What time will you finish?*
b *The cat will eat anything.*
c *I'll travel around the world.*
d *He'll travel around the world.*
e *They'll study maths at university.*
f *She'll study maths at university.*
g *We'll eat at about 8.*
h *They'll leave at about 8.*

**3** Write out the passage below, putting the verbs in brackets into the correct form of the future tense.

> Quand je [quitter] l'école, je [passer] une année en France. Je [rester] chez ma correspondante, qui habite à Lille. Ma mère me [rendre] visite, et nous [visiter] les monuments historiques ensemble. Mes sœurs me [manquer], mais elles m'[écrire] des lettres et me [parler] au téléphone.

Exemple: *Quand je* **quitterai** *l'école, je…*

# Le futur simple (2)

- Some verbs have irregular stems in the future tense, but they all take the same endings. These irregular verbs will need to be learned separately; the four most common are as follows:

| *être* to be | *avoir* to have | *faire* to do | *aller* to go |
|---|---|---|---|
| je ser**ai** | j'aur**ai** | je fer**ai** | j'ir**ai** |
| tu ser**as** | tu aur**as** | tu fer**as** | tu ir**as** |
| il/elle/on ser**a** | il/elle/on aur**a** | il/elle/on fer**a** | il/elle/on ir**a** |
| nous ser**ons** | nous aur**ons** | nous fer**ons** | nous ir**ons** |
| vous ser**ez** | vous aur**ez** | vous fer**ez** | vous ir**ez** |
| ils/elles ser**ont** | il/elles aur**ont** | il/elles fer**ont** | il/elles ir**ont** |

- Here are some other common verbs, which you will also need to learn separately:

**voir** (to see) > je verr**ai**
**pouvoir** (to be able) > je pourr**ai**
**venir** (to come) > je viendr**ai**

**devenir** (to become) > je deviendr**ai**
**savoir** (to know) > je saur**ai**
**vouloir** (to want) > je voudr**ai**

4  Match the captions to the right pictures.

1  Il sera riche et célèbre.

2  Elle aura une belle voiture rapide.

3  Nous ferons le tour du monde dans une montgolfière.

4  J'irai en France à vélo.

5  Ils seront fatigués après leurs vacances.

6  Vous aurez froid si vous enlevez votre pull.

7  Il fera un gros gâteau d'anniversaire pour sa sœur.

8  Elles iront en Egypte pour voir les Pyramides.

5  Put the verbs in brackets into the future tense, then rewrite the sentences in the correct order.

Exemple: **1** *J'irai à Paris avec mes parents au mois d'août.*
**2** *Dimanche, on...*

- Mardi après-midi, on [*visiter*] l'Arc de triomphe.
- Nous [*rentrer*] à la maison le vingt août.
- J'[*aller*] à Paris avec mes parents au mois d'août.
- D'abord, lundi, je [*voir*] la tour Eiffel.
- Dimanche, on [*prendre*] l'avion de Manchester à Paris.
- Après être arrivés, nous [*aller*] à l'hôtel en taxi.
- Mon père [*pouvoir*] manger des escargots mardi soir.
- Mercredi, ma mère [*pouvoir*] faire des achats aux Galeries Lafayette.

pages 180–1, 198 (26–8)

# Des risques pour la santé

## 1 L'alcool en France

Lis l'article. Quelles phrases sont vraies?

Exemple: **phrases vraies** = *1, …*

### Alcool: la mort en face

Certains plaisirs contribuent à raccourcir la vie. Les Français consomment en moyenne 19 litres d'alcool par an – c'est un record mondial. Quinze mille personnes meurent chaque année par alcoolisme. Il faut ajouter 35 000 morts provoquées par les accidents de la route. Vingt-cinq pour cent des automobilistes avouent qu'il leur est arrivé de conduire en état d'ivresse. Les hommes boivent plus que les femmes et on consomme moins de vin et de cidre, mais plus de bière et de spiritueux. L'alcool est de moins en moins consommé à table et devient donc une boisson de loisir. Ce sont les jeunes de 15 à 24 ans qui sont responsables de l'augmentation de la consommation moyenne.

1 En France on consomme plus d'alcool que dans les autres pays du monde.

2 L'alcoolisme tue 15 000 personnes par an.

3 Presque tout le monde a conduit une voiture en état d'ivresse.

4 Les femmes boivent moins souvent que les hommes.

5 Le cidre est plus populaire que la bière.

6 On consomme de plus en plus souvent de l'alcool avec les repas.

7 Selon les chiffres, les jeunes boivent plus souvent que par le passé.

## 2 Drogues douces, drogues dures…

Copie les phrases et remplis les blancs.

fument   sniffent   boivent   mangent
prennent   utilisent   renouvellent   vendent

✦ 87% des Français ____ du café au moins une fois par jour.

✦ 36% des Français ____ des cigarettes.

✦ 19% des Français ____ des somnifères ou des tranquillisants.

✦ Près de 9% des jeunes de 11 à 16 ans ____ les colles et les solvants.

✦ 50% des jeunes qui ont essayé une drogue ____ l'expérience au moins trois fois.

✦ Les jeunes adultes, après avoir essayé le cannabis, ____ plutôt l'héroïne.

## 3 🎧 Pourquoi est-ce qu'on se drogue?

Écoute le professeur Jacob qui parle de l'usage de la drogue.
Quelles sont les quatre causes principales, selon lui?

**a** le divorce      **d** la pauvreté      **g** les études/le travail

**b** le chômage      **e** l'ambition      **h** la paresse

**c** la dépression      **f** le stress      **i** le gouvernement

## 4 Bien manger pour mieux vivre

Une cuillère à soupe d'huile, ça correspond à quoi, à ton avis? Fais des recherches pour vérifier!

| | | | |
|---|---|---|---|
| **1 a** 1 frite | **b** 6 frites | **c** 12 frites |
| **2 a** 10g de chocolat | **b** 20g de chocolat | **c** 30g de chocolat |
| **3 a** 20g de camembert | **b** 30g de camembert | **c** 40g de camembert |
| **4 a** 2 filets de poissons | **b** 5 filets de poissons | **c** 10 filets de poissons |
| **5 a** 4 rondelles de saucisson | **b** 6 rondelles de saucisson | **c** 8 rondelles de saucisson |
| **6 a** 10 cacahuètes | **b** 20 cacahuètes | **c** 30 cacahuètes |

## 5 Le fast-food, une menace pour la santé?

Lis l'article. Copie les phrases 1–5 et remplis les blancs.

**Le fast-food: bon ou mauvais?**

Tout le monde croit que le fast-food égale une menace pour la santé. C'est une vérité scientifique? Mais non! Le hamburger n'est pas un mauvais aliment. La viande hachée dans un petit pain est une source de protéines. Et ce n'est pas cher pour les gens qui n'ont pas beaucoup de moyens pour s'en payer autrement.

Mais il faut éviter l'association avec les frites parce que l'apport en graisses est alors trop grand. Cela devient encore plus inquiétant quand le client finit son repas avec une grosse glace et l'accompagne avec une boisson gazeuse très sucrée.

Des médecins ont prouvé que le fast-food n'est pas le pire sur le plan diététique. Ils ont calculé la valeur calorifique d'un repas pris dans un grand restaurant parisien – 2 500 calories en moyenne. Un repas typique chez McDonald's – 890 calories. Alors, allez sans crainte au fast-food!

1 On croit souvent que le hamburger est mauvais pour la santé, mais c'est _____.

2 C'est une bonne source de protéines pour des gens qui n'ont pas beaucoup d'_____.

3 Mais c'est une bonne idée de manger un hamburger _____ frites.

4 Si on prend un dessert et une boisson dans un fast-food, le repas contient trop de _____.

5 Un repas dans un fast-food contient _____ de calories qu'un repas dans un grand restaurant à Paris.

vrai   faux   plus   moins
argent   avec   sans   sucre

# 4 Flash grammaire 2

## Le conditionnel

- The conditional tense is used to talk or write about what you **would** do in certain circumstances. To form it, you take the same **stem** of the verb as in the future tense (*see pages 144–5*) and add these endings:

| je | **-ais** | nous | **-ions** |
|----|----------|------|-----------|
| tu | **-ais** | vous | **-iez** |
| il/elle/on | **-ait** | ils/elles | **-aient** |

- As in the future tense, the **stem** of most regular verbs is the same as **the infinitive** (*jouer, manger, finir*). For example:

| **finir** to finish | |
|---------------------|---|
| je finir**ais** | I would finish |
| tu finir**ais** | you would finish |
| il/elle/on finir**ait** | he/she/we would finish |
| nous finir**ions** | we would finish |
| vous finir**iez** | you would finish |
| ils/elles finir**aient** | they would finish |

| je jouer**ais** | nous jouer**ions** | ils jouer**aient** |
|---|---|---|

- Remember to remove the *e* from the end of *–re* verbs before adding the endings:

> **répondre** (to answer) > répondr- > je répondr**ais**
> **vendre** (to sell) > vendr- > je vendr**ais**

- Irregular verbs have the same stem as in the future tense, for example:

> **être** (to be) > ser- > je ser**ais**
> **faire** (to do) > fer- > je fer**ais**
> **voir** (to see) > verr- > je verr**ais**
> **avoir** (to have) > aur- > j'aur**ais**
> **aller** (to go) > ir- > j'ir**ais**
> **pouvoir** (to be able) > pourr- > je pourr**ais**
> **venir** (to come) > viendr- > je viendr**ais**
> **savoir** (to know) > saur- > je saur**ais**
> **vouloir** (to want) > voudr- > je voudr**ais**

Exemples:
Je serais ravi d'y aller.
*I would be delighted to go there.*
Elle le ferait sans difficulté.
*She would do it without difficulty.*
Nous voudrions un petit chien.
*We would like a little dog.*
Vous pourriez m'aider?
*Could you help me?*
Ils aimeraient te voir.
*They would like to see you.*

- The conditional is often used in sentences with the word *si* (if...). When you use this construction, the **imperfect tense** is used after *si*.

  – Si j'**étais** riche, j'**achèterais** une belle maison.
    *If I was rich, I would buy a lovely house.*
  – S'il **travaillait** plus, il **réussirait** à son examen.
    *If he worked more, he would pass his exam.*

**1** Put the verbs in brackets into the conditional tense.

| **1** je [*sortir*] | **5** tu [*pouvoir*] |
|---|---|
| **2** elle [*jouer*] | **6** vous [*vouloir*] |
| **3** nous [*venir*] | **7** nous [*aller*] |
| **4** ils [*être*] | **8** je [*manger*] |

**2** Finish off these sentences.

*Si je gagnais à la loterie nationale, ...*

**1** j'achèterais...
**2** j'irais...
**3** j'habiterais
**4** je visiterais...
**5** je mangerais...

pages 181, 198 (29)

# Le plus-que-parfait

• The pluperfect tense is used if you want to go further back in time and talk about what **had** happened. This tense is similar to the perfect tense, but you use the **imperfect tense** of *avoir* or *être* with the past participle, instead of the present. For example:

| verbs with *avoir* | |
|---|---|
| j'**avais** mangé | I had eaten |
| tu **avais** regardé | you had watched |
| elle **avait** joué | she had played |
| nous **avions** parlé | we had spoken |
| vous **aviez** fini | you had finished |
| ils **avaient** répondu | they had replied |

| verbs with *être* | |
|---|---|
| j'**étais** allé(e) | I had gone |
| tu **étais** parti(e) | you had left |
| il **était** descendu | he had got off/gone down |
| nous **étions** arrivé(e)s | we had arrived |
| vous **étiez** monté(s) | you had got on/come up |
| elles **étaient** entrées | they had entered |

**3** Match the correct sentence halves and write out the complete sentences.

Exemple: **1c** = *Il ne pouvait pas entrer dans la maison parce qu'il avait oublié la clé.*

**1** Il ne pouvait pas entrer dans la maison, parce que/qu'…

**2** Il a manqué le film, parce que/qu'…

**3** Je ne pouvais pas payer, parce que/qu'…

**4** Il ne pouvait pas prendre des photos parce que/qu'…

**5** La salle de bains était inondée parce que/qu'…

**a** … j'avais perdu mon portefeuille.

**b** … il avait laissé son appareil chez lui.

**c** … il avait oublié la clé.

**d** … le bus était arrivé en retard.

**e** … il avait laissé le robinet ouvert.

**4** Put the verbs in brackets into the pluperfect in the following story.

Le Petit Chaperon rouge est arrivée à la maison de sa grand-mère. Elle ne se rendait pas compte que le Grand Loup méchant [arriver] avant elle.

– Le Loup [frapper] à la porte.
– Il [entrer] dans la petite maison.
– Il [attaquer] la grand-mère.
– Il [manger] la vieille dame.
– Il [mettre] les vêtements de la grand-mère.
– Il [fermer] les rideaux.
– Il [se coucher] dans le lit.
– Il [attendre] l'arrivée du Petit Chaperon rouge.

**5** Imagine that you arrived home one day and found the place in a mess. What had happened? Finish off the story using the pluperfect tense.

Exemple: *En arrivant à la maison, j'ai trouvé un grand désordre. Qu'est-ce qui s'était passé? …*

page 179

# 4 Guide pratique 2

## L'épreuve écrite

- In the writing exam, there are certain skills you can use to improve your performance. For example, imagine you have to write a piece on how you see your future (*Comment vois-tu ton avenir?*). One possible answer is given below:

> ### Mon avenir
> Je vais rester à l'école. Je vais étudier l'anglais, l'histoire et le dessin.
> J'irai à l'université.
> Je finirai mes études. Je ferai le tour du monde. Je trouverai un emploi.
> Je voudrais me marier. J'aurai deux enfants. J'habiterai à la campagne.

The above answer could be improved in a number of ways. For example:

- **using link phrases:**

> <u>L'année prochaine</u>, je vais rester à l'école. <u>D'abord</u>, je passerai mes examens. <u>Plus tard</u>, j'irai à l'université. <u>Puis</u>, je passerai des examens. <u>Ensuite</u>, je ferai le tour du monde. <u>Enfin</u>, je trouverai du travail.

**1** Your turn! Rewrite the following sentences as a paragraph, using link phrases as appropriate.

> – J'irai en France.
> – Je visiterai Paris.
> – Je voudrais voir les 24 Heures du Mans.
> – J'aimerais aller au bord de la mer, peut-être en Bretagne.
> – Je rentrerai vers la fin du mois d'août.

- **using adjectives:**

> Je trouverai un <u>bon</u> emploi <u>bien payé</u>. J'aurai deux enfants <u>adorables</u>. J'habiterai dans une <u>grande</u> maison à la campagne.

**2** Your turn! Rewrite the following sentences as a single paragraph adding adjectives as appropriate.

> 1 J'ai logé dans un hôtel.
> 2 Il y avait une piscine.
> 3 Je suis allée au cinéma et j'ai vu un film.
> 4 J'ai acheté des souvenirs.
> 5 J'ai visité des monuments.

**1**

**2**
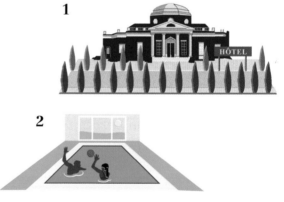

**3**

**4**

**5**

- **using longer, more complex sentences:**

  – Je vais rester à l'école <u>où</u> je vais étudier l'anglais.
  – <u>Après avoir</u> terminé mes études, je ferai le tour du monde.
  – J'habiterai une maison <u>qui</u> se trouvera à la campagne.

**3** Your turn! Link up the following sentences.

1 Je suis allé(e) au Portugal. J'ai logé à l'hôtel.
2 J'ai passé une quinzaine de jours au bord de la mer. Je suis rentré à la maison.
3 J'ai visité un parc d'attractions. Il s'appelle le Parc Astérix. Il se trouve pas très loin de Paris.

- **adding personal opinions:**

  – Je ferai le tour du monde; <u>ce sera merveilleux!</u>
  – Je vais étudier l'anglais <u>car je trouve que c'est une langue intéressante et utile.</u>
  – J'ai mangé une pizza au restaurant. <u>C'était délicieux!</u>
  – J'ai visité le Louvre. <u>J'ai trouvé ce musée très intéressant.</u>

**4** Your turn! Add an opinion to each of the following sentences.

1 J'ai logé dans un gîte.
2 J'ai joué au volley à la plage.
3 J'aime bien aller au bord de la mer.

- **using pronouns:**

  – J'aurai deux enfants. Je <u>les</u> appellerai Sophie et Georges.
  – J'irai à l'université et j'<u>y</u> étudierai les sciences.
  – J'espère rencontrer la femme idéale et je l'épouserai à l'âge de 25 ans.

**5** Your turn! Replace the words underlined below with pronouns.

1 Je vais souvent en France. J'aime <u>la France.</u>
2 J'irai à Bordeaux en automne. Je passerai huit jours <u>à Bordeaux.</u>
3 J'ai beaucoup d'amis. Je vois <u>mes amis</u> tous les jours.

**6** Look at the pictures and rewrite the sentences underneath as a single paragraph, adding more details by using the techniques outlined above as appropriate.

J'ai fait un échange scolaire. Je suis allé en France. J'ai logé chez mon correspondant. J'ai visité un château. J'ai fait du shopping. J'ai mangé des escargots.

# 4 Examen blanc (2)

1 Lis les témoignages de ces trois personnes sur le divorce, puis réponds aux questions.

Exemple: **1** = *Guillaume*

Qui...

**1** ...voit son père assez souvent?

**2** ...ne voit pas son père aussi souvent qu'elle le voudrait?

**3** ...s'entend bien avec son beau-père?

**4** ...ne s'entend pas très bien avec son beau-père?

**5** ...aime les anniversaires?

**6** ...se rappelle des problèmes familiaux dans le passé?

---

**Carole, 15 ans, Niort (79)**

Mes parents sont divorcés il y a quatre ans. J'avais 11 ans et maintenant j'en ai 15. Mon père travaille à l'autre bout de la France et je ne le vois pas pendant six mois. Ma mère s'est remariée et j'ai deux demi-sœurs avec qui je ne m'entends pas très bien. Elles sont très égoïstes. À mon avis, mon beau-père les gâte. Il me gronde tout le temps. Pour moi, la vie est très dure.

**Isabelle, 16 ans, Le Mans (72)**

Le divorce a ses avantages et ses inconvénients. On a deux fois plus de cadeaux et je pars en vacances deux fois par an. Je me souviens aussi des disputes entre mes parents quand ils vivaient ensemble. Mon beau-père, lui, est "cool" et pour moi, ça se passe assez bien.

**Guillaume, 15 ans, Aubusson (23)**

Mes parents se sont séparés quand j'avais neuf ans. Ma mère s'est remariée. Mon père habite la même ville et je le vois quand je veux. Je le trouve super d'avoir deux familles: ça me permet de faire des choses différentes.

---

2 Lis cet article sur la mode à l'avenir et réponds aux questions en français.

Exemple: **1** = *Ils sont confortables et agréables.*

**1** Quelles sont les deux qualités importantes des vêtements que nous portons?

**2** Comment est-ce que le blouson fera fonctionner un téléphone portable?

**3** Que feront les chaussures spéciales?

**4** Que fera la veste par un temps ensoleillé et chaud?

**5** Que fera la chemise?

**6** Pourquoi est-ce que le T-shirt changera de couleur?

---

## La mode à l'avenir

On veut porter des vêtements qui sont confortables et agréables. Mais demain, nos vêtements pourront nous changer la vie. Par exemple, on étudie un blouson, couvert de panneaux solaires, qui peut alimenter un téléphone portable avec l'énergie ainsi accumulée. On espère créer des chaussures qui nous apprendront à danser ou une veste qui nous chauffera quand il fera froid ou nous rafraîchira quand il fera chaud. Et les vêtements de demain s'occuperont de notre santé. Il existe déjà des vêtements antibactériens. Mais on aura la possibilité à l'avenir de nous offrir une chemise qui surveillera le rythme cardiaque ou un T-shirt qui changera de couleur quand on aura de la fièvre...

**3** 🎧 Écoute ces jeunes, qui parlent des vedettes de cinéma. Quelles sont leurs opinions? Copie la grille et remplis-la.

| Vedette | Aime | N'aime pas | Raison |
|---|---|---|---|
| Gérard Depardieu | ✓ | | *sympa et modeste* |
| Laetitia Casta | | | |
| Philippe Noiret | | | |
| Catherine Deneuve | | | |
| Daniel Auteuil | | | |

*Gérard Depardieu*

*Philippe Noiret*

*Catherine Deneuve*

*Daniel Auteuil*

*Laetitia Casta*

**4** 🎧 Écoute Cécile, qui parle avec son amie, Nicole, au téléphone. Choisis la bonne réponse à chaque fois.

**1** Cécile et Jean-Yves avaient l'intention de passer la soirée:

**a**
*dans une station-service*

**b**
*dans une boîte de nuit*

**c**
*à la maison*

**2** Ils y allaient:

**a**
*par le train*

**b**
*à moto*

**c**
*en voiture*

**3** Jean-Yves s'intéresse beaucoup:

**a**
*au football*

**b**
*à la musique*

**c**
*aux voitures de sport*

**4** Il s'est arrêté pour:

**a**
*faire le plein*

**b**
*manger quelque chose*

**c**
*acheter un billet*

**5** Jean-Yves est parti:

**a**
*sans payer*

**b**
*sans Cécile*

**c** 
*sans son portefeuille*

**6** Cécile est:

**a**
*très heureuse*

**b**
*très fâchée*

**c** 
*jalouse*

# Grammaire

## The articles

Placed before the noun, the article gives its gender (masculine or feminine) and number (singular or plural).

### 1 The definite article (le, la, l', les)

The definite article, the equivalent of the English *the*, indicates a particular noun. (A noun is a word used to name an object, person or idea.)

**La** voiture et **les** vélos sont dans **le** garage. *The car and the bicycles are in the garage.*
**Le** correspondant de Richard a seize ans. *Richard's penfriend is sixteen.*
(N.B. The penfriend in question is not any penfriend but a particular one.)

|       | singular | plural |
|-------|----------|--------|
| *masc.* | le (l')  | les    |
| *fem.*  | la (l')  | les    |

*masc.*: **l'**appartement, **le** garage, **les** appartements, **les** garages
*fem.*: **l'**armoire, **la** table, **les** armoires, **les** tables.

There are cases where the definite article is used in French but not in English. The most common are:

**a** Nouns used in a general sense:

J'aime **le** thé. J'adore **les** chats. Je n'aime pas **les** fruits. *I like tea. I love cats. I don't like fruit.*

**b** Titles:

**la** reine Elizabeth *Queen Elizabeth*

**c** Saying what things cost:

4 francs **le** paquet *4 francs a packet*
9 francs **le** kilo *9 francs a kilo*

**d** When talking about parts of the body, the definite article is usually used in French where in English we would use no article or use a possessive adjective (mon, ma, mes, etc.):

J'ai **les** yeux bleus et **les** cheveux longs. *I've got blue eyes and long hair.*
Je me suis coupé **la** main et j'ai mal à **l'**oreille. *I've cut my hand and I've got earache.*

**e** Telephone numbers:

Mon numéro de téléphone est **le** 50.84.10.
Tu peux me téléphoner **au** 50.84.10. *My phone number is 50.84.10. You can ring me on 50.84.10.*

**f** Countries, geographical areas and features, languages:

**La**[1] France est un beau pays. *France is a beautiful country.*
On a visité **la** Bretagne. *We've visited Brittany.*
J'ai vu **le** Mont Blanc. *I've seen Mont Blanc.*
J'apprends **le** français[2]. *I'm learning French.*

### 2 À + definite article (au, à la, à l', aux)

The preposition **à**[3], meaning *to*, *in*, or *at*, combines with **le** or **les** to form **au** and **aux**, meaning *to the*, *in the*, *at the*.

|       | singular    | plural |
|-------|-------------|--------|
| *masc.* | au (à l')   | aux    |
| *fem.*  | à la (à l') | aux    |

*masc.*: **au** café – *in* or *at* or *to the café*, **à l'**hôpital – *in* or *at* or *to the hospital*, **aux** cafés, **aux** hôpitaux
*fem.*: **à la** gare – *in* or *at* or *to the station*, **à l'**école – *at/to the school*, **aux** gares, **aux** écoles

Elle a mal **au** ventre et mal **à la** gorge. *She has stomach-ache and a sore throat.*
Elle va **à l'**hôpital. *She goes to the hospital.*

### 3 De + definite article (du, de la, de l', des)

**De**, meaning *of* or *from*, combines with **le** or **les** to form **du** and **des**, meaning *of the*, *from the*.

|       | singular     | plural |
|-------|--------------|--------|
| *masc.* | du (de l')   | des    |
| *fem.*  | de la (de l') | des    |

*masc.*: la terrasse **du** café – *the café terrace* (i.e. *the terrace of the café*), le nom **de l'**hôtel – *the name of the hotel*, au bureau **des** objets trouvés – *at the lost property office*.
*fem.*: le coin **de la** rue – *the corner of the street*, l'uniforme **de l'**infirmière – *the nurse's uniform*

La lettre **du** correspondant de Richard est avec celles **des** autres élèves français. *The letter from Richard's penfriend is with those from the other French pupils.*

---

[1] With feminine countries and regions the article is dropped after the preposition **en**: en France, en Bretagne.
[2] The article is not used with the verb **parler**: je parle français.
[3] The preposition **à** can stand alone; it does not have to be combined with **le** and **les**: à Paris – *in* or *to Paris*, j'ai écrit à Françoise – *I've written to Françoise*.

## 4 The indefinite article (un, une, des)

The indefinite article in the singular, meaning *a*, *an*, refers to one noun representing its group or type. In the plural, *some* or *any*, it refers to more than one of a species, group or type.

|  | *singular* | *plural* |
|---|---|---|
| *masc.* | un | des |
| *fem.* | une | des |

*masc.*: un chien, des chiens   *a dog, some dogs*
*fem.*: une vache, des vaches   *a cow, some cows*

Tu as acheté **des** pommes?   *Have you bought any apples?*

There are cases where the indefinite article is used in English but not in French. The most common are:

**a** Jobs and nationalities:

Mon père est ingénieur, je suis étudiant.   *My father is an engineer, I am a student.*
Il est Français[4], elle est Allemande.   *He is a French person, she is a German.*

**b** Quel(le)...!

Quel soulagement!   *What a relief!*
Quelle surprise!   *What a surprise!*

*Some* is sometimes missed out in English where **des** must be used in French:

Il y a **des** journaux sur la table.   *There are (some) papers on the table.*

## 5 The partitive article (de, du, de la, de l', des)

The French partitive article corresponds to the English *some, any* as in *some cheese, some ham, some pâté.*

|  | *singular* | *plural* |
|---|---|---|
| *masc.* | du (de l') | des |
| *fem.* | de la (de l') | des |

Tu as **de l'**argent? Alors, achète **du** fromage, **du** pain et **de la** limonade.   *Have you got any money? All right then, buy some cheese, bread and lemonade.*[5]

The negative form of the partitive article expressing *not any amount, no, not any* is **de** or **d'**.

Non, je n'ai pas **d'**argent.   *No, I have no money.*
Il n'y a plus **de** pain.   *There's no more bread.*[6]

## 6 De, d'

**De** is the negative form of **du, de la, de l'** (see paragraph 5 above) and is also used:

**a** After expressions of quantity:

une bouteille **d'**eau   *a bottle of water*

tant **de** bruit   *so much noise*
un peu **de** silence   *a little silence*
beaucoup[7] **de** chocolat   *a lot of chocolate*
un kilo **de** pommes   *a kilo of apples*
trop **de** fautes   *too many mistakes*
combien **de** temps?   *how much time?*

Je n'ai pas assez **de** temps pour aller au supermarché. Achète-moi, donc, **des** croissants, **du** jambon, un pot **de** miel et une boîte **de** thon.   *I haven't enough time to go to the supermarket, so buy me some croissants, some ham, a jar of honey and a tin of tuna.*

**b** Before a plural adjective which is placed before the noun[8]:

Il a acheté **de** beaux vêtements.   *He has bought some beautiful clothes.*
Il y a **d'**énormes immeubles en ville.   *There are some enormous blocks of flats in town.*

**c** After **quelque chose** and **rien** + adjective:

J'ai **quelque chose d'**important à te dire.   *I've something important to tell you.*
Qu'est-ce qu'il y a à la télé? **Rien d'**intéressant.   *What's on the telly? Nothing interesting.*

**d** In the expression **avoir besoin de**:

J'ai besoin **d'**argent.   *I need money.*
*But*
J'ai besoin **de l'**argent.   *I need **the** money.*

# Nouns

A noun is a word used to name an object, a person or an idea.

## 7 Gender of nouns

Gender – masculine or feminine?

Nouns, in French, are either masculine or feminine, e.g. **la maison** – *the house*; we know from the definite article **la** that this is a feminine, singular noun. There are some rules about gender but they have so many exceptions that it is advisable to learn the gender when you learn the noun (i.e. never note a new word as

---

[4] The article **is** needed after **c'est** or **ce sont**: **C'est un** Français. **Ce sont des** Anglais.

[5] The partitive article may be omitted in English.

[6] An exception to this is **ne... que** (only): Il ne reste que **du** pain. *There is only (some) bread left.*

[7] But **la plupart des** bonbons – *most of the sweets*, **bien des** élèves – *lots of the pupils*, **encore du** fromage? – *more cheese?*

[8] Exceptions: where the adjective and noun are generally used together, e.g. **des** petits pois – *peas*, **des** petits pains – *bread rolls*, **des** jeunes filles – *girls*.

**arbre** or **chaussure** but as **un arbre**, **une/la chaussure**).

**a** Common sense tells you that male people and male animals are masculine:

**un** homme – *a man*, **le** roi – *the king*, **un** chat – *a cat*

and that female people and female animals are feminine:

**une** femme – *a woman*, **la** reine – *the queen*, **une** chatte – *a female cat*

**b** Enfant *(child)*, and élève *(pupil)*, can be of either gender: **un/une** enfant, **un/une** élève.

Other nouns like **un** professeur (*a teacher*) are masculine whether they refer to a man or a woman.

**c** Feminine of nouns:

If a noun has both a masculine and a feminine form, it is better to learn both; they are given in the end vocabulary. Here are some examples:

**un** ami/**une** amie   *a friend*
**un** assistant/**une** assistante   *an assistant*
**un** employé/**une** employée   *an employee*
**un** boulanger/**une** boulang**è**re   *a baker*
**un** pharmacien/**une** pharma**cienne**   *a chemist*
**le** prince Charles/**la** prin**cesse** Anne   *Prince Charles/Princess Anne*
**un** chanteur/**une** chant**euse**   *a singer*
**un** acteur/**une** act**rice**   *an actor*

An unusual feminine form of a word which is used a lot is **un** copain/**une** copine *(friend)*.

## 8   Plural of nouns

Some general guidelines may be given but there are many exceptions to the rules:

**a** Usually the plural of nouns is formed by adding **–s** to the singular:

un homme, des homme**s**   *a man, men*

**b** There is no change when nouns already end in **–s** or **–x**:

un fils, deux fils   *a son, two sons*
une noix, des noix   *a walnut, walnuts*

**c** Nouns generally ending in **–eau** and **–eu** add **–x**:

un château, les château**x** de la Loire   *a castle, the castles of the Loire*
un bateau, des bateau**x**   *a boat, some boats*
mon neveu, mes neveu**x**   *my nephew, my nephews*
les cheveu**x**   *hair*

**d** Nouns ending in **–al** change to **–aux**:

un animal, des anim**aux**   *an animal, animals*

un cheval, des chev**aux**   *a horse, horses*

**e** Nouns ending in **–ou** usually add **–s**:

un clou, des clou**s**   *a nail, nails*
un trou, des trou**s**   *a hole, holes*

**f** Here is a short list of exceptions and problem plurals:

un pneu, des pneu**s**   *a tyre, tyres*
un bijou, des bijou**x**   *a jewel, jewels*
un caillou, des caillou**x**   *a pebble, pebbles*
un chou, des chou**x**   *a cabbage/pastry, cabbages/pastries*
le genou, les genou**x**   *the knee, knees*
l'oeil, les **yeux**   *the eye, eyes*
le travail, les trav**aux** de la ferme   *work, farmwork*

Note also:
monsieur (M.), messieurs
madame (Mme), mesdames
mademoiselle (Mlle),  mesdemoiselles

## 9   Plural of compound nouns

A compound noun is composed of more than one element.

le rouge-gorge, les rouge**s**-gorge**s**   *robin, robins*
le chemin de fer, les chemin**s** de fer   *the railway, railways*

Sometimes each element becomes plural:

le chou-fleur, les chou**x**-fleur**s**   *the cauliflower, cauliflowers*
le grand-parent, les grand**s**-parent**s**   *grandparent, grandparents*
le grand-père, les grand**s**-père**s**   *grandfather, grandfathers*

Sometimes only one:

la grand-mère, les grand-mère**s**   *grandmother, grandmothers*
le demi-frère, les demi-frère**s**   *half-brother, -brothers*
la demi-sœur, les demi-sœur**s**   *half-sister, -sisters*
le timbre-poste, les timbre**s**-poste   *stamp, stamps*
la pomme de terre, les pomme**s** de terre   *potato, potatoes*

## Adjectives

## 10  Agreement of adjectives

An adjective is a word added to a noun to describe it, or, using the grammatical term, to 'qualify' it.

**a** An adjective usually changes its ending depending on whether the noun it describes is masculine or feminine, singular or plural. The adjective 'agrees with' the noun. Most adjectives have four separate forms. The pattern for regular[9] adjectives is:

| masc. | fem. | masc. pl. | fem. pl. |
|---|---|---|---|
| grand | grande | grands | grandes |
| petit | petite | petits | petites |

Le jardin est petit.   *The garden is small.*
La maison est grande.   *The house is big.*
Les jardins sont petits.   *The gardens are small.*
Les maisons sont grandes.   *The houses are big.*

**b** When an adjective ends in an unaccented **–e** or an **–s** in its masculine singular form, no extra **–e** or **–s** is added, e.g. rouge (*red*), gris (*grey*):

| | | | |
|---|---|---|---|
| rouge | rouge | rouges | rouges |
| gris | grise | gris | grises |

## 11 Irregular[10] feminine forms

The feminine form of some adjectives is irregular. The following list shows some examples but there are very many more.

grec, grec**que**[11]   *Greek*
tur**c**, tur**que**   *Turkish*
blan**c**, blan**che**   *white*
publi**c**, publi**que**   *public*
se**c**, sè**che**   *dry*
acti**f**, acti**ve**   *active*
neu**f**, neu**ve**   *new*
long, lon**gue**   *long*
favor**i**, favor**ite**   *favourite*
cruel, crue**lle**   *cruel*
gentil, genti**lle**   *nice, kind*
bon, bo**nne**   *good, kind*
itali**en**, itali**enne**   *Italian*
anci**en**, anci**enne**   *former*
ma**lin**, ma**ligne**   *crafty*
leger, lé**gère**   *light*
cher, ch**ère**   *dear, expensive*
ment**eur**, ment**euse**   *lying, untruthful*
vainqu**eur**, vict**orieuse**   *victorious*
frais, fra**îche**   *fresh, cool*
bas, ba**sse**   *low*
gros, gro**sse**   *large, fat*
épais, épai**sse**   *thick*
compl**et**, compl**ète**   *complete*
inqui**et**, inqui**ète**   *worried*
aig**u**, aig**üe**   *sharp*

fou, fo**lle**   *mad*
affreu**x**, affreu**se**   *awful*
ennuyeu**x**, ennuyeu**se**   *boring*
rou**x**, rou**sse**   *red (haired)*
dou**x**, dou**ce**   *sweet, gentle*
fau**x**, fau**sse**   *false*

## 12 Adjectives of colour

**a** Some nouns used as adjectives have the same spelling whether they are masculine or feminine, singular or plural. In grammatical terms, they are 'invariable'.

un costume marron   *a brown suit*
une robe marron   *a brown dress*
des yeux marron   *brown eyes*
des tons ivoire et or   *ivory and gold tones*

**b** Compound adjectives of colour are invariable.

Elle a les yeux bleu clair.   *She has light blue eyes.*
J'ai les yeux brun foncé.   *I have dark brown eyes.*
une jupe vert bouteille   *a bottle green skirt*

## 13 Beau, nouveau, vieux

These adjectives have a second form of the masculine singular which is used before a vowel sound and which makes it easier to say:

un **beau** pays   *a beautiful country*
un **bel** appartement   *a beautiful flat*
(*pl.* de **beaux** pays, de **beaux** appartements)

le **nouveau** chef   *the new chef*
le **nouvel** an   *the new year*
(*pl.* les **nouveaux** chefs, les **nouveaux** appartements)

le **vieux** monsieur   *the old gentleman*
le **vieil** homme   *the old man*
(*pl.* les **vieux** messieurs, les **vieux** hommes)

N.B. There are also two masculine singular forms of the demonstrative adjective, **ce** (*this/that*):

**ce** monsieur   *this gentleman*
**cet** homme   *this man*
**cet** arbre   *this tree*
(*pl.* **ces** messieurs, **ces** hommes, **ces** arbres)

## 14 Tout

The adjective **tout** needs special attention.

| masc. | fem. | masc. pl. | fem. pl. |
|---|---|---|---|
| tout | toute | tous | toutes |

**Tout** le monde est heureux.   *Everyone is happy.*
**Toute** la famille mange au restaurant.   *All the family (the whole family) is having a meal out.*

---

[9] Regular means following the normal pattern.
[10] Irregular means not following the usual pattern.
[11] In French, adjectives denoting nationality do not have capital letters, e.g. anglais – *English*, allemand – *German*, espagnol – *Spanish*.

Before a vowel sound, use the forms **mon**, **ton** and **son**, whether the noun is masculine or feminine:

**mon** armoire (f.) – *my wardrobe*, **mon** *appartement* (m.) – *my flat*

## 21 Demonstrative adjective

The demonstrative adjective indicates which object is in question. It is the equivalent of the English, *this, that, these.*

| masc. sing | before vowel sound in masc. sing. | fem. sing. | plural |
|---|---|---|---|
| ce | cet | cette | ces |

Je reconnais **ce** garçon, **cet** homme, **cette** femme et **ces** filles. *I recognize that boy, that man, that woman and those girls.*
This sentence could also be translated as: *I recognize this boy, this man, this woman and these girls.*

To be more specific we add **–ci** or **–là** to the demonstrative adjective.

**Ce** garçon-**là** est mon correspondant et **cette** femme-**ci** est sa mère. *That boy is my penfriend and this woman is his mother.*

## 22 Interrogative adjective

The interrogative adjective asks which noun is in question. It is the equivalent, in English, of *what, which?*

| masc. sing. | fem. sing. | masc. pl. | fem. pl. |
|---|---|---|---|
| quel | quelle | quels | quelles |

**Quels** cadeaux as-tu achetés?
Un livre et des boîtes de chocolats.
**Quel** livre, **quelles** boîtes?
*What presents have you bought?*
*A book and boxes of chocolates.*
*Which book, which boxes?*

# Adverbs

In the same way that the adjective qualifies the noun, the adverb qualifies the verb but it can also qualify an adjective, another adverb and it can sometimes stand alone. The adverb is invariable.

Les correspondants français écrivent **régulièrement**.
*noun:* les correspondants – *penfriends*
*adjective:* français – *French*
*verb:* écrivent – *write*
*adverb:* régulièrement – *regularly*

Ils sont **vraiment** gentils. Oui, **toujours**.
gentils: *adjective – nice*
vraiment: *adverb – really*
toujours: *adverb – always*

## 23 Formation of adverbs

**a** Adverbs can often be formed from adjectives. This is usually done by adding **–ment** to the feminine form of the adjective:

régulier, régulière → régulièrement (*regularly*)
final, finale → finalement (*finally*)
heureux, heureuse → heureusement (*fortunately*)
doux, douce → doucement (*gently*)

**b** When the masculine form of the adjective ends in a vowel, the **–ment** ending is added to the masculine form:

vrai → vraiment (*really*)
absolu → absolument (*absolutely*)
poli → poliment (*politely*)

## 24 Irregular formation of adverbs

**a** Adjectives ending in **–ent** and **–ant** form adverbs ending in **–emment** and **–amment**:

patient → patiemment (*patiently*)
récent → récemment (*recently*)
courant → couramment (*currently*)

The exception to this rule is **lent** (*slow*) which has the adverb **lentement** (*slowly*).

**b** A few adjectives change the final **e** of the feminine form to **é** and then add **–ment** as usual:

précis, précise → précisément (*precisely*)

**c** The following adjectives can be used as adverbs without changing their form:

travailler **dur**   *to work hard*
parler **bas**   *to speak quietly*
crier **fort**   *to shout loudly*
refuser **net**   *to refuse point blank, absolutely*
courir **vite**   *to run fast*
coûter **cher**   *to cost a lot*
chanter **faux**   *to sing out of tune*
sentir **bon/mauvais**   *to smell good/bad*

**d** The following adverbs are important and should be learnt:

peu (*little*), bien (*well*), mieux (*better*), moins (*less*), mal (*badly*).

## 25 Comparative and superlative of adverbs

The usual way of expressing comparison is:
Pierre court **vite**. *Pierre runs fast.*
Son frère court **plus vite** que lui. (*faster*)
Son cousin court **le plus vite**. (*fastest*)

The following important irregular forms need to be noted:

bien (*well*)     mieux (*better*)     le mieux (*best*)
mal (*badly*)     plus mal[15] (*worse*) le plus mal (*worst*)
beaucoup (*a lot*) plus (*more*)     le plus (*most*)
peu (*little*)     moins (*less*)     le moins (*least*)

Récemment, tu as travaillé **bien, moins bien** que Paul, mais **mieux** que Thérèse. Elle travaille **peu**. Yvonne travaille **le mieux**. *Recently, you have worked well, less well than Paul, but better than Thérèse. She does little work. Yvonne works best.*

Adverbs are invariable, hence **le** does not change:
Yvonne travaille **le mieux**.

## 26 The adverb tout

The adjective **tout** means *all, every*; the adverb **tout** means *quite, altogether, all, very.*

Adverbs are invariable but the adverb **tout** changes its spelling in front of a feminine adjective beginning with a consonant:

Il est **tout** content, **tout** amoureux. *He is altogether happy, quite in love.*
Elle est **toute** contente, **tout** amoureuse. *She is altogether happy, quite in love.*
Ils sont **tout** contents, **tout** amoureux. (*They...*)
Elles sont **toutes** contentes, **tout** amoureuses. (*They...*)

# Verbs

The verb expresses an action or a state.

Je **lis** ce livre. *I am reading this book.*
Je **suis** seul. *I am alone.*

**Lis** comes from the verb **lire** (*to read*), and **suis** from the verb **être** (*to be*)

## 27 The infinitive

In vocabularies and dictionaries, verbs are listed in their 'infinitive' form, e.g. **jouer** (*to play*). The ending of the infinitive helps us to identify which group the verb belongs to. There are several large groups of regular verbs: those ending in **–er**, like **jouer**, those ending in **–ir**, like **finir** (*to finish*), and those ending in

**–re**, like **entendre** (*to hear*). Irregular verbs, like **avoir** (*to have*), do not fit into any of these groups.

## 28 The persons of the verb

The persons of the verb are:

*singular*

| | |
|---|---|
| je (*I*) | 1st person |
| tu (*you*) | 2nd person |
| il/elle/on (*he/she/it/one*) | 3rd person |

*plural*

| | |
|---|---|
| nous (*we*) | 1st person |
| vous (*you*) | 2nd person |
| ils/elles (*they*) | 3rd person |

## 29 Tu and vous

**Tu** is used when you are talking to a child or to someone with whom you are on familiar terms.
**Vous** is used
**a** when you are talking to an adult or to someone with whom you are not on familiar terms
**b** when you are talking to more than one person.

## 30 Tenses

The tense is the form of the verb which expresses *when* the action takes place:

**Past**: Hier, j'**avais** seize ans. *Yesterday, I was 16.*
**Present**: Aujourd'hui, **c'est** mon anniversaire; **j'ai** dix-sept ans. *Today, it's my birthday; I'm 17.*
**Future**: L'année prochaine, **j'aurai** dix-huit ans. *Next year, I shall be 18.*

## 31 Present tense

In English there are three ways of expressing the present tense:

I play (every day, often, etc.)
I am playing (now, this morning, etc.)
I do play.

In French there is only one equivalent to these three forms: **je joue**.

**a** Present tense of regular verbs, i.e. those belonging to a large group whose endings follow a pattern:

**–er** verbs, for example chercher (*to look for*), regarder (*to look at*), parler (*to speak*)

| | |
|---|---|
| je jou**e** | nous jou**ons** |
| tu jou**es** | vous jou**ez** |
| il/elle jou**e** | ils/elles jou**ent** |

---
[15] The forms **pis** and **le pis** are also possible.

−ir verbs, for example finir (*to finish*), choisir (*to choose*), rougir (*to blush*)

| | |
|---|---|
| je fin**is** | nous fin**issons** |
| tu fin**is** | vous fin**issez** |
| il/elle fin**it** | ils/elles fin**issent** |

−re verbs, for example descendre (*to go down*), attendre (*to wait for*), vendre (*to sell*)

| | |
|---|---|
| je descend**s** | nous descend**ons** |
| tu descend**s** | vous descend**ez** |
| il/elle descend | ils/elles descend**ent** |

Use the three verbs above as models for all regular verbs in the present tense.

**b** Certain verbs, which we use every day, are irregular; they do not fit any of the above patterns and they must be learnt individually. They are listed in the verb tables at the end of this section (pp. 202–6).

**c** Three very important verbs are avoir (*to have*), être (*to be*), and aller (*to go*).

**avoir**

| | |
|---|---|
| j'ai | nous avons |
| tu as | vous avez |
| il/elle/on a | ils/elles ont |

**être**

| | |
|---|---|
| je suis | nous sommes |
| tu es | vous êtes |
| il/elle/on est | ils/elles sont |

**aller**

| | |
|---|---|
| je vais | nous allons |
| tu vas | vous allez |
| il/elle/on va | ils/elles vont |

## 32 Verbs with spelling changes in the present tense

Because of the way some verbs are pronounced, there is a slight change of spelling in certain persons of the present tense. Either the final consonant is doubled or a grave accent (`) is added. Here is an example of each:

**appeler** *to call*

| | |
|---|---|
| j'appelle | nous appelons |
| tu appelles | vous appelez |
| il/elle/on appelle | ils/elles appellent |

**acheter** *to buy*

| | |
|---|---|
| j'achète | nous achetons |
| tu achètes | vous achetez |
| il/elle/on achète | ils/elles achètent |

In the infinitive and the **nous** and **vous** forms, the **e** is pronounced as in the English word *apple* but in the other forms the double **ll** changes the **e** sound to the **e** in the English *bed*. (See also pp. 202–6)

## 33 Reflexive verbs

When an infinitive includes the pronoun **se** (or **s'**) it is known as a reflexive verb. Here is an example of the present tense of a common reflexive verb:

**se lever**   *to get (oneself) up*

| | |
|---|---|
| je **me** lève | nous **nous** levons |
| tu **te** lèves | vous **vous** levez |
| il/elle/on **se** lève | ils/elles **se** lèvent |

**Ils se lèvent** tard pendant les vacances.   *They get up late during the holidays.*

In this sentence the reflexive pronoun, **se**, means *themselves* but, in English, we don't need to include it.

**a** M', t', s' are used before a vowel. These pronouns must also be included in the question form:

**Je m'appelle** Susan.   *My name is Susan.* (Literally, *I call myself Susan.*)
Comment **t'appelles-tu**?   *What's your name?*

**b** As well as meaning *myself, yourself*, etc., the reflexive pronouns can also mean *one another*:

Les élèves travaillent bien ensemble; **ils s'aident** à résoudre les problèmes.   *The pupils work well together; they help one another solve problems.*

**c** The use of the reflexive pronoun can change the meaning of a verb:

**Elle se lève** à six heures pour **s'occuper** du bébé.
*She gets up at six to look after the baby.*
**Elle lève** le bébé pour lui donner son biberon.
*She gets/lifts the baby up to give him his bottle.*
**Je me demande** si je réussirai à cet examen.
*I wonder whether I shall pass this exam.*
**Je vais demander** à mon professeur.   *I'm going to ask my teacher.*

**d** Reflexive verbs are used to represent an action expressed in English by the 'passive'[16] (see section **61**):

La porte **s'ouvre**.   *The door is being opened.*

**e** Examples of common verbs used reflexively in French:

s'asseoir   *to sit down*
Elle s'est assise.   *She sat down.*
se marier   *to get married*
Il se marie avec Louise.   *He's marrying Louise.*
Ils se marient.   *They're getting married.*

s'arrêter   *to stop*
se coucher   *to go to bed*
se dépêcher   *to hurry*
se diriger vers   *to make one's way towards*

---

[16] Passive: I am taught. Active: I teach.

se douter de   *to suspect*
s'enrhumer   *to catch cold*
se fâcher   *to be angry*
se moquer de   *to make fun of*
se plaindre   *to complain*
se promener   *to go for a walk*
se rappeler, se souvenir de   *to remember*
se reposer   *to rest*
se sentir   *to feel*

## 34   Questions

There are three ways of making a statement into a question:

**a**   By using a different intonation, raising the voice at the end of the sentence. This is very common in speech but not in writing:

Il est malade. (statement)   *He is ill.*
Il est malade? (question)   *He's ill?*

**b**   By inverting the subject and the verb:

il          *subject*
est        *verb*
malade    *adjective*

Est-il malade?   *Is he ill?*

To make pronunciation easier, **–t–** is put between two vowels:

il a → a-t-il?   *has he?*
il va → va-t-il?   *is he going?*

**c**   By putting **est-ce que/qu'**... in front of the original statement:

**Est-ce qu'**il est malade?   *Is he ill?*
**Est-ce que** tu vas?   *Are you going?*

**Est-ce que** can also be used with question words: quand (*when*), pourquoi (*why*), comment (*how*), etc.

**Quand est-ce que** le trimestre commence?   *When does the term start?*
**Comment est-ce qu'**ils vont faire le voyage?   *How are they going to travel?*

## 35   Giving orders (imperative)

**a**   In the case of most verbs, one can give an order by dropping the subject pronoun (**tu, vous, nous**) as in English:

tu choisis → **choisis**   *choose!*
vous choisissez → **choisissez**   *choose!*

**b**   If the same thing is done with the **nous** form of the verb, it has the meaning of *let's*... :

nous choisissons → **choisissons**   *let's choose*
**allons**-y   *let's go*
**voyons**   *let's see*

**c**   In the **tu** form of regular **–er** verbs and in the verb **aller**, the final **–s** is omitted:

tu regardes → **regarde**   *look!*
tu vas → **va**   *go!*

**d**   Reflexive verbs require a reflexive pronoun in the imperative (like the English *behave yourself*). Note that **toi** replaces **te** in an order:

**Adresse-toi** à la réception.   *Enquire at reception.*
**Adressons-nous...**   *Let's enquire...*
**Adressez-vous...**   *Enquire...*

In the negative, the reflexive pronoun remains in front of the verb and **te** is not replaced by **toi**:

**Ne t'adresse pas** à la réception.   *Don't enquire at reception.*
**Ne nous adressons pas...**
**Ne vous adressez pas...**

## 36   The perfect tense (passé composé)

**a**   In French there is only one way of expressing the two English past tenses *did* and *have done*. To convey the sense of an event or an action in the past an English person would say:

*I **have bought** a record.*
*I **bought** a record yesterday.*

For a French person there is only one form of the verb for expressing both of these:

**J'ai acheté** un disque (hier).

**b**   In French, this tense is called **le passé composé** because it is composed of two parts:
**the auxiliary verb** (in this case): avoir: j'ai
**the past participle**:                      acheté

**c**   The perfect tense, with **avoir**, of the three regular groups of verbs is as follows:

J'ai          acheté/fini/vendu
tu as        acheté/fini/vendu
il a          acheté/fini/vendu
nous avons   acheté/fini/vendu
vous avez    acheté/fini/vendu
ils ont       acheté/fini/vendu

*I have bought, finished, sold,* etc.

**Ils ont fini** leur travail, **joué** au football et puis **ils ont attendu** le bus.   *They finished their work, played football and then they waited for the bus.*

**d** Questions in the perfect tense are formed thus:

**Est-ce que vous avez fini?** *Did you finish/have you finished?*
**Vous avez fini?** *You've finished?*
**Avez-vous fini?** *Did you finish?/Have you finished?*

**e** A positive statement (*she bought the bike*) is changed into a negative statement (*she has not/did not buy the bike*) like this:

Elle **n**'a **pas** acheté le vélo.
The **ne** (**n**' because of the vowel sound) and the **pas** go on either side of the auxilary verb **avoir**.

Similarly:
**Ils n'ont pas fini** leur travail, donc **ils n'ont pas joué** au football. *They have not finished/did not finish their work so they did not play football.*

## 37 Irregular past participles

Some past participles are irregular and must be learnt. Some common ones are:

| | | |
|---|---|---|
| avoir | j'ai **eu** | *had* |
| boire | j'ai **bu** | *drunk* |
| comprendre | j'ai **compris** | *understood* |
| devoir | j'ai **dû** | *had to* |
| dire | j'ai **dit** | *said* |
| écrire | j'ai **écrit** | *written* |
| être | j'ai **été** | *been* |
| faire | j'ai **fait** | *done* |
| lire | j'ai **lu** | *read* |
| mettre | j'ai **mis** | *put* |
| pouvoir | j'ai **pu** | *been able* |
| prendre | j'ai **pris** | *taken* |
| savoir | j'ai **su** | *known* |
| voir | j'ai **vu** | *seen* |

Pendant les vacances, **j'ai fait** de la natation, **j'ai vu** quelques films et **j'ai lu** plusieurs livres mais **je n'ai pas écrit** à mon correspondant. *In the holidays I swam, saw a few films and read several books but I did not write to my penfriend.*

Other irregular past participles are given in the verb tables (pp. 202–6).

## 38 Agreement of the past participle with preceding direct object

**a** The past participles of verbs which form their perfect tense with **avoir** must agree with the direct object[17] if this is mentioned before the verb occurs in the sentence. Look at these examples:

| | | |
|---|---|---|
| J'ai vu | ton sac (*masc. sing.*) | *your bag* |
| *I saw* | ta valise (*fem. sing.*) | *your case* |
| | tes bagages (*masc. pl.*) | *luggage* |
| | tes valises (*fem. pl.*) | *cases* |

When the verb occurs in the above examples, the direct object has not yet been mentioned, so there is no agreement.

Ton sac? Oui, je l'ai vu. *Your bag? Yes, I've seen it.*
Ta valise? Oui, je l'ai vue.
Tes bagages? Oui, je les ai vus.
Tes valises? Oui, je les ai vues.

When the verb occurs in these sentences, the direct object has already been mentioned, so there *is* agreement.

| | |
|---|---|
| J'ai acheté | un souvenir (*masc. sing.*) |
| | une carte (*fem. sing.*) |
| | des souvenirs (*masc. pl.*) |
| | des cartes (*fem. pl.*) |

*I bought a souvenir, a card/some souvenirs, some cards.*

When the verb occurs the direct object has not yet been mentioned so there is no agreement.

| | |
|---|---|
| Voici | le souvenir que j'ai acheté. |
| | la carte que j'ai achetée. |
| | les souvenirs que j'ai achetés. |
| | le cartes que j'ai achetées. |

*Here is the souvenir, etc. that I bought.*

When the verb occurs in these last examples, the direct object has already been mentioned, so there *is* agreement.

**b** In speech, these agreements will only very rarely change the sound of the past participle. But be careful with verbs such as **mettre** (*to put*), **promettre** (*to promise*), **faire** (*to do/make*), and others whose past participles end in a consonant:

Où est ma valise? Je l'ai mise ici. *Where is my case? I put it here.*
Tu cherches la machine à écrire? C'est Luc qui l'a prise. *Are you looking for the typewriter? Luc took it.*
La promenade qu'on a faite hier... *The walk we did yesterday...*

## 39 Verbs requiring être in the perfect tense

A few verbs form their perfect tense with **être** instead of **avoir**. The past participle of these verbs agrees with the subject in the same way that adjectives agree with nouns:

Claire **est restée**. *Claire remained.*
Claire = *subject*
est = *auxiliary verb*
rest**ée** = *past participle agreeing with the subject, Claire.*

---

[17] Elle a acheté une voiture: subject = elle; verb = a acheté; direct object = une voiture.

The perfect tense of the verb **aller** (*to go*):

| | |
|---|---|
| je suis allé(e) | nous sommes allé(e)s |
| tu es allé(e) | vous êtes allé(e)(s) |
| il est allé | ils sont allés |
| elle est allée | elles sont allées |

Claire et sa mère sont restées à l'hôtel mais son père et son frère sont allés au marché. *Claire and her mother stayed at the hotel but her father and her brother went to the market.*

The list of verbs of this kind, mainly verbs of motion, should be learnt:

| | *infinitive* | *past participle* |
|---|---|---|
| *to go* | aller | allé |
| *to come* | venir | venu |
| *to become* | devenir | devenu |
| *to arrive* | arriver | arrivé |
| *to leave* | partir | parti |
| *to go out* | sortir | sorti |
| *to go in* | entrer | entré |
| *to go down* | descendre | descendu |
| *to go up* | monter | monté |
| *to be born* | naître | né |
| *to die* | mourir | mort |
| *to remain* | rester | resté |
| *to return* | retourner | retourné |
| *to fall* | tomber | tombé |

Also: redescendre (*to go back down*), rentrer (*to go back in*), revenir (*to come back in*), etc.

## 40 Verbs with avoir or être

Some of the verbs listed in section **39** may be used in a sense where they take an object and when this is the case their auxiliary verb is **avoir** and not **être** and they follow the rules of **avoir** verbs:

| | |
|---|---|
| sortir | *to take, bring out* |
| monter | *to take up* |
| descendre | *to take down* |
| rentrer | *to take in* |

Elle **est rentrée**. *She came in.*
The past participle agrees with the subject, **elle**.
Elle **a rentré** la voiture. *She put the car away.* There is no agreement with the subject.
Il faisait si chaud que **nous sommes sortis** dans le jardin. *It was so hot that we went out into the garden.*
Il faisait si chaud que **nous avons sorti** la table et les chaises. *It was so hot that we took out the table and chairs.*

## 41 The perfect tense of reflexive verbs

**a** The perfect tense of verbs used reflexively is formed with **être**. The past participle of these verbs agrees with the preceding direct object, i.e. in most cases the reflexive pronoun, e.g. elle **s'est habillée** *she dressed (herself).*

| | |
|---|---|
| je me suis reposé(e) | *I rested* |
| tu t'es reposé(e) | *you rested* |
| il s'est reposé | *he rested* |
| elle s'est reposée | *she rested* |
| nous nous sommes reposé(e)s | *we rested* |
| vous vous êtes reposé(e)(s) | *you rested* |
| ils se sont reposés | *they rested* |
| elles se sont reposées | *they rested* |

Carole **s'est levée** à sept heures et demie et est partie de la maison à huit heures. Elle et son copain **se sont rencontrés** au café. *Carole got up at 7.30 and left the house at 8. She and her boyfriend met at the café.*

**b** Questions are formed thus:

Tu t'es reposé(e)? *Have you rested?*
Est-ce que tu t'es reposé(e)?
T'es-tu reposé(e)?

**c** Many reflexive verbs are irregular and have irregular past participles. In some cases, the feminine agreement, apart from being obvious in the written form, is also heard in speech:

s'asseoir *to sit down*
Elle s'est assise. *She sat down.*
Sophie et moi, nous nous sommes assises. *Sophie and I sat down.*
se mettre en route *to set off*
Elle s'est mise en route. *She set off.*

**d** As with adjectival agreement, when a past participle ends in **–s** (**mis, assis,** etc.) no further **–s** is required for the masculine plural agreement:

Les garçons se sont mis en route. *The boys set off.*
Les hommes se sont assis. *The men sat down.*

## 42 Reflexive verbs: non-agreement of the past participle with indirect object[18]

In a sentence such as **Elle s'est coupée** (*she has cut herself*) the s' (*herself*) is the direct object, and the past participle agrees with this preceding[19] direct object.

---

[18] J'écris à l'enfant – *I write to the child*; subject = Je; *verb* = écris; *preposition* = à; **indirect object** = l'enfant. The indirect object is separated from the verb by the preposition **à**.
[19] preceding – coming before (the past participle)

In **Elle s'est coupé la main** (*she has cut her hand*) the **s'** (*to or for herself*) is the **indirect object**. (The sentence literally means, *She has cut to/for herself the hand.*) The direct object of the verb **couper** is **la main** which comes **after** the past participle and so we do not add **–e** to the past participle. Here are some more examples. In each one look carefully at the position of the direct object which is in bold type.

Elle **s'**est blessé**e**. *She hurt herself.*
Les garçons **se** sont blessés. *The boys hurt themselves.*
Les garçons se sont cassé **la jambe**. *The boys have broken their legs.*

Here are some more examples:

Elle **s'**est lavé**e**. *She washed(herself).*
What did she wash? Herself. The past participle agrees with **se** (*herself*), the direct object coming before the past participle.

Elle s'est lavé les cheveux. *She washed her hair.*
What did she wash? Her hair. The reflexive pronoun, **se**, is the indirect object; literally, she washed her hair to herself and the direct object, **les cheveux**, is placed after the past participle.

The same rule applies when the reflexive pronoun means *each other* or *one another*.

Nous nous sommes rencontrés au café. *We met each other at the café.*
The past participle agrees with **nous** (*each other*), the direct object.

Nous nous sommes écrit. *We wrote to each other.*
The reflexive pronoun, **nous**, is the indirect object, *to each other*.

Note also:
Elles se sont téléphoné. *They telephoned (to) each other.*
Ils se sont dit 'Salut'. *They said 'hello' to each other.*
Nous nous sommes envoyé des cartes postales. *We sent post cards to each other.*

## 43 Après avoir/être/s'être + past participle

**a** *After having done something* is expressed by the perfect infinitive:

**après avoir** + past participle for verbs which take **avoir**, **après être** + past participle for verbs which take **être**, and **après s'être** + past participle for reflexive verbs:

**Après avoir acheté** un journal, Jean-Pierre a cherché un emploi dans les petites annonces. *After having bought a paper, Jean-Pierre searched for a job in the small ads.*

**Après être rentré** de chez le docteur, il s'est couché. *After having come home from the doctor's, he went to bed.*

**Après s'être reposé**, il s'est remis au travail. *After having rested, he started work again.*

**b** With reflexive verbs, the appropriate pronoun must be used:

Après m'être reposé(e), je... *After having rested, I...*
Après s'être assise, Caroline... *After having sat down, Caroline...*
Après nous être rencontré(e)s, Caroline et moi... *After having met, Caroline and I...*

**c** This structure can only be used when the subject of the two verbs is the same. You can use it to say:

Après être rentré, j'ai regardé la télévision. *When I got home, I watched television.*
The same subject, **je**, carried out both actions.

Here is another example:

Après s'être couchées, les deux petites filles se sont endormies. *After going to bed, the two little girls went to sleep.*

**d** **Après être** may be omitted from the expression, **après être** + past participle:

**Après être arrivés** en ville, ils ont cherché un restaurant. *After having arrived in town, they looked for a restaurant.*
**Arrivés** en ville, ils ont cherché un restaurant. *Once in town, they looked for a restaurant.*

## 44 The imperfect tense (l'imparfait)

**a** The formation of this tense is the same for all but one verb, **être**. The stem is the same as the **nous** form of the present tense, minus its **–ons** ending:

| *nous* form present tense | stem | imperfect, je |
|---|---|---|
| regardons → | regard– | regardais |
| finissons → | finiss– | finissais |
| attendons → | attend– | attendais |
| avons → | av– | avais |
| faisons → | fais– | faisais |
| prenons → | pren– | prenais |
| voyons → | voy– | voyais |

To this stem is added the following endings:

| je regard**ais** | *I was looking* |
|---|---|
| tu regard**ais** | *you were looking* |
| il/elle/on regard**ait** | *he, she, one was looking* |

178

nous regard**ions**    *we were looking*
vous regard**iez**    *you were looking*
ils/elles regard**aient**    *they were looking*

The imperfect tense of **être** has the irregular stem **ét–** but exactly the same endings as all other verbs:

| | |
|---|---|
| j'étais | nous étions |
| tu étais | vous étiez |
| il/elle/on était | ils/elles étaient |

**b** The imperfect tense is used to talk about the past, but not to say what someone *has done* or *did*. This, as we have seen, is expressed by the perfect tense.

The imperfect tense expresses:
– what someone used to do
– what someone was doing.

The following examples will illustrate the difference between these two tenses:

Il a fait ses devoirs. (perfect)
*He did/has done his homework.*
Il faisait ses devoirs dans sa chambre. (imperfect)
*He was doing/used to do his homework in his room.*

J'ai lu le journal (ce matin). (perfect)
*I have read/read the paper* (*this morning*).
Je lisais le journal quand il est arrivé. (imperfect + perfect)
*I was reading the paper when he arrived.*
Je lisais souvent le journal quand j'étais en France. (imperfect + imperfect)
*I used to read the paper often when I was in France.*

The imperfect tense is also the past tense used to describe the state of affairs, the background:

Hier, il faisait si chaud que je suis allé à la piscine. (imperfect + perfect)
*Yesterday it was so hot that I went to the pool.*
J'ai vu qu'il y avait beaucoup de monde. (perfect + imperfect)
*I saw that there were a lot of people.*

## 45 Let's...!

Apart from the imperative form **allons!, attendons!** *etc.* (see section **35b**)
*Let's...!* can also be expressed by: **Si on** + imperfect.

**Si on allait** au cinéma? *Let's go to the pictures. (What if we went to the pictures?)*
**Si on sortait?** *Let's go out. (What if we went out?),* etc.

## 46 The pluperfect tense

**a** The perfect tense expresses what has happened; the pluperfect goes back one step further in time and expresses *what had already happened.*

**b** Its formation is the same as that of the perfect tense (see section **36**), except that the auxiliary verb **avoir** or **être** is in the *imperfect* and not the present tense:

| | |
|---|---|
| il a acheté | *he has bought* |
| il **avait** acheté | *he had bought* |
| je suis allé(e) | *I have gone* |
| j'**étais** allé(e) | *I had gone* |

Nous nous sommes installé(e)s.    *We have settled in.*
Nous nous **étions** installé(e)s.    *We had settled in.*

J'allais promener le chien mais mon frère l'**avait déjà promené**. *I was going to walk the dog but my brother had already taken him for a walk.*

**c** The rules for the agreement of the past participle are the same as those for the perfect tense (see **36–42**).

## 47 The past historic tense (le passé simple)

The past historic tense, corresponding in speech with the perfect tense, is sometimes used in books and formal written accounts to express events and actions which happened in the past:

Le voyageur **alla** s'asseoir dans le compartiment de troisième... Un peu plus tard, le train **s'arrêta**... le voyageur **sortit**. Puis il **prit** la direction de la sortie.[20]
*The traveller went to sit down in the third class carriage... A little later, the train stopped... the traveller got out. Then he went towards the exit.*

If the narrator had been telling this story in conversation he would have used the perfect tense:

Le voyageur **est allé** s'asseoir... le train **s'est arrêté**... le voyageur **est sorti**... **il a pris** la direction de la sortie.

With the exception of **venir**[21] (*to come*) and **tenir** (*to hold*) verbs in the past historic conform to one of three patterns of endings:

| | | |
|---|---|---|
| –ai | –is | –us |
| –as | –is | –us |
| –a | –it | –ut |
| –âmes | –îmes | –ûmes |
| –âtes | –îtes | –ûtes |
| –èrent | –irent | –urent |

---

[20] *'Le premier homme'*, Albert Camus
[21] venir: je vins, tu vins, il vint, nous vînmes, vous vîntes, ils vinrent

**Group 1** includes all **–er** verbs; **aller** (*to go*) also belongs to this group:

parler   *to speak*

| je parlai | nous parlâmes |
|---|---|
| tu parlas | vous parlâtes |
| il parla | ils parlèrent |

**Group 2** includes all **–ir** and **–re** verbs, e.g. **descendre** (*to go down*):

| je descendis | nous descendîmes |
|---|---|
| tu descendis | vous descendîtes |
| il descendit | ils descendirent |

Note also these common verbs with irregular stems:

| *infinitive* | *past historic* | |
|---|---|---|
| s'asseoir | je m'assis | *I sat down* |
| conduire | je conduisis | *I drove* |
| dire | je dis | *I said* |
| dormir | je dormis | *I slept* |
| écrire | j'écrivis | *I wrote* |
| faire | je fis | *I did* |
| mettre | je mis | *I put* |
| ouvrir | j'ouvris | *I opened* |
| prendre | je pris | *I took* |
| rire | je ris | *I laughed* |
| suivre | je suivis | *I followed* |
| voir | je vis | *I saw* |

**Group 3** includes those verbs whose infinitive ends in **–oir**, e.g. **vouloir** (*to wish or want*):

| je voulus | nous voulûmes |
|---|---|
| tu voulus | vous voulûtes |
| il voulut | ils voulurent |

Note also these common verbs with irregular stems:

| *infinitive* | *past historic* | |
|---|---|---|
| avoir | j'eus | *I had* |
| être | je fus | *I was* |
| boire | je bus | *I drank* |
| croire | je crus | *I believed* |
| devoir | je dus | *I had to* |
| lire | je lus | *I read* |
| pouvoir | je pus | *I was able* |
| recevoir | je reçus | *I received* |
| savoir | je sus | *I knew* |

## 48 The future tense

**a** Just as in English, **aller** + infinitive can be used to express *what is going to happen*. This is sometimes called the *immediate future tense*:

Je vais regarder la télé ce soir.   *I'm going to watch television this evening.*

Qu'est-ce que tu vas faire?   *What are you going to do?*
S'il ne fait pas attention, il va tomber.   *If he's not careful, he's going to fall.*

**b** The future tense expresses what *will happen*:

Je regarderai la télé.   *I shall watch television.*

**c** Regular verbs form the future tense by adding a slightly modified form of the present tense of **avoir** to the infinitive. (Regular **–re** verbs drop the final **–e** of the infinitive before adding the endings.)

The future endings are:

| –ai | –ons |
|---|---|
| –as | –ez |
| –a | –ont |

The full future tense of the three regular groups of verbs is as follows:

| je | regarderai | finirai | vendrai |
|---|---|---|---|
| tu | regarderas | finiras | vendras |
| il | regardera | finira | vendra |
| nous | regarderons | finirons | vendrons |
| vous | regarderez | finirez | vendrez |
| ils | regarderont | finiront | vendront |

**d** Some **–er** verbs change their stem slightly in the future tense. Here are some examples:

| *infinitive* | *future* | |
|---|---|---|
| appeler | j'appellerai | *I shall call* |
| jeter | je jetterai | *I shall throw* |
| acheter | j'achèterai | *I shall buy* |
| lever | je lèverai | *I shall raise* |
| nettoyer | je nettoierai | *I shall clean* |

**e** There are many irregular future stems which have to be learnt. Some of the most common are listed here. Others are given in the verb tables (pp. 202–6).

| *infinitive* | *future* | |
|---|---|---|
| aller | j'irai | *I shall go* |
| avoir | j'aurai | *I shall have* |
| devoir | je devrai | *I shall have to* |
| envoyer | j'enverrai | *I shall send* |
| être | je serai | *I shall be* |
| faire | je ferai | *I shall do/make* |
| pleuvoir | il pleuvra | *it will rain* |
| pouvoir | je pourrai | *I shall be able to* |
| venir | je viendrai | *I shall come* |
| voir | je verrai | *I shall see* |
| vouloir | je voudrai | *I shall want to* |

**f** Note the use of the future tense after **quand** *(when)* where, in English, we would use the present tense.

Quand **j'arriverai** en France, j'enverrai une carte postale à mes parents. *When I (shall) arrive in France, I shall send my parents a postcard.*

## 49 The future perfect tense

**a** This tense expresses *I shall have...* :

**J'aurai fini** mes devoirs dans une demi-heure. *I shall have finished my homework in half an hour.*

**b** The future perfect is formed from the future of the appropriate auxiliary verb, **avoir** or **être,** + past participle.

Here are some more examples:

À midi **tu seras déjà parti(e)**. *At twelve you will already have left.*
Je n'achèterai pas de fruits; Maman en **aura acheté**. *I shan't buy any fruit; Mum will have bought some.*

**c** Note the use of the future perfect after **quand** *(when)* where in English we would use the perfect:

Quand **j'aurai fini** mes examens je vais partir en vacances. *When I (will) have finished my exams, I'm going on holiday.*

## 50 The conditional

**a** The conditional expresses the idea *I would, I'd, you would, you'd, he would, he'd*, etc.

It is formed with the same stem as the future tense (see section **48**) but its endings are those of the imperfect tense.

The conditional endings are:

| | |
|------|-------|
| –ais | –ions |
| –ais | –iez |
| –ait | –aient |

The conditional tense of the three regular groups of verbs is as follows:

| | | |
|-------------------|-----------|-------------|
| je regarderais | finirais | vendrais |
| tu regarderais | finirais | vendrais |
| il regarderait | finirait | vendrait |
| nous regarderions | finirions | vendrions |
| vous regarderiez | finiriez | vendriez |
| ils regarderaient | finiraient | vendraient |

**b** You have probably used the conditional without realizing it in set expressions such as:

je voudrais    *I'd like*
j'aimerais    *I'd like*
je préférerais    *I'd prefer*
pourriez-vous?    *could you?*

Apart from this, it is usually found in sentences in combination with the imperfect tense:

S'il faisait beau, on pourrait aller à la plage. *If the weather was/were nice we could go to the beach.*
Si j'étais riche, j'habiterais en Grèce. *If I was/were rich, I'd live in Greece.*

## 51 The past conditional

The past conditional is formed from the conditional of the appropriate auxiliary verb + the past participle.

Examples of verbs taking **avoir**:

| | |
|------------------|---------------------------|
| j'aurais vu | *I would have seen* |
| tu aurais écrit | *you would have written* |
| elle aurait dit | *she would have said* |
| nous aurions su | *we would have known* |
| vous auriez pu | *you could have* |
| ils auraient été | *they would have been* |

Examples of verbs taking **être**:

| | |
|----------------------|---------------------------|
| je serais allé(e) | *I would have gone* |
| tu serais parti(e) | *you would have left* |
| elle se serait levée | *she would have got up* |
| nous serions resté(e)s | *we would have stayed* |
| vous seriez venu(e)(s) | *you would have come* |
| ils se seraient vus | *they would have seen one another* |

In sentences that begin *I would have if...* (**J'aurais acheté** deux glaces **si j'avais su**. *I'd have bought two ice creams if I'd known.*), the past conditional (j'aurais acheté) is used with the pluperfect (j'avais su).

Here is another example:

Il **n'aurait pas eu** son argent de poche s'il **n'avait pas fait** la vaisselle. *He wouldn't have had his pocket money if he hadn't done the washing up.*

## 52 En + present participle

**a** If you want to express the English *while –ing or by –ing*, e.g. *while working* or *by working*, you can use the structure **en** + the present participle.

**b** The present participle has the same root as the **nous** form of the present tense, plus the ending **–ant**:

| regarder | *to look at* | *while looking at* |
| regarder → nous regardons → en regard**ant** |

| manger | *to eat* | *while eating* |
| manger → nous mangeons → en mange**ant** |

Here are some examples of its use:

Eric s'est blessé en travaillant.   *Eric hurt himself while (he was) working.*
Celine s'est coupé la main en ouvrant une boîte.
*Celine cut her hand while (she was) opening a tin.*

**c** This structure can only be used when the subject of the two verbs is the same, i.e. Celine cut her hand and she was opening the tin.

## 53 Depuis/ça fait... que

**a** In order to express in French how long someone has been doing something, you use the *present* tense with **depuis**:

Depuis quand est-il malade?   *How long has he been ill?*
Il est malade depuis deux jours.   *He's been ill for two days.*
(Literally: *He is ill since two days.*)

**b** To express how long someone *had* been doing something, you use the *imperfect* tense with **depuis**:

Il attendait depuis une heure quand sa fiancée est enfin arrivée.   *He had been waiting for an hour when his fiancée finally arrived.*
(Literally: *He was waiting since an hour...*)

**c** Another way of expressing the above is by using **ça fait... que** + present tense, and **ça faisait... que** + imperfect tense. The following examples will illustrate this:

Ça fait quatre ans que j'apprends le français.   *I've been learning French for four years.*
Ça fait deux jours qu'il est malade.   *He's been ill for two days.*

Ça faisait vingt ans qu'ils habitaient là.   *They had been living there for twenty years.*
Ça faisait une heure qu'il attendait.   *He'd been waiting for an hour.*

## 54 Venir de + infinitive

**Aller à...** pairs up with **venir de...** in their literal meanings, *to go to...* and *to come from...*
They also pair up in their less literal meanings, *to be*

*going to do something* (**aller** + infinitive) and *to have just done something* (**venir de** + infinitive). In French the idea of *having just done something* is expressed as *coming from doing something.*

Je vais voir un film.   *I'm going to see a film.*
Je viens de voir un bon film.   *I've just seen a good film.*
(Literally: *I'm coming from seeing a good film.*)

J'allais voir un film.   *I was going to see a film.*
Je venais de voir un film.   *I'd just seen a film.*
(Literally: *I was coming from seeing a film.*)

## 55 The negative

**a** When a verb is made negative, the negative has two parts. Here are the most common negatives:

| ne/n'... pas | *not* |
| ne/n'... plus | *no more, no longer* |
| ne/n'... jamais | *never, not ever* |
| ne/n'... rien | *nothing* |
| ne/n'... personne | *nobody* |
| ne/n'... nulle part | *nowhere* |
| ne/n'... que | *only* |
| ne/n'... aucun | *none, no-one, not any* |

and

| ni... ni... | *neither, nor* |

**b** These two parts of the negative go round the verb:

Il n'est pas anglais.   *He's not English.*
Je ne fume plus.   *I no longer smoke.*
Je ne vais jamais en France.   *I never go to France.*
Je ne comprends rien.   *I don't understand anything.*
Il n'y a personne ici.   *There's nobody here.*
Je ne la vois nulle part.   *I don't see her anywhere.*
Il ne vend que le pain.   *He only sells bread.*
Il n'y a aucune raison pour son absence.   *There is no reason for his absence.*

**c** If there are pronouns, the two parts of the negative go round them too:

Je ne les vois pas.   *I don't see them.*
Le chocolat? Je ne le mange plus.   *Chocolate? I no longer eat it.*
Je n'y vais jamais.   *I never go there.*

**d** Where there is a verb with a dependent infinitive, the two parts of the negative usually go round the first verb:

Il **ne** veut **pas** jouer.   *He does not want to play.*
Je **ne** vais **pas** la voir.   *I am not going to see her.*

**e** In compound tenses[22], they go round the auxiliary verb, **avoir** or **être**, and also round the pronouns if there are any:

Je **n**'ai **pas** vu ce film.   *I have not seen this film.*
Il **ne** l'avait **pas** acheté.   *He hadn't bought it.*
Ils **n**'y sont **jamais** allés.   *They never went there.*
Nous **ne** les avons **jamais** vus.   *We have never seen them.*

**f** The only exceptions to this are **ne... personne** and **ne... nulle part** (when the past participle is enclosed too), and **ne... que** when the **que** waits to precede the word it restricts:

Je **n**'ai vu **personne** dans la rue.   *I have seen nobody in the road.*
Je **ne** l'ai trouvé **nulle part**.   *I haven't found it anywhere.*
Je **n**'ai acheté **que** quelques cartes postales.   *I have bought only a few postcards.*

N.B. If the idea of *only* is applied to the verb, e.g. *I only looked, I didn't buy...*, the following construction is used:

Je **n'ai fait que le regarder**, je ne l'ai pas acheté.   *I only looked at it; I didn't buy it.*

**g** Jamais, rien, personne, aucun(e), nul(e) and pas un(e) may begin the sentence; **ne** remains in its usual place. Here are some examples:

Je **ne** vois **personne**.   *I see nobody.*
**Personne ne** voit leurs fautes.   *Nobody sees their mistakes.*
Elle **ne** mange **rien**.   *She eats nothing.*
**Rien ne** plaît à cette fille.   *Nothing pleases this girl.*
**Aucun** élève **ne** parle.   *Not one pupil speaks.*
Je **n**'entends **aucun** élève.   *I don't hear a single pupil.*
**Jamais**, je **ne** l'oublierai.   *Never shall I forget him.*
Je **ne** l'ai **jamais** oublié.   *I've never forgotten him.*

**h** When the verb being negated is an infinitive, both parts of the negative stand together in front of it, and any pronouns associated with it:

Je préférerais **ne pas** y aller.   *I'd prefer not to go there.*
Il a promis de **ne jamais** en parler.   *He's promised never to speak of it.*

**i** *Neither... nor* are expressed like this:

Il **ne** fume **ni ne** boit.   *He neither smokes nor drinks.*
Elle **ne** mange **ni** les pâtes **ni** le pain.   *She eats neither pasta nor bread.*

**j** The negative is not always used to negate a verb, as the following examples illustrate:

Nous habitons **non** loin de la gare.   *We live not far from the station.*
Qui a fait ça? – **Pas** moi.   *Who did that? – Not I.*
C'est pour tes parents et **non pas** pour toi.   *It's for your parents, not for you.*
J'ai perdu **non** seulement mon argent mais mon passeport aussi.   *I've lost not only my money but also my passport.*
Je n'aime pas ça. – Moi **non plus**.   *I don't like that. – Neither do I.*
Qui est là? – **Personne**.   *Who's there? – Nobody.*
Qu'est-ce que tu as acheté? – **Rien**.   *What have you bought? – Nothing.*
Tu es allé en France? – **Jamais**.   *Have you been to France? – Never.*

## 56 The use of the infinitive

**a** Some verbs are followed by a plain infinitive, some by **à** + infinitive and some by **de** + infinitive:

Il veut **voyager**.   *He wants to travel.*
Il commence **à voyager**.   *He starts to travel.*
Il décide **de voyager**.   *He decides to travel.*

**b** Here are some examples of verbs followed by a plain infinitive:

| | |
|---|---|
| pouvoir  *to be able (to)* | espérer  *to hope (to)* |
| vouloir  *to want (to)* | compter  *to intend (to)* |
| savoir  *to know how (to)* | préférer  *to prefer (to)* |
| devoir  *to have (to)* | oser  *to dare (to)* |
| aller  *to be going (to)* | laisser  *to let...* |
| aimer  *to like, love (to)* | il faut  *it is necessary to* |
| adorer  *to love (to)* | il vaut mieux  *it's better to* |
| détester  *to loathe, hate (to)* | |

Je ne veux pas faire mes devoirs.   *I don't want to do my homework.*
Il faut travailler.   *It's necessary to work.*
Il vaut mieux apprendre cette liste.   *It's better to learn this list.*

**c** Examples of verbs followed by **de** + infinitive:

| | |
|---|---|
| cesser de | *to stop (–ing)* |
| décider de | *to decide (to)* |
| essayer de | *to try (to)* |
| éviter de | *to avoid (–ing)* |
| finir de | *to finish (–ing)* |
| oublier de | *to forget (to)* |
| regretter de | *to regret (–ing)* |
| refuser de | *to refuse (to)* |
| se souvenir de | *to remember (to)* |
| remercier de | *to thank (for –ing)* |

---

[22] A compound tense, e.g. the perfect tense (le passé composé), is made up of two parts: the auxiliary verb and the past participle.

avoir l'intention de    *to intend (to)*
avoir honte de    *to be ashamed of (–ing)*
avoir peur de    *to be frightened (to)*
avoir envie de    *to fancy (–ing)*
être en train de    *to be in the process of (–ing)*

J'ai honte **d'**avoir oublié **d'**envoyer une carte.    *I'm ashamed of having forgotten to send a card.*
J'avais l'intention **d'**acheter une carte mais j'étais en train **de** bavarder et – voilà!    *I intended to buy a card but I was busy chatting and – there you go!*

**d** Examples of verbs followed by **à** and then **de** + infinitive:

commander à quelqu'un de    *to order someone (to)*
conseiller à quelqu'un de    *to advise someone (to)*
défendre à quelqu'un de    *to forbid someone (to)*
demander à quelqu'un de    *to ask someone (to)*
dire à quelqu'un de    *to tell someone (to)*
permettre à quelqu'un de    *to allow someone (to)*
promettre à quelqu'un de    *to promise someone (to)*

Il a conseillé **à** son frère **d'**aller à Paris.    *He advised his brother to go to Paris.*
Maman **leur** a demandé **de** débarrasser la table (leur – *to* them).    *Mum asked them to clear the table.*

**e** Examples of verbs followed by **à** + infinitive:

aider à    *to help (to)*
apprendre à    *to learn/to teach (to)*
commencer à    *to begin (to)*
se mettre à    *to start, set to (–ing)*
hésiter à    *to hesitate (to)*
s'amuser à    *to have fun (–ing)*
passer son temps à    *to spend one's time (–ing)*
perdre son temps à    *to waste one's time (–ing)*
réussir à    *to manage (to)/succeed in*

Nous nous sommes bien amusés **à** faire du ski.    *We had a lot of fun skiing.*
Moi, j'ai passé mon temps **à** visiter les châteaux.    *I spent my time visiting the châteaux.*

**f** The following adjectives are sometimes followed by **à** + infinitive:

**dernier (-ère)**: Elle était la **dernière à** finir.    *She was the last to finish.*
**premier (-ère)**: Il était **le premier à** arriver.    *He was the first to arrive.*
**prêt(e)**: Vous êtes **prêts à** partir?    *Are you ready to leave?*

**g** Note the following expressions:

beaucoup de choses **à** faire    *a lot (of things) to do*
rien **à** faire/**à** déclarer    *nothing to do/nothing to declare*

**h** The infinitive is the only verb form which can follow a preposition (except **en**, which is followed by the present participle: see section **52**). Prepositions are invariable and usually stand before a noun or an infinitive e.g. **à, pour** (*for*), **sans** (*without*), **avant** (*before*):

Je suis allé au marché **pour** acheter des légumes.    *I went to market to buy some vegetables.*
Elle est partie **sans** me dire au revoir.    *She left without saying goodbye to me.*
**Avant de** nous mettre en route, il faut fermer à clef.    *Before setting off, we must lock up.*
**Après** avoir fini **de** travailler, je vais prendre un thé.    *After finishing work, I'm going to have a cup of tea.*

## 57 Faire + infinitive

The idea *to have something done* or *to make someone do something*, is expressed in French by **faire** + infinitive:
Je **fais laver** la voiture.    *I have the car washed.*
Je le **fais travailler**.    *I make him work.*

## 58 Verbs followed by a preposition and a pronoun

**a** Some verbs, whose meaning involves motion or direction of thoughts, e.g. **aller à, penser à**, are followed by the stressed pronouns (see **69**): **moi, toi, soi, lui, elle, nous, vous, elles, eux**:

Je pense **à** ma sœur: je pense **à elle**.    *I'm thinking of my sister: I'm thinking of her.*

Compare this with:
J'obéis **à** mon professeur: je **lui** obéis.    *I obey my teacher: I obey him.*

The most important of the above verbs are:
penser à (*to think about*), songer à (*to think about*), faire attention à (*to pay attention to*), s'attaquer à (*to attack*), s'habituer à (*to become accustomed to*), s'intéresser à (*to take an interest in*), s'opposer à (*to oppose*).

**b** If the pronoun replaces an object, **y** is used. Compare the following:

Je m'habitue à mon prof de chimie – je m'habitue **à lui**. Mais la chimie, je ne m'**y** habituerai jamais.    *I'm getting used to my chemistry teacher – I'm getting used to him. But chemistry, I'll never get used to it.*

## 59 Impersonal verbs

Impersonal verbs are verbs used *only* in the third person, with the subject **il**:
Il **pleuvra** demain.    *Tomorrow it will rain.*

The following list of common impersonal verbs should be learnt:

| | |
|---|---|
| il y a | *there is/there are* |
| il faut | *it is necessary* |
| il s'agit de | *it's a question of* |
| il se passe | *there is... happening* |
| il reste | *there remains* |
| il manque | *there is a lack of* |
| il gèle | *it's freezing* |
| il neige | *it's snowing* |
| il fait froid | *it's cold* |
| il fait chaud | *it's hot* |
| il fait nuit | *it's dark* |

Il y aura de la pluie demain. *There will be rain tomorrow.*
Il faut acheter du lait. *It is necessary to buy some milk.*
Il **me** faut acheter du lait. *I must buy some milk.*
Il se passe quelque chose d'extraordinaire. *Something extraordinary is going on.*
Il ne reste qu'un carré de chocolat. *There's only one square of chocolate left.*

## 60 Constructions with avoir

Sometimes the English *to be* when describing a personal feeling, is expressed in French by the verb **avoir**. The following list should be learnt:

| | |
|---|---|
| avoir faim | *to be hungry* |
| avoir soif | *to be thirsty* |
| avoir raison | *to be right* |
| avoir tort | *to be wrong* |
| avoir envie de | *to fancy/want* |
| avoir besoin de | *to be in need of* |
| avoir sommeil | *to be sleepy* |
| avoir quinze ans | *to be fifteen* |

J'ai très soif. – Moi aussi; j'ai envie de boire de la limonade. *I'm very thirsty. – Me too; I feel like drinking some lemonade.*

## 61 The passive

**a** The active voice expresses an action which the subject takes:

Il lit le journal. *He reads the paper.*
il = *subject*
lit = *action taken by the subject*

The passive voice expresses an action to which the subject submits:

Le journal est lu. *The paper is read.*
le journal = *subject*
est lu = *action to which the subject is submitted*

**b** The passive is used frequently in formal French, particularly in newspaper accounts of accidents or crime:

Le magasin a été cambriolé. *The shop was burgled.*

**c** The passive is made up of the verb **être** + past participle which agrees with the subject:

Le journal **est lu**. *The paper is read.*
Les journaux **sont lus**. *The papers are read.*

**d** The verb **être** can be used in any tense:

Le magasin **sera cambriolé**. *The shop will be burgled.*
Le magasin **aurait été cambriolé**. *The shop would have been burgled.*, etc.

**e** The passive voice cannot be used with verbs like **aller**, which do not have an object. These are called intransitive verbs, e.g. Il va en France. *He goes to France.*

**f** The passive voice cannot be used with verbs taking an indirect object, e.g. Il parle à Yannick. *He speaks to Yannick.*

To express, in French, the English phrase *the children were told a story*, we must turn the words round:
Une histoire a été racontée aux enfants. *A story was told to the children.*

**g** The pronoun **on**, *one*, is used more frequently in French than in English, sometimes in place of the passive:

**On a distribué** les journaux. *The papers have been delivered.*

**h** In French, a verb used reflexively can replace the passive:

Le passif **s'emploie** rarement. *The passive is used rarely.*

## 62 The subjunctive

**a** The verb has four 'moods': the imperative, (see section **35**), the conditional (see section **50**), the indicative, and the subjunctive. The indicative mood conveys information, the subjunctive expresses attitude towards an action, e.g. fear, anger, etc.

Indicative:
Arsenal **a battu** Manchester United. *Arsenal beat Manchester United.*
Subjunctive:
Je suis content qu'ils **aient battu** Manchester United. *I'm glad they beat Manchester United.*

**b** Regular verbs form their subjunctive by adding the following endings to the stem of the present participle:

| -e | -ions |
|---|---|
| -es | -iez |
| -e | -ent |

present participle: parlant (*speaking*)

| je parle | nous parlions |
|---|---|
| tu parles | vous parliez |
| il parle | ils parlent |

present participle: finissant (*finishing*)

| je finisse | nous finissions |
|---|---|
| tu finisses | vous finissiez |
| il finisse | ils finissent |

present participle: vendant (*selling*)

| je vende | nous vendions |
|---|---|
| tu vendes | vous vendiez |
| il vende | ils vendent |

**c** Examples of the present subjunctive of some irregular verbs:

**aller** (*to go*): aille, ailles, aille, allions, alliez, aillent

**avoir** (*to have*): aie, aies, ait, ayons, ayez, aient

**être** (*to be*): sois, sois, soit, soyons, soyez, soient

**faire** (*to do*): fasse, fasses, fasse, fassions, fassiez, fassent

**pouvoir** (*to be able*): puisse, puisses, puisse, puissions, puissiez, puissent

**savoir** (*to know*): sache, saches, sache, sachions, sachiez, sachent

**venir** (*to come*): vienne, viennes, vienne, venions, veniez, viennent

**vouloir** (*to want*): veuille, veuilles, veuille, voulions, vouliez, veuillent

**d** The imperfect subjunctive is used infrequently now but it is useful to recognize the imperfect subjunctive of **être** and **avoir** as they are used in compound tenses of the subjunctive.

**être**: fusse, fusses, fût, fussions, fussiez, fussent
**avoir**: eusse, eusses, eût, eussions, eussiez, eussent

**e** The present and pluperfect subjunctive are formed by using the present or the imperfect subjunctive of **avoir** or **être** with the past participle:

il a gagné/ils ont gagné → Je suis content **qu'il ait/qu'ils aient gagné**. *I'm glad that he has/they have won.*

il avait/ils avaient gagné → J'étais content **qu'il eût/qu'ils eussent gagné**. *I was glad that he had/they had won.*

## 63 Use of the subjunctive

To understand the use of the subjunctive it is a good idea to note down examples when you see them. Here are a few guidelines on its use:

**a** After verbs of wishing:

Je veux/désire/préfère que **tu t'en ailles.**
*I want you to go away.*

Where the subject is the same for both verbs, the infinitive can be used:
Je veux **m'en aller**. *I want to go away.*

**b** After verbs of fearing:

J'ai peur/je crains qu'il ne revienne. *I'm afraid that he will come back.*
N.B. Note the extra **ne** which is the equivalent of the English *lest* (*I fear lest he should return*).

Again, where the subject is the same for both verbs, the infinitive can be used:
Il a peur de retourner. *He's afraid to go back.*

**c** After other verbs expressing emotions, e.g doubt, regret, surprise, anger, pleasure, shame:

Je ne crois pas **que** tous les élèves **fassent** leurs devoirs. *I don't believe that all pupils do their homework.*
Je regrette **qu'ils n'aient pas fait** leurs devoirs. *I'm sorry they have not done their homework.*
Ça m'étonne **que tu sois** là. *I'm astonished that you should be there.*
Elle était fâchée **qu'ils aient dit** cela. *She was furious that they should have said that.*
J'ai honte **que vous ayez menti**. *I am ashamed that you should have lied.*

The infinitive can usually be used where the subject remains the same for both verbs:

Ils avaient honte **d'avoir** menti. *They were ashamed of having lied.*

**d** After certain conjunctions:

| avant que | *before* |
|---|---|
| en attendant que | *until* |
| jusqu'à ce que | *until* |
| pour que | *in order that* |
| afin que | *in order that* |
| de manière que | *in such a way that* |
| de sorte que | *in such a way that* |
| à condition que | *on condition that* |
| pourvu que | *provided that* |
| sans que | *without* |
| quoique | *although* |
| bien que | *although* |
| à moins que | *unless* |

Bien **que nous sachions** parler français, nous ne disons rien. *Although we can speak French, we say nothing.*
Avant **que tu partes**, je dois te donner de l'argent. *Before you leave, I must give you some money.*
J'attendrai jusqu'à ce que **tu reviennes**. *I'll wait until you come back.*

Usually, where the subject is the same for both verbs, the infinitive can be used:

Avant **de partir**, il l'embrassera. *Before leaving, he will give her a kiss.*

Where **de sorte que** means *with the result that,* it is followed by the indicative; where it means *in order that* it is followed by the subjunctive:

Mon frère fait du baby-sitting de sorte que mes parents **puissent** sortir. *My brother is baby-sitting so that my parents can go out.*
Mes parents sont sortis de sorte que nous nous sommes couchés tard. *My parents went out with the result that we went to bed late.*

**e** After certain impersonal expressions:

| | |
|---|---|
| il faut que | *it's necessary that* |
| il est temps que | *it's time that* |
| il se peut que | *it's possible that* |
| il est possible que | *it's possible that* |
| il semble que | *it seems that* |
| il est bon/juste que | *it's right that* |
| il vaut mieux que | *it's better that* |
| à supposer que | *supposing that* |

*But* the following are followed by the indicative:

| | |
|---|---|
| il me semble que | *it seems to me that* |
| il est probable que | *it's probable that* |
| il est certain que | *it's certain that* |
| il paraît que | *it appears that* |

Il faut **que** tout le monde **lise** cette lettre. *Everyone must read this letter.*
Il vaut mieux **qu'elle vende** cette moto. *It's better that she sells that motor bike.*
À supposer **qu'il vienne**. *Supposing he comes.*

Some impersonal expressions may also be used with the infinitive:

Il faut lire la lettre. *The letter must be read.*
Il vaut mieux vendre la moto. *It's better to sell the bike.*
Il est temps de partir. *It's time to go.*

**f** The subjunctive is needed in relative clauses when the antecedent is qualified by a superlative, a negative expression, or when it describes a type or category envisaged rather than existing:

*Superlative:*
C'est **la plus belle voiture** qu'elle ait conduite. *It's the most beautiful car she's driven.*
*Negative:*
**Pas de collège** qui soit aussi grand que celui-ci. *Not a school as big as this one.*
*An envisaged category:*
Je veux **un emploi qui soit intéressant**. *I want a (the kind of) job that will be interesting.*

**g** After **qui que** (*whoever*), **où que** (*wherever*), etc.

Quoi qu'ils disent, ne les écoutez pas. *Whatever they say, don't listen to them.*
Quels que soient les problèmes, nous les résoudrons. *Whatever the problems, we'll solve them.*

**h** Other uses of the subjunctive:

*Imperative:*
Qu'il le fasse lui-même! *Let him do it himself!*
*Exclamation:*
Dieu vous bénisse! *God bless you!*

# Pronouns

## 64 Direct object pronouns

A pronoun is a word which replaces a noun:

Noureddine écrit la lettre. *Noureddine writes the letter.*
Il **l'**écrit. *He writes **it**.*

**a** The direct object pronouns are:

| | |
|---|---|
| **me (m')** | *me* |
| **te (t')** | *you* |
| **le/la (l')** | *him, her, it* |
| **nous** | *us* |
| **vous** | *you* |
| **les** | *them* |
| **se (s')** | *himself, herself, itself* |

**b** Like all pronouns, direct object pronouns are put before the verb to which they relate:

Je **l'**achète. *I'm buying it.*
Je vais **l'**acheter. *I'm going to buy it.*
Je voudrais **l'**acheter. *I'd like to buy it.*

**c** In the perfect tense they are put before the auxiliary verb:

Je **l'**ai acheté. *I have bought it.*
Nous **les** avons perdus. *We've lost them.*

**d** Neither the question form nor the negative affect the position of direct object pronouns:

Est-ce que tu **l'**as acheté? *Have you bought it?*
Tu **l'**as acheté? *You've bought it?*

L'as-tu acheté? *Have you bought it?*
Je ne l'achète pas. *I'm not buying it.*
Je ne vais pas l'acheter. *I'm not going to buy it.*
Je ne l'ai pas acheté. *I have not bought it.*

**e** The exception to the rule about position is that pronouns come *after* the verb when an order is being given (imperative). Note that they are joined to the verb with a hyphen:

Achète-**le**! *Buy it!*
Achetons-**le**! *Let's buy it!*
Achetez-**le**! *Buy it!*

Notice that **me** and **te** change to **moi** and **toi** after orders:

Aide-**moi**! *Help me!*
Dépêche-**toi**! *Hurry up!*

**f** In negative orders, the pronoun stands in its usual position in front of the verb:

Ne l'achète pas! *Don't buy it!*

## 65 Indirect object pronouns

**a** An indirect object pronoun is separated from the verb by the preposition *to* and sometimes, *for*:

*Direct:*
J'embrasse les enfants; je **les** embrasse. *I kiss the children; I kiss **them**.*

*Indirect:*
Je parle aux enfants; je **leur** parle. *I speak **to** the children; I speak **to them**.*
J'achète une bicyclette pour mon fils. Je **lui** achète une bicyclette. *I buy a bicycle for my son. I buy him (i.e. **for him**) a bicycle.*

**b** The indirect object pronouns (*to me, to you,* etc.) are the same as direct object pronouns, with two exceptions:

| **me** | *to me* | **nous** | *to us* |
|---|---|---|---|
| **te** | *to you* | **vous** | *to you* |
| **lui** | *to him/her* | **leur** | *to them* |

**c** Like the direct object pronouns, they usually come before the verb:

Il **m**'a donné des renseignements. *He gave (to) me some information.*
Je **lui** ai donné l'invitation. *I gave (to) him/her the invitation.*

**d** In positive commands, they come after the verb:

Offre-**lui** quelque chose! *Offer him/her something!*
Donnez-**leur** du café! *Give them some coffee!*

**e** As with direct object pronouns, **me** and **te** change to **moi** and **toi** in positive commands:

Donne-**moi** un coup de main! *Give me a hand!*

**f** Some verbs require an indirect object, e.g montrer (*to show to* or *for*):

Je montre mon cahier **au** professeur; je **lui** montre mon cahier. *I show my exercise book **to the** teacher; I show him (i.e. **to** him) the exercise book.*

Similarly:
donner quelque chose **à** quelqu'un *to give something to someone*
offrir quelque chose **à** quelqu'un *to give/offer something to someone*
envoyer quelque chose **à** quelqu'un *to send something to someone*
dire quelque chose **à** quelqu'un *to say something to someone*
répondre **à** quelqu'un *to reply to someone*
écrire **à** quelqu'un *to write to someone*

Others are less obvious:
téléphoner **à** quelqu'un *to phone someone*
demander **à** quelqu'un *to ask someone*
promettre **à** quelqu'un *to promise someone*

Je **lui** ai téléphoné. *I phoned her.*
Je **lui** ai promis de... *I promised him to...*

## 66 The pronoun y

The most common meaning of **y** is *there*. Its position is the same as that of other pronouns:

J'**y** vais souvent. *I go there often.*
Je n'**y** suis pas allé hier. *I didn't go there yesterday.*

The orders **vas-y!, allez-y!, allons-y!** apart from their literal meaning, can also mean *get going, (go on) do it!, let's get on with it!*

## 67 The pronoun en

**a** The most common meanings of **en** are *of it, of them, some, any*. Its position is the same as that of other pronouns:

J'**en** ai/Je n'**en** ai pas. *I've got some/I haven't any.*
Du papier? Oui, il y **en** a dans le tiroir. *Paper? Yes, there's some in the desk.*
**En** veux-tu? *Do you want some?*
Prends-**en**! *Take some.*

**b** There is no agreement between **en** and the past participle:

Des pommes? Oui, j'**en** ai acheté. *Apples? Yes, I've bought some.*

## 68 Order of pronouns

When both a direct and an indirect object pronoun are used with the same verb the following rules apply:

**a** Except in positive commands, the order is:

1. 1st person before 3rd:
   Il **me l'**a envoyé.   *He sent it to me.*
2. 2nd person before 3rd:
   Il **te l'**a dit.   *He said it to you.*
3. Direct object before indirect object, when two 3rd persons are involved:
   Il **le lui** a dit.   *He said it to him.*
4. **y** and **en** come last and in that order:
   Je **les y** ai cherchés.   *I looked for them there.*
   Je **lui en** ai vendu.   *I sold him some.*
   Il **y en** a vingt.   *There are twenty of them.*

**b** In positive commands, direct object pronouns always come before indirect object pronouns. **Y** and **en** come last:

Donne-**le-moi**!   *Give it to me!*
Donne-**m'en**!   *Give me some!*
Envoie-**le-lui**!   *Send it to him!*
Installez-**les-y**!   *Put them there!*
Rends-**les-leur**!   *Give them back to them!*

## 69 Stressed pronouns

The stressed pronouns (also known as disjunctive or emphatic pronouns) are:

| | |
|---|---|
| **moi** (je) | **nous** (nous) |
| **toi** (tu) | **vous** (vous) |
| **lui** (il) | **eux** (ils) |
| **elle** (elle) | **elles** (elles) |
| **soi** (on) | |

These special pronouns must be used in the following situations:

**a** When the pronoun stands on its own:

Qui a fait ça? – **Moi**.   *Who did that? – I did.*
Qui va jouer maintenant? – **Lui**.   *Who's going to play now? – He is.*

**b** When the pronoun comes after **c'est** or **ce sont**:

Est-ce que c'est **toi**, Paul? Oui, c'est **moi**.   *Is that you, Paul? Yes, it's me.*
Ce sont **eux** qui sont arrivés ce matin.   *It's they who arrived this morning.*

**c** After prepositions:

Est-ce que c'est pour **moi**?   *Is it for me?*
Il est arrivé après **eux**.   *He arrived after them.*

**d** For 'singling out'. In English we can add emphasis by changing the tone of our voice; in French we need the emphatic pronoun:

**Moi**, je m'en vais.   *I'm off.*
Je m'ennuie ici. Tu t'ennuies, **toi**?   *I'm bored here, are you?*
Tu es fatigué, **toi**?   *Are you tired?*
Sa mère ne savait pas nager, mais **elle**, elle le savait. *Her mother couldn't swim but she could.*

Sometimes, **seul** or **–même** is added to the pronoun:

**Lui seul** le comprend.   *Only he understands.*
Il l'a préparé **lui-même**.   *He prepared it himself.*

Note also: **moi aussi**   *me too*, etc.

**e** When there are two subjects to the verb, one (or both) of which is a pronoun:

Mon père et **moi** sommes allés à la pêche.   *My father and I went fishing.*
**Lui** et **moi** sommes de bons copains.   *He and I are good friends.*

**f** As the second part of a comparison:

Il est beaucoup plus intelligent que **moi**.   *He's a lot more intelligent than me.*
Je parle français mieux que **lui**.   *I speak French better than he does.*

## 70 Interrogative pronouns

**a** **Qui** and **que**   *who, whom, what?*

| | |
|---|---|
| (Subject) | **Qui** (est-ce qui) a fait ça?   *Who did that?* |
| (Direct object) | **Qui** est-ce que tu as vu?   **Qui** as-tu vu?   *Whom did you see?* |
| (Subject) | **Qu'**est-ce qui arrive?   *What's happening?* |
| (Direct object) | **Qu'**est-ce que tu fais?   *What are you doing?* |

**b** **Qui** is never abbreviated to **Qu'**.

**c** **Qui** can stand alone:

Quelqu'un a crié. **Qui**?   *Someone shouted out. Who?*

**d** **Qui** + preposition:

Avec qui? Pour qui?   *With whom? For whom?*

## 71 The interrogative pronoun quoi?

**Quoi?**   *What?* is used:

**a** When the interrogative pronoun, *what*, stands alone:

J'ai quelque chose à te dire. – **Quoi?**   *I've something to tell you. – What?*

**b** After a preposition:

**À quoi** ça sert?  *What use is that?*

**c** As an exclamation:

Elle s'est mariée. – **Quoi?!**  *She's got married. – What?!*

**d** In certain set expressions:

**Quoi** de neuf?  *What's new?*

## 72 The interrogative pronoun lequel?

**Lequel/laquelle, lesquels/lesquelles**, which must agree with the noun they stand for, are used to express *which one(s)?*:

**Lequel** des deux garçons a marqué le but?  *Which of the two boys scored a goal?*
Certains élèves sont absents. **Lesquels?**  *Certain of the pupils are away. Which ones?*
**Laquelle** de ces cravates préfères-tu?  *Which of these ties do you prefer?*

## 73 Relative pronouns

**a** The relative pronouns **qui** and **que** mean *who, whom, which* and *that*. They are both used to refer to people and things. When referring to people, they correspond to the English *who* and *whom*, although this distinction now tends to be made only in more formal English.

**b** A clause is a group of words containing a verb. A relative clause is introduced by a relative pronoun, **qui** or **que**.

L'homme **qui travaille là-bas**.  *The man **who is** working over there.*

| | |
|---|---|
| qui travaille là-bas: | *relative clause* |
| qui: | *relative pronoun (subject of verb)* |
| travaille: | *verb* |
| l'homme: | *antecedent* |

**Qui** is the subject of the verb in the relative clause referring back to its antecedent *the man. The man* is the subject of the verb *working*.

**Que** is the direct object of the verb in the relative clause.

L'homme **que tu vois là-bas**.  *The man (**whom**) you see over there.*

| | |
|---|---|
| que tu vois là-bas: | *relative clause* |
| que: | *relative pronoun (direct object of verb)* |
| tu: | *subject of verb* |
| vois: | *verb* |

**c** This distinction (between subject and direct object) is not clear in English when things are being talked about, but the rule must be strictly applied in French:

La voiture **qui** est stationnée là-bas.  *The car which is parked over there.*
**Qui** (*which/that*) is the subject of the verb *is.*

La bicyclette **que** j'ai achetée.  *The bicycle which/that I have bought.*
**Que** (*which/that*) is the direct object of the verb *have bought.*

**d** Note that **que** cannot be left out as its English equivalent often is:

*The man I saw...*  L'homme **que** j'ai vu...

## 74 Ce qui, ce que, ce qu'

**Ce** followed by the relative pronoun **qui** or **que, qu'** is used when there is no other antecedent (see **73b**). These pronouns can often be translated in English by *what* (*the thing that...*); they are often followed by **c'est** for emphasis:

**Ce qui** m'a étonné, c'est que...  ***What** shocked me was...*
**Ce qu'**elle fait ne me choque pas. C'est **ce qu'**elle dit qui me choque.  ***What** she does doesn't shock me. It's **what** she says that shocks me.*

## 75 Relative clauses involving a preposition

**a** After a preposition (pour *for,* sous *under,* etc.) it is necessary to distinguish between people and things:

For people, use **qui**:

Le monsieur **à qui** je parlais.  *The gentleman to whom I was speaking.*

For things (and animals) use **lequel** (masc. sing.), **laquelle** (fem. sing.), **lesquels** (masc. pl.) and **lesquelles** (fem. pl.):

La chambre dans **laquelle** je couchais.  *The room in which I slept.*

**b** Note that:

| | | |
|---|---|---|
| à + lequel | becomes | **auquel** |
| à + lesquel(le)s | becomes | **auxquel(le)s** |
| de + lequel | becomes | **duquel** |
| de + lequel(le)s | becomes | **desquel(le)s** |

L'hôtel à côté **duquel** nous avons garé la voiture.  *The hotel next to which we have parked the car.*
Les oiseaux **auxquels** il tirait.  *The birds he was shooting at.*

**c** Often **où** (*where*) is used to replace **dans lequel**, **sur lequel**, etc.

La chambre **dans laquelle** je couchais → la chambre **où** je couchais.

## 76 Dont

**Dont** means *whose, of which*. It is used for persons, animals and things:

Le voisin **dont** le fils a eu un accident.  *The neighbour whose child has had an accident.*
La montagne **dont** tu vois le sommet.  *The mountain of which you can see the summit.*

## 77 Celui, celle, ceux, celles

**a** The demonstrative pronouns **celui** (masc. sing), **celle** (fem. sing.), **ceux** (masc. pl.) and **celles** (fem. pl.) mean *the one, the ones, those of* or *those who*. They agree with the noun they stand for:

Ecoutez les élèves, **celle** (l'élève) **qui** finira la première aura un prix.  *Listen class, the one (the pupil) who finishes first will have a prize.*
**Quelle** fille a gagné? **Celle** (la fille) dont on parlait.  *Which girl won? The one we were talking about.*

**b** **celui-ci**  *this one/the latter*
**celui-là**  *that one/the former*

Lesquels des gâteaux préférez-vous? **Ceux-là**, à huit francs.  *Which cakes do you prefer? The ones there at 8 francs.*
*Macbeth* et *The Merchant of Venice* sont des pièces de Shakespeare. À mon avis **celle-ci** est la meilleure.  *Macbeth and* The Merchant of Venice *are plays by Shakespeare. In my opinion, the latter is the better of the two.*

## 78 Ceci, cela

**a** Demonstrative pronouns, **ceci** (*this*) and **cela** (*that*) represent an idea rather than a noun. They have only one form.

Elle travaille tous les soirs. – Quoi! **Cela** m'étonnerait.  *She's working every night. – What! That would surprise me (i.e. the idea of her working every night).*

**b** Frequently, in speech, **cela** is shortened to **ça**:

**Ça** fait 30 francs.  *That comes to 30 francs.*

## 79 Possessive pronouns

**a** The possessive pronouns stand instead of the noun they replace and denote ownership. They mean: *mine, yours, his/hers, ours, yours, theirs.*

| singular | plural |
|---|---|
| le mien/la mienne | les miens/les miennes |
| le tien/la tienne | les tiens/les tiennes |
| le sien/la sienne | les siens/les siennes |
| le/la nôtre | les nôtres |
| le/la vôtre | les vôtres |
| le/la leur | les leurs |

J'ai mon billet mais Sabine a perdu **le sien**.  *I've got my ticket but Sabine has lost **hers**.*
Nous avons leurs bagages; ils ont pris **les nôtres**.  *We've got their luggage; they've taken **ours**.*

**b** As with the possessive adjective, the pronoun agrees with the object owned and not with the owner. In the above example, 'J'ai mon billet mais Sabine a perdu le sien', **le sien** agrees with **le billet**. Compare with:

J'ai ma valise mais Luc a perdu **la sienne**.  *I've got my case but Luc has lost **his**.*
**La sienne** agrees with **la valise** and not with Luc.

**c** Note that **à** + stressed pronoun is often used with the verb **être** instead of the possessive pronoun:

| À qui | est | ce...? | *Whose is this...?* |
|---|---|---|---|
| | | cet...? | |
| | | cette...? | |
| | sont | ces...? | *Whose are these...?* |
| Il | est | à moi | *It is mine* |
| Elle | est | à toi | *It is yours* |
| Ils | sont | à lui | *They are his* |
| Elles | sont | à elle | *They are hers* |
| | | à nous | *ours* |
| | | à vous | *yours* |
| | | à eux | *theirs (masc.)* |
| | | à elles | *theirs (fem.)* |

Les sacs sont **à nous** mais la valise est **à lui**.  *The bags are ours but the suitcase is his.*

## 80 Prepositions

It is a good idea to note and collect phrases containing prepositions as you read. A few examples of common prepositions are listed below:

| | |
|---|---|
| **à** | **à** Paris (*in Paris*), **au** marché (*at the market*), **au** premier étage (*on the first floor*), **à** dix kilomètres (*10 kilometres away*), **à** pied (*on foot*), **à** vrai dire (*to tell the truth*) |
| **après** | **après** le dîner (*after dinner*) |
| **avant** | **avant de** partir (*before leaving*) |
| **avec** | il est **avec** moi (*he's with me*) |
| **chez** | **chez** moi (*at my house*), **chez** lui c'est normal (*with him it's normal*) |

| | |
|---|---|
| dans | **dans** le placard (*in the cupboard*), **dans** une semaine (*at the end of a week*), je l'ai pris **dans** le tiroir (*I took it out of the drawer*) |
| de | à partir **de** six heures (*from six o'clock*), **de** toutes ses forces (*with all his might*), long **de** trois mètres (*three metres long*), la première fois **de** sa vie (*the first time in her life*) |
| depuis | **depuis** mardi (*since Tuesday*), j'attends **depuis** une heure (*I've been waiting for an hour*) |
| dès | **dès** son arrivée (*from the time he arrives/arrived*) |
| en | je le ferai **en** un mois (*in a month/it will take me a month to do it*), **en** cuir (*made of leather*), **en** avion (*by air*), **en** jupe (*wearing a skirt*), aller **en** ville (*go to town*) **en** colère (*angry*) |
| entre | **entre** Londres et Paris (*between London and Paris*), **entre** amis (*among friends*) |
| jusque | **jusqu'ici** (*as far as this*), **jusqu'à** midi (*until midday*) |
| par | écrit **par** les élèves (*written by the pupils*), **par** terre (*to, on the ground*), **par** la fenêtre (*through the window*), **par** ici (*this way*), trois fois **par** jour (*three times a day*) |
| pendant | **pendant** la journée (*during the day*), **pendant** deux ans (*for two years*) |
| pour | **pour** moi (*for me*), **pour** comprendre (*in order to understand*), trop/assez jeune **pour** y aller (*too young, young enough to go there*) |
| près de | **près** du collège (*near the school*), **près de** midi (*nearly midday*) |
| sans | **sans** lui (*without him*), **sans** faire du bruit (*without making a noise*) |
| sous | **sous** l'arbre (*under the tree*) |
| au-dessous de | **au dessous de** la moyenne (*below average*) |
| sur | **sur** la table (*on, on to the table*), l'hôtel donne **sur** le port (*the hôtel looks out on to the harbour*) |
| vers | **vers** Londres (*to, towards London*) |

# Useful Lists

## 81 Cardinal numbers

| | | | |
|---|---|---|---|
| **1** | un, une | **11** | onze |
| **2** | deux | **12** | douze |
| **3** | trois | **13** | treize |
| **4** | quatre | **14** | quatorze |
| **5** | cinq | **15** | quinze |
| **6** | six | **16** | seize |
| **7** | sept | **17** | dix-sept |
| **8** | huit | **18** | dix-huit |
| **9** | neuf | **19** | dix-neuf |
| **10** | dix | **20** | vingt |
| **21** | vingt et un | **22** | vingt-deux, etc. |
| **30** | trente | **31** | trente et un |

**32** trente-deux, etc.
**40** quarante
**41** quarante et un
**42** quarante-deux, etc.
**50** cinquante
**51** cinquante et un
**52** cinquante-deux, etc.
**60** soixante
**61** soixante et un
**62** soixante-deux, etc.
**70** soixante-dix
**71** soixante et onze
**72** soixante-douze, etc.
**80** quatre-vingts
**81** quatre-vingt-un
**82** quatre-vingt-deux, etc.
**90** quatre-vingt-dix
**91** quatre-vingt-onze
**92** quatre-vingt-douze, etc.

| | | | |
|---|---|---|---|
| **100** | cent | **550** | cinq cent cinquante |
| **101** | cent un | **1000** | mille |
| **102** | cent deux | **3000** | trois mille |
| **200** | deux cents | **1.000.000** | un million |

## 82 Ordinal numbers

premier/première, deuxième, troisième, quatrième, cinquième, sixième, septième, huitième, neuvième, dixième, onzième, douzième, vingtième, vingt et unième, etc.

## 83 Approximate numbers

une dizaine (de)   *about ten*
une vingtaine (de), une trentaine (de), une centaine (de)   *about 20, etc.*

une douzaine d'œufs   *a dozen eggs*
une huitaine de jours   *a week*
une quinzaine (de jours)   *a fortnight*

## 84 Months of the year

| | | | |
|---|---|---|---|
| janvier | avril | juillet | octobre |
| février | mai | août | novembre |
| mars | juin | septembre | décembre |

Mon anniversaire est en janvier.
Quelle est la date aujourd'hui?
C'est    le premier janvier
      le deux mars
      le trois avril

Quand est-ce que vous partez en vacances?
On part le trois juin.
Quelles sont les dates de votre séjour?
Du trois au dix-sept juin.

## 85 Seasons

| | |
|---|---|
| le printemps, au printemps | *spring, in spring* |
| l'été, en été | *summer, in summer* |
| l'automne, en automne | *autumn, in autumn* |
| l'hiver, en hiver | *winter, in winter* |

## 86 Days of the week

Quel jour sommes-nous/est-on aujourd'hui?
Nous sommes/On est:    *It's:*

| | |
|---|---|
| lundi *Monday* | vendredi *Friday* |
| mardi *Tuesday* | samedi *Saturday* |
| mercredi *Wednesday* | dimanche *Sunday* |
| jeudi *Thursday* | |

Quand est-ce que tu pars en vacances?
Je pars vendredi soir.
Quand est-ce que tu vas à la piscine d'habitude?
J'y vais d'habitude le samedi matin.

## 87 Clock times

### a Ordinary:

| | |
|---|---|
| il est une heure | 1.00 |
| il est une heure cinq | 1.05 |
| il est une heure dix | 1.10 |
| il est une heure et quart | 1.15 |
| il est une heure vingt | 1.20 |
| il est une heure vingt-cinq | 1.25 |
| il est une heure et demie | 1.30 |
| il est deux heures moins vingt-cinq | 1.35 |
| il est deux heures moins vingt | 1.40 |
| il est deux heures moins le quart | 1.45 |
| il est deux heures moins dix | 1.50 |
| il est deux heures moins cinq | 1.55 |
| il est deux heures | 2.00 |
| Il est midi et demi | 12.30 p.m. |
| Il est minuit vingt, etc. | 12.20 a.m. |

| | |
|---|---|
| à sept heures du matin | *at 7 a.m.* |
| à deux heures de l'après-midi | *at 2 p.m.* |
| vers cinq heures du soir | *around 5 p.m.* |

### b 24-hour

| | |
|---|---|
| Le train part: | *the train leaves at*: |
| à une heure quinze | 1.15 a.m. |
| à douze heures trente | 12.30 p.m. |
| à seize heures quarante-cinq | 4.45 p.m. |
| à vingt heures cinq | 8.05 p.m. |
| à zéro heures trente-cinq, etc. | 12.35 a.m. |

## 88 Accents

´ **accent aigu**   l'**é**té   *summer*
\` **accent grave**   m**è**re   *mother*
^ **circonflex**   fen**ê**tre   *window*
**ç cedille**, placed on the **c** before **a, o, u** makes the **c** sound like **ss**: le**ç**on   *lesson*

# Pratique de grammaire

**1** In each case, say you like the first of the things illustrated below, but prefer the second:

Example: *J'aime... mais je préfère...*

**a**

**b**

**c**

**d**

**e**

**2** Imagine that you are speaking/writing to a French penfriend. Tell him/her:

**a** that you like tea but you prefer coffee.
**b** that you like dogs but you hate cats.
**c** that you like chips but you hate onions.
**d** that your brother has blue eyes and long hair.
**e** that you have seen Prince Charles and Prince William but that you haven't seen the Queen.
**f** that you have visited France but you haven't visited Germany.
**g** that you have visited Normandy and Brittany and that you prefer Brittany.
**h** that you are learning French but you are not learning German.
**i** that coke is 45p for a small bottle and 80p for a large bottle.
**j** that your dad is a postman and your mum is a secretary.
**k** that your neighbours are French.

**3** Here are some requests for directions and some answers. Copy the sentences and fill in the gaps with the correct form of **au/à la/à l'/aux**:

**a** Pour aller _____ piscine municipale, s'il vous plaît?
**b** Pour aller _____ Hôtel Lagrange, s'il vous plaît?
**c** Pour aller _____ Collège Bellevue, s'il vous plaît?
**d** Pour aller _____ Champs-Élysées, s'il vous plaît?
**e** Tournez à gauche _____ carrefour.
**f** Allez _____ feux, puis tournez à droite.
**g** Tournez à droite _____ hôpital.
**h** Allez demander _____ mairie!

**4** Here are some comments about the food situation and what shopping needs to be done. Fill in the gaps with the correct form of **de/d'/du/de la/de l'/des**:

**a** Il reste combien _____ pain?
**b** Il n'y a presque plus _____ fromage!
**c** Il faut acheter _____ viande pour demain.
**d** Il faut acheter _____ beurre,

_____ confiture et _____ eau minérale.

**e** Il y a _____ pommes et _____

pêches, mais il n'y a plus _____ oranges.

**f** Nous avons besoin _____ huile et

_____ pommes de terre.

**g** On va acheter un grand paquet _____

chips et une bouteille _____ limonade.

**h** Je vais acheter quelque chose _____ spécial pour dimanche!

**5** Each of the following sentences is talking about one or more males. Change the words underlined to make them all refer to females:

**a** J'ai un correspondant qui habite à Nantes. Son père est instituteur.
**b** Mon cousin a un chien et deux chats.
**c** Mon oncle est coiffeur.
**d** Mon copain est serveur dans un bar en ville.
**e** Mon grand-père est directeur d'école.
**f** Notre voisin est Espagnol... ou Italien. Son fils est épicier.
**g** Le garçon là-bas est étranger, je crois. Oui, c'est ça... Il est Allemand.
**h** Un de mes frères travaille à l'hôpital comme infirmier.

**i** L'autre travaille comme <u>technicien</u> chez Railtrack.

**j** <u>Un</u> de mes <u>amis</u> est <u>vendeur</u> dans un grand magasin à Londres.

**6** Here are some remarks being made by people about themselves and their situation. All of the adjectives are missing. Provide your own adjectives, making sure that **a** they are suitable, **b** they agree with the nouns.

**a** Je suis assez _____ , très _____ et extrêmement _____ !

**b** Mon frère est _____ et _____ .

**c** Ma sœur est _____ et _____ .

**d** Mes parents sont _____ et très _____ .

**e** Nous avons un _____ jardin.

**f** Notre maison est _____ et _____ .

**g** Nous avons une _____ voiture _____ .

**h** Nous avons un _____ chat _____ et une _____ chienne _____ .

**i** Notre école est _____ et _____ .

**j** Notre professeur de français est absolument _____ !

**7** Compare the following things/people using any adjectives you wish:

Example: *Djamel/Serge/Jean-Marc*
*Jean-Marc est plus/moins grand que Djamel mais Serge est le plus/moins grand.*

**a** Madonna/Britney Spears/une prof à ton école.
**b** Ton père/ton oncle/ta grand-mère.
**c** La maison du premier ministre/la maison de la Reine/la maison d'un de tes copains.
**d** Les chanteurs français/les chanteurs américains/les chanteurs britanniques.
**e** Le français/l'anglais/le dessin.
**f** Les garçons/les filles.
**g** La musique classique/la musique pop/la danse.
**h** La télé/les vidéos/le cinéma.
**i** Le bus/le vélo/le taxi.
**j** Les disques/les cassettes/les CD.

**8** **a** Form adverbs with the following adjectives:

immédiat; continuel; tranquille; constant; extrême; actif; général; rapide; total; sérieux; différent; certain; malheureux; évident; personnel; régulier; impoli; rare; particulier; suffisant.

**b** Use each of your adverbs in a sentence which illustrates its meaning well.

Example: ***Personnellement***, *je n'aime pas les maths.*

**9** Choose suitable adverbs from those given below to complete the sentences:

**a** Ne conduis pas si vite! Conduis plus _____ !
**b** Ne faites pas de bruit! Parlez plus _____ !
**c** Je parle assez bien français, mais pas _____ !
**d** Il est très paresseux; il ne travaille pas _____ .
**e** Je ne peux pas acheter ça; ça coûte trop _____ !
**f** Je ne suis pas sûr(e); je ne sais pas _____ .
**g** C'est urgent! Je vais faire ça _____ !
**h** Excuse-moi! J'ai _____ oublié de poster la lettre!
**i** Il y a une boum? _____ ? Je ne savais pas!
**j** Ça sent _____ ! Ça va être délicieux!

> bas/exactement/immédiatement/assez/couramment/complètement/bon/vraiment/cher/lentement

**10** Compare your performance with the following people by using the comparative and superlative of the adverbs:

Example: *Mon frère court vite/ma sœur/moi.*
*Mon frère court vite, ma sœur court plus vite, mais (moi,) je cours le plus vite.*

**a** J'y vais souvent/mon copain/ma copine.
**b** Je travaille dur/mon frère/ma sœur.
**c** Michel joue bien/Élise/moi.
**d** Mon prof m'aide beaucoup/mon père/ma mère.
**e** Je m'entraîne peu/mon partenaire/nos adversaires.

**11** **a** Here are some questions your French penfriend might ask. Answer in French:

1 Où est-ce que <u>tu habites</u>?
2 Est-ce que <u>tu es</u> patient(e)?
3 Est-ce que <u>tu as</u> une platine laser?
4 <u>Tu perds</u> souvent aux cartes?
5 À quelle heure <u>vas-tu</u> à l'école?
6 <u>Tu prends</u> souvent le train?
7 À quelle heure <u>tu finis</u> de travailler?
8 Est-ce que <u>tu peux</u> m'aider?
9 <u>Tu veux</u> aller au cinéma?
10 <u>Tu finis</u> l'école à quelle heure?

**b** How would you change these questions if you were speaking to someone you don't know well, or to more than one person (i.e. with *vous*)?

**12** **a** Here are some things you might say to an adult. How would you change them if you were speaking to a friend or someone of your own age?

1 <u>Vous parlez</u> bien anglais!
2 <u>Vous</u> ne <u>faites</u> presque pas d'erreurs!
3 <u>Vous devez</u> être fatigué(e)(s)!
4 <u>Vous dormez</u> bien ici?
5 <u>Vous achetez</u> des souvenirs?
6 <u>Vous savez</u> à quelle heure ça commence?
7 <u>Vous restez</u> encore combien de temps en France?
8 <u>Vous partez</u> bientôt?
9 <u>Vous comprenez</u> cette expression?
10 <u>Vous connaissez</u> bien la ville?

**b** Imagine someone asks you questions **4–10**. What might you reply?

**13** **a** Complete the following sentences from a postcard by putting the verbs into the **present tense**:

Je (loger) chez des amis français. J'(écrire) à tous les copains. Puis je (sortir) poster les cartes. Je (revenir) dans une heure. Je (sortir) au cinéma ce soir. Je (faire) une excursion à Rouen demain. Je (aller) à Versailles lundi. J'(apprendre) beaucoup de français. Je (vouloir) visiter la Tour Eiffel avant de partir. Je (devoir) acheter des cadeaux.

**b** Rewrite the sentences using *nous* instead of *je/j'*, and changing the form of the verb:

Example: *Nous logeons...*

**14** Complete the following sentences by putting the verbs into the **present tense** and adding the information given in the illustration:

Example: **a** *Mes parents travaillent à Londres.*

**a** Mes parents (travailler)

**b** Deux professeurs (être)

**c** Mon frère (faire)

**d** Mes grands-parents (avoir)

**e** Nos amis français (venir)

**f** Les élèves (acheter)

**15** Complete the sentences by giving the correct form of the **present tense** of the verbs in the brackets:

**a** (s'appeler) Comment elle _____ _____ ?

**b** (se baigner) Vous _____ _____ ce matin?

**c** (se bronzer) Ils _____ _____ à la plage.

**d** (s'ennuyer) Nous _____ _____ ici!

**e** (se rappeler) Tu _____ _____ ?

**f** (se reposer) Je _____ _____ un peu!

**g** (s'approcher) Elles _____ _____ de nous!

**h** (se promener) Mon frère _____ _____ en ville.

**16** **a** Here are some things you might tell people of your own age to do. How would you change them if you were talking to an adult?

1 <u>Entre</u>, je t'en prie!
2 <u>Assieds-toi</u>!
3 <u>Reste</u> là!
4 Ne <u>bouge</u> pas!
5 <u>Parle</u> plus lentement!
6 <u>Répète</u>, s'il te plaît!
7 <u>Passe</u>-moi le sucre!
8 <u>Vas</u>-y... <u>mange</u>!

**b** Explain in French a situation when you might use these expressions.

Example: **4** *Après un accident grave.*

**17** **a** Here are some things you might tell an adult to do. How would you change them if you were speaking to someone of your own age?

1 <u>Montrez</u>-moi ça!
2 <u>Mettez</u> le sac dans la voiture!
3 <u>Donnez</u>-moi <u>votre</u> valise!
4 Ne <u>perdez</u> pas <u>votre</u> billet!
5 N'<u>oubliez</u> pas de m'écrire!
6 <u>Envoyez</u>-moi une carte!
7 <u>Écrivez</u>-moi en français, bien entendu!
8 <u>Dépêchez-vous</u>!

**b** Explain in French a situation when they might be said:

Example: **3** *Tu aides un ami/une amie avec une valise très lourde.*

**18** Imagine you have returned to your penfriend's home after a day trip.

**a** Answer these questions using the **perfect tense**:

1 Qu'est-ce que tu as mangé?
2 Qu'est-ce que tu as bu?
3 Qu'est-ce que tu as acheté?
4 Qu'est-ce que tu as vu?
5 Qu'est-ce que tu as visité?

**b** Complete these sentences by putting the verb into the **perfect tense**:

1 J' (avoir) un accident.
2 J' (être) malade.
3 J' (trouver) beaucoup de bons souvenirs.
4 J' (écrire) des cartes postales.
5 J' (devoir) attendre longtemps.

**19** Imagine you are having a conversation with your penfriend.

**a** Answer these questions using the **perfect tense**:

1 À quelle heure tu es sorti(e) hier soir?
2 Où es-tu allé(e)?
3 Combien de temps y es-tu resté(e)?
4 À quelle heure tu es rentré(e)?
5 À quelle heure tu t'es couché(e)?

**b** Answer these questions using the phrases given in brackets and putting the verb underlined into the **perfect tense**:

1 Comment tu as trouvé le voyage?
(<u>s'ennuyer</u> à mourir)
2 Qu'est-ce que tu as fait après le voyage?
(<u>se reposer</u> un peu)
3 Comment tu as trouvé la visite?
(<u>s'amuser</u> bien)

4 Comment tu as passé la matinée?
(<u>se promener</u> dans le parc)
5 Pourquoi tu es si fatigué(e)?
(<u>se lever</u> très tôt ce matin)

**20** **a** Ask your penfriend these questions about the weekend by putting the verb into the **perfect tense**:

1 Tu (acheter) des cadeaux?
2 C'est vrai que tu (manquer) le train?
3 Tu (finir) de réparer ta moto?
4 Tu (pouvoir) trouver un cadeau pour tes parents?
5 Tu (devoir) faire la queue au concert?
6 Tu (voir) tes copains?
7 Tu (aller) en ville?
8 Tu (se coucher) tard samedi soir?
9 Tu (faire) la grasse matinée dimanche matin?
10 Tu (se reposer) dimanche?

**b** Ask an adult (your penfriend's father?) the same questions, using *vous* instead of *tu*.

**21** Say that you used to do these things when you were younger (using the **imperfect tense**), and add a comment about how your habits have changed.

Example: *regarder beaucoup la télé.*
*Quand j'étais plus jeune, je regardais beaucoup la télé, mais je regarde moins la télé maintenant.*

**a** danser beaucoup
**b** cuisiner beaucoup
**c** lire beaucoup
**d** collectionner des timbres-poste
**e** jouer au ping-pong
**f** aller souvent à la pêche
**g** camper chaque été avec des copains
**h** aimer faire des promenades
**i** avoir des cochons d'Inde
**j** s'intéresser aux animaux

**22** Express these suggestions in a different way by using *Si on* + imperfect tense (What if we...?).

Example: *Allons au cinéma*
*→ Si on allait au cinéma?*

**a** Restons à la maison à regarder la télé!
**b** Rendons visite à Jean-Loup!
**c** Faisons une promenade!
**d** Achetons une glace!
**e** Attendons encore quelques minutes!
**f** Prenons un pot ensemble!
**g** Visitons le château!
**h** Reposons-nous un peu!

**23** You were going to do something but found that someone else had done it! Explain this for each of the situations below:

Example: *J'allais préparer le dîner mais **mon père l'avait déjà préparé**.*

**a** J'allais poster la lettre mais mon père...

**b** J'allais laver la voiture mais mon frère...

**c** J'allais téléphoner à mes grands-parents mais ma sœur...

**d** J'allais écrire à mes parents mais mon frère...

**e** J'allais faire la vaisselle mais Marie...

**f** J'allais acheter des fleurs pour tante Mathilde mais mes parents...

**24** Using the **imperfect tense**, explain what you were doing when each of these things happened:

**a** Je (regarder la télé) quand mon copain a téléphoné.

**b** J'(écouter) la radio quand la lettre est arrivée.

**c** Pendant que je (chercher) mon passeport, j'ai trouvé de vieilles photos.

**d** Pendant que je (faire) la vaisselle, j'ai laissé tomber une assiette par terre.

**e** Pendant que j'(être) en ville, j'ai acheté des souvenirs.

**25** Work out how these people would explain what they were doing when they hurt themselves **a** by using the **imperfect tense**, **b** by using **en** + **present participle**.

Example: *travailler dans le jardin/Je me suis blessé(e)*
*        **pendant que je travaillais** dans le jardin.*
*   or   **en travaillant** dans le jardin.*

**a** réparer un vélomoteur

**b** décorer le salon

**c** descendre du car

**d** faire du judo

**e** jouer au volley-ball

**f** ranger les meubles

**g** préparer le café

**h** se baigner

**26** Carry out the following instructions in French using *Je pense que...* with **a** *aller* + **infinitive**, **b** the **future tense**:

**a** Say you think that it's going to rain. (pleuvoir)

**b** Say you think it'll be cold this evening. (faire froid)

**c** Say you think that France will win the match! (gagner le match)

**d** Say you think that your friend will be back soon. (revenir bientôt)

**e** Say you think there'll be an accident. (y avoir un accident)

**27** Say what you'll be doing tomorrow by using **a** *aller* + **infinitive, b** the **future tense** (*Demain je/j'...*):

**a** rester à la maison

**b** faire la grasse matinée

**c** aller en ville

**d** se promener

**e** recevoir des amis

**f** avoir du travail à faire

**g** être libre

**h** sortir en ville

**i** prendre le train pour Paris

**j** se coucher tôt

**28** Say what you'll do in the following circumstances using the **future tense**:

**a** S'il fait beau ce week-end, je/j'...

**b** S'il pleut ce week-end, je/j'...

**c** Si mes parents me donnent mon argent de poche, je/j'...

**d** Si mon/ma correspondant(e) m'écris, je/j'...

**e** Si tu as un problème, je/j'...

**f** Si tu veux lire mon livre, je/j'...

**g** Si tu n'as pas d'argent, je/j'...

**h** Si tu n'as pas le temps de réparer ton vélo, je/j'...

**29** Say what you would do/what would happen in the following circumstances using the **conditional tense**:

**a** Si je gagnais à la Loterie Nationale, je/j'...

**b** Si j'habitais à Paris, je/j'...

**c** Si l'école était réduit en cendres, ...

**d** Si mon/ma petit(e) ami(e) me plaquait, ...

**e** Si j'avais un(e) autre prof de français, ...

**f** Si j'étais le directeur de notre école, ...

**g** Si mon meilleur rêve se réalisait, ...

**h** Si j'étais vedette de cinéma, ...

**30** **a** Work out how someone would say that he/she has been doing these things for the length of time given in brackets.

Example: *habiter ici (quinze ans)*
*        J'habite ici depuis quinze ans.*
*   or   Ça fait quinze ans que j'habite ici.*

**1** venir à cette école (quatre ans)

**2** jouer du piano (un an)

**3** aller au club des jeunes (deux ans)

**4** faire de la planche à voile (six mois)

**5** apprendre le français (quatre ans et demi)

**6** écrire à mon correspondant français (un an et demi)

**7** être en France (dix jours)

**8** attendre (une demi-heure)

**b** And now for yourself! Complete in French:

**1** Ça fait... que je vais à mon école.
**2** J'habite cette ville/ce village depuis...
**3** Ça fait... que j'apprends le français.
**4** Je sais nager depuis...

**c** Think up another five examples about yourself.

**31** **a** Make the following sentences negative by putting *ne/n'... pas* in the correct place (and making any other changes which are necessary):

**1** Je suis Français(e).
**2** Je sais.
**3** J'ai envie de sortir ce soir.
**4** J'ai téléphoné à mes parents.
**5** Nous avons visité la Tour Eiffel.
**6** Je suis allé(e) à Strasbourg.
**7** Marco va venir à la boum.
**8** Isabelle veut nous accompagner.
**9** Mon père peut nous emmener en ville.
**10** J'ai de l'argent français.
**11** J'ai des frères.
**12** Nous avons trouvé des souvenirs.

**b** Answer each of the following questions in the negative (pretending if necessary) and adding any further details you wish:

Example: *Tu habites à la montagne?*
*Non, je n'habite pas à la montagne. J'habite en banlieue.*

**1** Tu détestes ton école?
**2** Tu parles couramment russe?
**3** Tu fais du parapente?
**4** Tu rends tes devoirs en retard?
**5** Tu vas acheter une Porsche cette année?
**6** Tu gagneras à la Loterie Nationale?
**7** Tu seras invité(e) par la Reine?
**8** Tu as reçu de mauvaises notes en français?
**9** Tu as visité Tombouctou?
**10** Tu as bu du lait de yak?
**11** Tu as mangé du serpent?
**12** Tu es monté(e) en Islande?
**13** Tu es parti(e) en safari?

**32** Find a suitable negative to complete these sentences. Use a different negative each time.

**a** Il y avait de la bière dans le frigo ce

matin, maintenant il _____ y en a

_____ .

**b** Je ne connais pas le Luxembourg; je _____

y _____ allé(e).

**c** Où est mon passeport? Je _____ le vois

_____ _____ !

**d** On a besoin de 10 euros; je _____ en ai

_____ 5!

**e** Quand je suis rentré(e) chez moi ce soir, il

_____ y avait _____ .

**f** Le marché était moche; je _____ ai

_____ acheté.

**g** Je _____ parle _____ russe

_____ japonais.

**h** Je _____ ai _____ de moto. .

**33** Decide whether the gaps in these sentences should be filled with *à*, *de/d'*, or nothing at all.

**a** Excusez-moi! Je dois _____ partir maintenant.

**b** D'habitude, je passe la soirée _____ regarder la télé.

**c** Je préfère _____ faire mes devoirs dans ma chambre.

**d** J'ai décidé _____ acheter les cadeaux sur le bateau.

**e** Je compte _____ revenir en France l'an prochain.

**f** Zut! J'ai oublié _____ téléphoner à mon père.

**g** Qu'est-ce que tu essaies _____ faire?

**h** Laurent a refusé _____ nous prêter ses disques.

**i** Ne quitte pas! Je vais l'appeler. Il est en train _____ faire la vaisselle.

**j** J'espère bientôt _____ pouvoir

_____ commencer _____ apprendre

_____ conduire.

**34** Talking about yourself, complete the following sentences appropriately. You will need to use *à* + **infinitive**, or *de* + **infinitive**, or just the **infinitive** on its own.

**a** J'ai oublié...
**b** J'ai peur...
**c** Je déteste...
**d** Je ne sais pas...

**e** Je refuse...

**f** J'ai commencé...

**g** Je perds mon temps...

**h** J'ai envie...

**i** J'espère...

**j** J'ai cessé...

**35** Rephrase these statements using the **passive**:

Example: *Le prof a puni l'élève.*
*L'élève a été puni par le prof.*

**a** La police recherche cet homme.
Cet homme...

**b** Un camion a renversé un cycliste.
Un cycliste...

**c** On a réservé les billets.
Les billets...

**d** La pluie a inondé les tentes.
Les tentes...

**e** On a battu le record.
Le record...

**f** On volera ton sac, si tu le laisses ici!
Ton sac...

**g** On va transporter le blessé à l'hôpital.
Le blessé...

**h** On doit finir le travail avant demain.
Le travail...

**36** React to these situations using the **subjunctive**.

Example: *Tu as réussi à ton examen!*
*Je suis ravi(e) que tu aies réussi!*

**a** Tu as trouvé ton passeport! Je suis content(e) que...

**b** Tu es malade? Je suis désolé(e) que...

**c** Tu ne peux pas venir! Ça m'étonne que...

**d** Tu fais tant de bêtises! Je suis déçu(e) que...

**e** Tu es rentré(e) si tôt! Je suis surpris(e) que...

**f** Notre équipe a gagné? Je suis ravi(e) que...

**g** Ton frère vient avec nous? Je suis content(e) que...

**h** Mon père sait qu'on est allés à la boum? Je suis furieux/furieuse que...

**37** Express your wishes in a different way using *Je veux que tu* + **subjunctive**:

Example: *Sors d'ici!*
*Je veux que tu sortes d'ici!*

**a** Viens avec nous!

**b** Tu devrais m'attendre.

**c** Tu peux faire ça pour moi?

**d** Tu dois être sage!

**e** C'est à toi de choisir!

**38** Replace the words underlined with **pronouns**:

Example: *Je mange les frites → Je les mange.*

**a**
1 Je vois la Tour Eiffel!
2 Je connais ce garçon.
3 J'adore la France!
4 Je trouve les groupes anglais sensationnels!
5 J'écris souvent à mon correspondant français.
6 J'envoie souvent des illustrés à mon correspondant français.
7 Je téléphone souvent à mes copains; mes parents n'aiment pas ça!
8 Je prête souvent mes disques à mon frère; malheureusement, il ne me rend pas tous les disques.

**b**
1 J'ai déjà visité le Louvre.
2 J'espère voir le Sacré Cœur demain.
3 Je peux te montrer les photos, si tu veux.
4 J'ai déjà donné l'argent à M. Benoît.
5 Je vais envoyer la lettre à mes parents tout de suite.
6 Je vais dire la nouvelle à Danielle tout de suite.
7 Je cherche mon portefeuille. Est-ce que tu as vu mon portefeuille!
8 Tu peux me prêter tes lunettes de soleil?
9 Ton voisin m'a donné ce poster!
10 Je peux te prêter ce jean, si tu veux.

**39** Replace the words underlined with *y* or *en*.

**a** Je vais au marché ce matin.

**b** J'ai acheté ce disque dans ce magasin-là.

**c** Ne prends pas mon pull; j'ai besoin de ce pull-là!

**d** Il n'y a plus de pain!

**e** J'espère aller en Allemagne l'an prochain.

**f** Tu vas au collège maintenant?

**g** Je n'ai plus d'argent français!

**h** Je suis resté(e) deux semaines en Bretagne.

**i** Je ne vais pas en Bretagne cette année.

**j** Tu veux du café?

**40** Complete the following sentences by adding an appropriate **stressed pronoun** (*moi, toi, lui, elle, nous, vous, eux, elles*).

**a** Ah, c'est _____ , Danielle!

**b** Dis à Georges qu'il y a une lettre pour

_____ .

**c** Je t'invite à venir passer une quinzaine de jours

chez _____ .

**d** Après _____ , madame!

**e** Mes parents vont à Londres demain; si tu veux, on peut y aller avec _____ .

**f** Il faut attendre Marie-Pierre et Alice; on ne peut pas partir sans _____ .

**g** Joëlle est assise là-bas; Alain est assis à côte d' _____ .

**h** Voici le facteur; je vais voir s'il y a du courrier pour _____ .

**41** Complete these sentences by putting *qui* or *que* in the gaps (*que* will sometimes shorten to *qu'*):

**a** Merci pour la lettre _____ tu m'as envoyée.

**b** Malheureusement, je n'ai pas pu trouver le livre _____ tu m'as demandé d'acheter pour toi.

**c** Nous avons maintenant un nouveau prof de dessin _____ est vraiment sensass!

**d** Le copain _____ a eu l'accident de moto s'appelle Patrick.

**e** C'est le garçon _____ a dansé avec toi à la fête et _____ t'a tellement plu!

**f** Tu te rappelles la fête _____ Paul a organisée?

**g** Voici une nouvelle _____ te plaira! Mon frère vient de trouver le bracelet _____ tu avais perdu lors de ton séjour chez nous!

**h** Comme tu vois, j'écris sur le papier _____ vous m'avez envoyé comme cadeau d'anniversaire.

**i** Le voisin _____ nous a emmené(e)s au safari-park l'été dernier vient de mourir.

**j** Je te rencontrerai à la gare, sous l'horloge _____ se trouve en face du kiosque à journaux.

**42** Say which of the objects you prefer, using *celui-ci/celui-là/celle-ci/celle-là*, and giving a reason:

**a** Quel magazine préfères-tu?

**b** Lesquels des livres préfères-tu?

**c** Laquelle de ces voitures préfères-tu?

**d** Quel CD préfères-tu?

**43** **a** Show who owns the articles mentioned by adding one of the following: *à moi/à toi/à lui/à elle/à nous/à vous/à eux/à elles.*

**a** Létitia, est-ce que ce livre est _____ ?

**b** Où sont Guillaume et Alain? Je pense que ces affaires sont _____ .

**c** Hé! Ne prends pas ça! C'est _____ , pas _____ !

**d** Monsieur, est-ce que ce billet est _____ ?

**e** Où sont Hélène et Nicole? Ces bagages sont _____ .

**f** Excusez-moi, madame. Ces places sont _____ .

**g** Où est Thérèse? Je suis sûr(e) que cet argent est _____ .

**h** Tu peux rendre ça à Jean-Christophe; c'est _____ .

**b** Now fill in the gaps using instead *le mien/la mienne, les siens/les siennes*, etc.

# Tableaux des verbes

## Regular verbs

| Infinitive | Present | Imperative |
|---|---|---|
| donner  *to give* | je donne<br>tu donnes<br>il donne<br>nous donnons<br>vous donnez<br>ils donnent | donne!<br>donnons!<br>donnez! |
| se cacher  *to hide* | je me cache<br>tu te caches<br>il se cache<br>nous nous cachons<br>vous vous cachez<br>ils se cachent | cache-toi!<br>cachons-nous!<br>cachez-vous! |
| attendre  *to wait* | j'attends<br>tu attends<br>il attend<br>nous attendons<br>vous attendez<br>ils attendent | attends!<br>attendons!<br>attendez! |
| choisir  *to choose* | je choisis<br>tu choisis<br>il choisit<br>nous choisissons<br>vous choisissez<br>ils choisissent | choisis!<br>choisissons!<br>choisissez! |

### –er verbs with spelling changes

1 Verbs ending in **–e–er**, which change the **e** to **è** when the following syllable is mute, e.g. acheter, chanceler, élever, lever, mener, peser, se promener, soulever.

| Present | | Future |
|---|---|---|
| j'achète | nous achetons | j'achèterai |
| tu achètes | vous achetez | |
| il achète | ils achètent | |

2 Verbs ending in **–é–er**, which change the **é** to **è** before mute endings, e.g. espérer, s'inquiéter, posséder, préférer, refléter.

| Present | |
|---|---|
| j'espère | nous espérons |
| tu espères | vous espérez |
| il espère | ils espèrent |

3 Verbs which double the final consonant when the following syllable is mute, e.g. appeler, étiqueter, jeter, se rappeler.

| Present | | Future |
|---|---|---|
| j'appelle | nous appelons | j'appellerai |
| tu appelles | vous appelez | |
| il appelle | ils appellent | |

| Perfect | Imperfect | Future |
|---|---|---|
| j'ai donné | je donnais | je donnerai |
| tu as donné | tu donnais | tu donneras |
| il a donné | il donnait | il donnera |
| nous avons donné | nous donnions | nous donnerons |
| vous avez donné | vous donniez | vous donnerez |
| ils ont donné | ils donnaient | ils donneront |
| | | |
| je me suis caché(e) | je me cachais | je me cacherai |
| tu t'es caché(e) | tu te cachais | tu te cacheras |
| il s'est caché | il se cachait | il se cachera |
| elle s'est cachée | nous nous cachions | nous nous cacherons |
| nous nous sommes caché(e)s | vous vous cachiez | vous vous cacherez |
| vous vous êtes caché(e)(s) | ils se cachaient | ils se cacheront |
| ils se sont cachés | | |
| elles se sont cachées | | |
| | | |
| j'ai attendu | j'attendais | j'attendrai |
| tu as attendu | tu attendais | tu attendras |
| il a attendu | il attendait | il attendra |
| nous avons attendu | nous attendions | nous attendrons |
| vous avez attendu | vous attendiez | vous attendrez |
| ils ont attendu | ils attendaient | ils attendront |
| | | |
| j'ai choisi | je choisissais | je choisirai |
| tu as choisi | tu choisissais | tu choisiras |
| il a choisi | il choisissait | il choisira |
| nous avons choisi | nous choisissions | nous choisirons |
| vous avez choisi | vous choisissiez | vous choisirez |
| ils ont choisi | ils choisissaient | ils choisiront |

**4** Verbs ending in **–yer**, which change the **y** to **i** when the following syllable is mute, e.g. appuyer, ennuyer, essayer, nettoyer, payer.

| Present | | Future |
|---|---|---|
| j'appuie | nous appuyons | j'appuierai |
| tu appuies | vous appuyez | |
| il appuie | ils appuient | |

**5** Verbs ending in **–ger**, where the **g** is followed by **e** before **o** or **a**, to keep the sound soft, e.g. bouger, changer, échanger, manger, nager, partager, ranger.

| Present | | Imperfect |
|---|---|---|
| je bouge | nous bougeons | je bougeais |
| tu bouges | vous bougez | |
| il bouge | ils bougent | |

**6** Verbs ending in **–cer**, where the **c** changes to **ç** before **o** or **a**, to keep the sound soft, e.g. commencer, grincer, lancer, sucer.

| Present | | Imperfect |
|---|---|---|
| je commence | nous commençons | je commençais |
| tu commences | vous commencez | |
| il commence | ils commencent | |

# Irregular verbs

| Infinitive | Present | | Perfect | Future |
|---|---|---|---|---|
| aller<br>*to go* | je vais<br>tu vas<br>il va | nous allons<br>vous allez<br>ils vont | je suis allé(e) | j'irai |
| apprendre    *to learn*: see 'prendre' | | | | |
| s'asseoir<br>*to sit down* | je m'assieds/assois<br>tu t'assieds/assois<br>il s'assied/assoit<br>nous nous asseyons/assoyons<br>vous vous asseyez/assoyez<br>ils s'asseyent/assoient | | je me suis assis(e) | je m'assiérai<br>je m'assoirai |
| avoir<br>*to have* | j'ai<br>tu as<br>il a | nous avons<br>vous avez<br>ils ont | j'ai eu | j'aurai |
| battre<br>*to beat* | je bats<br>tu bats<br>il bat | nous battons<br>vous battez<br>ils battent | j'ai battu | je battrai |
| boire<br>*to drink* | je bois<br>tu bois<br>il boit | nous buvons<br>vous buvez<br>ils boivent | j'ai bu | je boirai |
| comprendre    *to understand*: see 'prendre' | | | | |
| conduire<br>*to drive* | je conduis<br>tu conduis<br>il conduit | nous conduisons<br>vous conduisez<br>ils conduisent | j'ai conduit | je conduirai |
| connaître<br>*to know* | je connais<br>tu connais<br>il connaît | nous connaissons<br>vous connaissez<br>ils connaissent | j'ai connu | je connaîtrai |
| courir<br>*to run* | je cours<br>tu cours<br>il court | nous courons<br>vous courez<br>ils courent | j'ai couru | je courrai |
| croire<br>*to believe* | je crois<br>tu crois<br>il croit | nous croyons<br>vous croyez<br>ils croient | j'ai cru | je croirai |
| devenir    *to become*: see 'venir' | | | | |
| devoir<br>*to have to, must* | je dois<br>tu dois<br>il doit | nous devons<br>vous devez<br>ils doivent | j'ai dû | je devrai |
| dire<br>*to say, tell* | je dis<br>tu dis<br>il dit | nous disons<br>vous dites<br>ils disent | j'ai dit | je dirai |
| dormir<br>*to sleep* | je dors<br>tu dors<br>il dort | nous dormons<br>vous dormez<br>ils dorment | j'ai dormi | je dormirai |

| Infinitive | Present | | Perfect | Future |
|---|---|---|---|---|
| écrire<br>*to write* | j'écris<br>tu écris<br>il écrit | nous écrivons<br>vous écrivez<br>ils écrivent | j'ai écrit | j'écrirai |
| envoyer<br>*to send* | j'envoie<br>tu envoies<br>il envoie | nous envoyons<br>vous envoyez<br>ils envoient | j'ai envoyé | j'enverrai |
| être<br>*to be* | je suis<br>tu es<br>il est | nous sommes<br>vous êtes<br>ils sont | j'ai été<br>*Imperfect*:<br>  j'étais<br>*Imperative*:<br>  sois!<br>  soyons!<br>  soyez! | je serai |
| faire<br>*to make, do* | je fais<br>tu fais<br>il fait | nous faisons<br>vous faites<br>ils font | j'ai fait | je ferai |
| falloir<br>*must, to be necessary* | il faut | | il a fallu | il faudra |
| lire<br>*to read* | je lis<br>tu lis<br>il lit | nous lisons<br>vous lisez<br>ils lisent | j'ai lu | je lirai |
| mettre<br>*to put* | je mets<br>tu mets<br>il met | nous mettons<br>vous mettez<br>ils mettent | j'ai mis | je mettrai |
| mourir<br>*to die* | je meurs<br>tu meurs<br>il meurt | nous mourons<br>vous mourez<br>ils meurent | il est mort | je mourrai |
| naître<br>*to be born* | *Present*: see 'connaître' | | je suis né(e) | il naîtra |
| offrir | *to offer*: see 'ouvrir' | | | |
| ouvrir<br>*to open* | j'ouvre<br>tu ouvres<br>il ouvre | nous ouvrons<br>vous ouvrez<br>ils ouvrent | j'ai ouvert | j'ouvrirai |
| partir<br>*to leave* | je pars<br>tu pars<br>il part | nous partons<br>vous partez<br>ils partent | je suis parti(e) | je partirai |
| plaire<br>*to please* | je plais<br>tu plais<br>il plaît | nous plaisons<br>vous plaisez<br>ils plaisent | j'ai plu | je plairai |
| pleuvoir<br>*to rain* | il pleut | | il a plu<br>*Imperfect*:<br>  il pleuvait | il pleuvra |

| Infinitive | Present | | Perfect | Future |
|---|---|---|---|---|
| pouvoir<br>*can, to be able* | je peux (puis-je?)<br>tu peux<br>il peut | nous pouvons<br>vous pouvez<br>ils peuvent | j'ai pu | je pourrai |
| prendre<br>*to take* | je prends<br>tu prends<br>il prend | nous prenons<br>vous prenez<br>ils prennent | j'ai pris | je prendrai |
| recevoir<br>*to receive* | je reçois<br>tu reçois<br>il reçoit | nous recevons<br>vous recevez<br>ils reçoivent | j'ai reçu | je recevrai |
| reconnaître *to recognize*: see 'connaître' | | | | |
| revenir *to return*: see 'venir' | | | | |
| rire<br>*to laugh* | je ris<br>tu ris<br>il rit | nous rions<br>vous riez<br>ils rient | j'ai ri | je rirai |
| savoir<br>*to know* | je sais<br>tu sais<br>il sait | nous savons<br>vous savez<br>ils savent | j'ai su | je saurai |
| sentir *to smell; to feel*: see 'partir' | | | | |
| servir *to serve*: see 'partir' | | | | |
| sortir *to go out*: see 'partir' | | | | |
| sourire *to smile*: see 'rire' | | | | |
| suivre<br>*to follow* | je suis<br>tu suis<br>il suit | nous suivons<br>vous suivez<br>ils suivent | j'ai suivi | je suivrai |
| tenir *to hold*: see 'venir' | | | | |
| traduire *to translate*: see 'conduire' | | | | |
| venir<br>*to come* | je viens<br>tu viens<br>il vient | nous venons<br>vous venez<br>ils viennent | je suis venu(e) | je viendrai |
| vivre<br>*to live* | je vis<br>tu vis<br>il vit | nous vivons<br>vous vivez<br>ils vivent | j'ai vécu | je vivrai |
| voir<br>*to see* | je vois<br>tu vois<br>il voit | nous voyons<br>vous voyez<br>ils voient | j'ai vu | je verrai |
| vouloir<br>*to wish, want* | je veux<br>tu veux<br>il veut | nous voulons<br>vous voulez<br>ils veulent | j'ai voulu | je voudrai |

# Vocabulaire anglais–français

This section provides an English–French glossary of useful structures and phrases, arranged thematically, for each of the modules.

## Module 1: My world

### 1A Self, family and friends

**accountant**   un(e) comptable
**annoying**   casse-pieds
**badly paid**   mal payé
**check-out person**   un caissier, une caissière
**cool-headed**   calme
**cousin**   un cousin, une cousine
**cute**   mignon(ne)
**difficult**   difficile
**elder brother/sister**   le frère aîné, la sœur aînée
**extrovert**   extraverti(e)
**friendly**   amical(e)
**funny**   drôle, marrant(e)
**generous**   généreux, généreuse
**hairdresser**   un coiffeur, une coiffeuse
**housewife**   une femme au foyer, une ménagère
**I have neither... nor...**   je n'ai ni... ni...
**I'm 1 metre 80 tall**   je mesure/fais un mètre 80
**interesting**   intéressant(e)
**medium height**   de taille moyenne
**nephew**   le neveu
**niece**   la nièce
**pleasant**   agréable
**retired**   à la retraite
**secretary**   un(e) secrétaire
**selfish**   égoïste
**separated (parents)**   (parents) séparés
**shop assistant**   un vendeur, une vendeuse
**stepbrother/sister**   le demi-frère, la demi-sœur
**stepfather/mother**   le beau-père, la belle-mère
**strange**   bizarre
**stressful**   stressant(e)
**student**   un(e) étudiant(e)
**stupid**   bête
**unpleasant**   antipatique
**withdrawn**   renfermé(e)
**younger brother/sister**   le frère cadet, la sœur cadette
**youngest child**   le/la benjamin(e)

### 1B Interests and hobbies

**aeromodelling**   l'aéromodélisme
to **collect foreign coins**   collectionner les pièces de monnaie étrangères
to **collect stamps**   collectionner les timbres-poste
**computer games**   les jeux électroniques
**each (day, week, etc.)**   chaque (jour, semaine, etc.)
**every (day, week, etc.)**   tous (les jours, etc.), toutes (les semaines, etc.)
to **go cycling**   faire une promenade en vélo
to **go horse-riding**   faire de l'équitation
to **go for a walk**   faire une promenade

**guinea pig**   un cochon d'Inde, un cobaye
**hamster**   un hamster
**I go clubbing**   je vais en boîte
**I go to the pub**   je vais au pub
**I listen to the radio**   j'écoute la radio
**I play the guitar**   je joue de la guitare
**I play the keyboard**   je joue du clavier électronique, du synthétiseur
**I think it's (interesting, etc.)**   je trouve ça (intéressant, etc.)
**it's annoying**   c'est énervant
**it's awful**   c'est affreux
**it's disgusting**   c'est dégoûtant
**it's exciting**   c'est passionnant
**it's fantastic**   c'est fantastique, c'est formidable, c'est extra
**it's fun**   c'est amusant
**it's great**   c'est chouette, c'est super, c'est terrible
**it's not much fun**   c'est pas terrible
**mouse**   une souris
**once (a week, month, etc.)**   une fois (par semaine, par mois, etc.)
**pop music programme**   une émission de musique pop
**rabbit**   un lapin
**sometimes**   quelquefois
**tortoise**   une tortue

### 1C Home and local environment

**bedside table**   une table de chevet
**bunk beds**   des lits superposés
**carpet (wall-to-wall)**   une moquette
**cellar**   une cave
**chair**   une chaise
**chest of drawers**   une commode
**computer**   un ordinateur
**conservatory**   un véranda
**fence**   une palissade
**five kilometers (from...)**   à cinq kilomètres (de...)
**flower bed**   une platebande, un parterre
(to) **go for walks**   faire des randonnées
**greenhouse**   une serre
**hedge**   une haie
**I've lived there for... years**   j'y habite depuis... ans
**in my opinion...**   à mon avis..., pour moi..., selon moi...
**in the north/south/east/west/centre of...**   dans le nord/sud/est/ouest/centre de...
**is there a...? are there any...?**   est-ce qu'il y a un(e)/des...?
**lawn**   une pelouse
**path**   une allée
**rug**   un tapis
**shed**   une remise
**shelves**   une étagère
**sportsmen/women**   les sportifs
**stairs leading to...**   un escalier menant au/à la/à l'/aux...
**swing**   une balançoire
**the curtains are...**   les rideaux sont...
**tidy, untidy**   bien rangé(e), en désordre
**tree**   un arbre
**utility room**   une buanderie
**vegetable garden**   un jardin potager
**wall**   un mur

## 1D  Daily routine

**a week ago**   il y a une semaine
**at the week-end**   le week-end
**before going out**   avant de sortir
**finally…**   pour finir, pour terminer…
**first of all…**   d'abord…, premièrement…
**I always eat…**   je mange toujours…
**I do shopping for a neighbour**   je fais des courses pour un(e) voisin(e)
**I do/read lots of…**   je fais/lis beaucoup de/d'…
**I don't buy (any)…**   je n'achète pas de/d'…
**I don't very often drink…**   je ne bois pas souvent…
**I help the neighbours**   j'aide les voisins
**I like/hate watching…**   j'aime/je déteste regarder…
**I never go…**   je ne vais jamais…
**I often work…**   je travaille souvent…
**I spend my money on clothes, make-up**   je dépense mon argent en fringues, produits de beauté
**I spend Sunday mornings doing homework**   je passe le dimanche matin à faire mes devoirs
**I take the dog for a walk**   je promène le chien
**I work as a cashier**   je travaille comme caissier/caissière
**I work at a vet's**   je travaille chez un(e) vétérinaire
**I work in a baker's shop**   je travaille dans une boulangerie
**in the morning, afternoon, evening**   le matin, l'après-midi, le soir
**in the week**   en semaine
**last weekend, week**   le week-end dernier, la semaine dernière
**on Saturdays**   le samedi
**on school days**   les jours d'école
**recently**   récemment
**then**   puis, ensuite, après ça
**usually**   normalement, d'habitude, généralement

## 1E  School & future plans

**allowed**   permis(e), accepté(e)
**clean**   propre
**computer club**   le club d'informatique
**dirty**   sale
**English literature**   la littérature anglaise
**forbidden**   interdit(e), défendu(e)
**French club**   le club de français
**German**   l'allemand
(to) **go to university**   aller à l'université, à la fac
**I'd prefer to wear…**   je préférerais porter…
**I'm good at (French)**   je suis fort(e), calé(e), doué(e) en (français)…
**I'm planning to go…**   je compte aller…
**I'm weak at…**   je suis faible, nul(le), zéro en…, je ne brille pas en…
**if (it's) possible**   si (c'est) possible
**information technology**   l'informatique
**it's (un)comfortable**   c'est (in)comfortable
**it's naff**   c'est ringard
**it's OK**   c'est pas mal, ça va
**it's ridiculous**   c'est stupide, ridicule
**language lab(oratory)**   un labo(ratoire) de langues
**like a fish in water**   comme un poisson dans l'eau
**lipstick**   le rouge à lèvres
**mascara**   le mascara, le rimmel
**my strong point**   mon point fort
**my weak point**   mon point faible
**nail varnish**   le vernis d'ongles
**religious education**   l'éducation religieuse

**ring**   une bague
**shoes**   des chaussures
**socks**   des chaussettes
**Spanish**   l'espagnol
(to) **wear make-up**   se maquiller
**trainers**   des baskets, des chaussures de sport
**we have to wear…**   on doit porter…

# Module 2: Holiday-time and travel

## 2A Travel, transport and finding the way

**at the bridge**   au pont
**at the level-crossing**   au passage à niveau
**at the lights**   aux feux
**at the roundabout**   au rond-point
**bed and breakfast**   une chambre d'hôte
**before/after**   avant/après
**historic monuments**   les monuments historiques
**I get dizzy**   j'ai le vertige
**I loathe it**   j'en ai horreur
**I'm claustrophobic**   je suis claustrophobe
**I'm scared of flying**   j'ai peur de prendre l'avion
**I'm scared of it**   j'en ai peur
**if it's raining**   s'il pleut
**if you've got children with you**   si vous avez des enfants avec vous
**information about shows**   des renseignements sur les spectacles
**interesting places**   les endroits intéressants
**it is situated…**   il/elle se trouve…
**it's dirt cheap!**   c'est donné!
**it's exorbitant!**   c'est hors de prix, exorbitant
**journey**   le voyage, le trajet
**noisy**   bruyant(e)
**on the roads**   sur les routes
**public transport**   les transports en commun
**railway**   le chemin de fer
**slow**   lent(e)
**there are so many people**   il y a tant de monde
**there is so much traffic**   il y a tant de trafic/circulation
**what do you recommend?**   qu'est-ce que vous (me) recommandez?
**what is there for young people/teenagers?**   qu'est-ce qu'il y a pour les jeunes/adolescents?
**what is there to do/see?**   qu'est-ce qu'il y a à faire/voir?
**you can stop when and where you want**   on peut s'arrêter quand et où on veut
**you have to wait a long time**   il faut attendre longtemps

## 2B Tourism

**are there any seats still available?**   il reste toujours des places libres?
**can I book/reserve?**   je peux réserver?
**do you fancy going…?**   tu as envie d'aller, ça te dit d'aller…?
**fortnight**   quinze jours, une quinzaine
**I (don't) agree**   je (ne) suis (pas) d'accord
**I don't like that**   ça ne me plaît pas
**I had a good time**   je me suis bien amusé(e), j'ai passé un bon moment
**I have been here for 3 days**   ça fait 3 jours que je suis ici
**I thought it was boring**   j'ai trouvé ça ennuyeux
**I was bored to death**   je me suis ennuyé(e) à mourir
**I wonder whether/where/when…**   je me demande si/où/quand…

**I wouldn't like that**   ça ne me plairait pas
**I'm a bit disappointed**   je suis un peu déçu(e)
**I'm bored (to death)**   je m'ennuie à mourir
**I'm having a great time here**   je passe un bon moment ici
**it wasn't bad**   c'était pas mal, ça allait
**it's not a lot of fun**   c'est pas marrant
**it's too… for my taste**   c'est trop… pour mon goût!
**lots of…**   beaucoup/plein/un tas de/d'…
**mountainous region**   une région montagneuse
**near the coast**   près de la côte
**not far from the sea**   pas loin de la mer
**on the contrary**   au contraire
**that's not at all right**   ce n'est pas du tout vrai
**that's quite right**   c'est tout à fait vrai
**things like that**   les choses comme ça
**to tell you the truth…**   à vrai dire…
**very little/few…**   très peu/pas beaucoup de/d'…
**week**   une semaine, huit jours, une huitaine de jours
**what I can't stand is…**   ce que je ne peux pas supporter, c'est/ce sont…
**what I like is/are…**   ce qui me plaît personnellement, c'est/ce sont…
**would you like to go…?**   ça te dirait d'aller…?
**you're right/wrong**   tu as raison/tort

## 2C  Accommodation

**a site as far as possible from the…**   un emplacement aussi loin que possible du/de la/de l'/des…
**a site near the…**   un emplacement près du/de la/de l'/des…
**bowls**   des boules
**can I pay by credit card?**   je peux payer par carte de crédit?
**can you (one) hire…?**   est-ce qu'on peut louer…?
**can you help me please?**   pouvez-vous m'aider, s'il vous plaît?
**could you…?**   pourriez-vous…?
**from the 1st to the 9th of June**   du premier au 9 juin
**full-/half-board**   en pleine pension, en demi-pension
**I have a reservation in the name of…**   j'ai une réservation au nom de…
**I would prefer it if there were…**   je préférerais qu'il y ait…
**I'm sorry**   je m'excuse, je suis désolé(e)
**I've got a problem**   j'ai un problème
**is there a lift?**   y a-t-il un ascenseur?
**my… is handicapped**   mon/ma … est handicapé(e)
**preferably**   de préférence
**(to) replace a gas bottle**   remplacer une bouteille de gaz
**sleeping bag**   un sac de couchage
**surfboard**   un surf
**tennis racket**   une raquette
**the hotel is situated**   l'hôtel est situé/se trouve…
**the night of the 12th of June**   la nuit du 12 juin
**the problem is that…**   le problème, c'est que/qu'…
**the room is too…**   la chambre est trop…
**the room isn't… enough**   la chambre n'est pas assez…
**the… isn't working**   le/la/l'… ne marche/fonctionne pas
**there needs to be…**   il faut qu'il y ait…
**there's a problem with the…**   il y a un problème avec le/la/l'…
**we'd prefer…**   nous préférerions…
**what is essential, in my opinion, is/are…**   ce qui est essentiel, à mon avis, c'est/ce sont…
**windsurfer**   une planche à voile

## 2D  Holiday activities (ordering food & drink)

**can I have (the bill)?**   je peux avoir (l'addition)?
**can I order?**   je peux commander?
**chicken (-filled)…**   … au poulet
**Chinese/Indian/Italian/Greek food**   la cuisine chinoise/indienne/italienne/grecque.
**chocolate (-flavoured)…**   … au chocolat
**cold/hot drink**   une boisson froide/chaude
**cold/hot meal**   un plat froid/chaud
**cup of…**   une tasse de/d'…
**doughnut**   un beignet
**espresso coffee**   un express
**glass of…**   un verre de/d'…
**ham (-filled)…**   … au jambon
**have you any non-alcoholic drinks?** avez-vous des boissons non-alcoolisées?
**I prefer… to…**   je préfère le/la/l'/les… au/à la/à l'/aux…
**I'll have the 15-euro set menu**   je prendrai le menu à 15 euros
**I'm famished!**   j'ai une faim de loup!
**I'm parched!**   je meurs de soif!
**in the corner**   dans le coin
**it was delicious!**   c'était délicieux!
**it was foul!**   c'était infect!
**it's my round!/I'm paying for this!**   c'est moi qui offre!
**jam (-filled)…**   … à la confiture
**mushroom (-filled)…**   … aux champignons
**over there**   là-bas
**pancake**   une crêpe
**pistachio (-flavoured)…**   … à la pistache
**plain (pancake)**   (une crêpe) nature
**portion of chips**   une portion de frites
**strawberry (-flavoured)…**   … à la fraise
**tuna (-filled)…**   … au thon
**vanilla ice-cream**   une glace à la vanille
**waffle**   une gaufre
**with (sugar, salt)**   avec (sucre, sel)
**without (sugar, salt)**   sans (sucre, sel)

## 2E Services

**can you lend/give me…?**   peux-tu/pouvez-vous me prêter/donner…?
**disposable razors**   les rasoirs jetables
**drops (for the ears, eyes)**   les gouttes
**here is/are my driver's licence/insurance certificate/E111**   voici mon permis de conduire/certificat d'assurance/E111
**I (have) dislocated my shoulder**   je me suis disloqué l'épaule
**I ate (chicken) yesterday**   j'ai mangé (du poulet) hier
**I feel ill**   je ne me sens pas bien
**I feel queasy/sick**   j'ai mal au cœur/envie de vomir
**I fell/have fallen ill**   je suis tombé(e) malade
**I haven't eaten/drunk anything unusual**   je n'ai rien mangé/bu d'anormal
**I haven't much cash left**   il ne me reste pas beaucoup en espèces
**I think there's a mistake**   je pense qu'il y a une erreur
**I was/have been attacked by a yob**   j'ai été agressé(e) par un voyou
**I was/have been bitten by a dog/snake**   j'ai été mordu(e) par un chien/serpent
**I was/have been sick**   j'ai vomi
**I was/have been stung by a wasp/bee**   j'ai été piqué(e) par une guêpe/abeille

**I'll have to cash a (traveller's) cheque**   je vais devoir encaisser un chèque (de voyage)
**I'll have to pay by credit card**   je vais devoir payer par carte de crédit
**I'm allergic to (aspirine)**   je suis allergique (à l'aspirine)
**I'm broke/short of money**   je suis fauché(e)/à court d'argent
**I'm sorry, you're (quite) right**   pardon, vous avez (tout à fait) raison
**I've got a puncture**   j'ai un pneu crevé, une crevaison
**I've had... for 2 days now**   ça fait 2 jours que j'ai...
**I've only got 20 euros left**   il ne me reste que 20 euros
**I've run out of petrol**   je suis en panne sèche
**is it serious?**   c'est grave?
**I think you've made a mistake**   je pense que vous vous êtes trompé(e)
**my... has/have been stolen**   on m'a volé mon/ma/mes...
**shaving foam**   la mousse à raser
**the... isn't/aren't working**   le/la/l'/les ne marche(nt) pas
**the battery is flat**   la batterie est à plat
**the clutch has gone**   le débrayage est fichu
**the engine cut out, won't start**   le moteur a calé, ne démarre pas
**the engine is overheating**   le moteur chauffe
**there is an oil/water leak**   il y a une fuite d'huile/d'eau
**this is the tooth which is hurting**   c'est cette dent-ci qui fait mal
**where do I sign?** où dois-je signer?

# Module 3: Work and lifestyle

### 3A  Home life

**according to**   selon/d'après
**as far as (work) is concerned**   en ce qui concerne (le travail)
**as for (the meals)**   quant aux repas
**at our house, we...**   chez nous, on/nous...
**at the weekend, on the other hand**   le week-end, cependant/par contre
**before/during/after**   avant/pendant/après
**I reckon that...**   j'estime/je considère que...
**in December**   en décembre, au mois de décembre
**in the UK... whereas in France...**   au Royaume-Uni... tandis qu'en France...
**it is/was no bed of roses!**   tout n'est/était pas rose!
**it takes (5 hours)**   ça prend (5 heures)
**it's not easy!**   c'est pas du gâteau/de la tarte!
**let's not exaggerate!**   n'exagérons rien!
**more or less**   plus ou moins
**on the 24th December**   le 24 décembre
**roughly**   environ, à peu près, approximativement
(to) **see everything through rose-coloured glasses**   voir la vie tout en rose
**stories about the good old days**   les histoires au sujet du bon vieux temps
**there was/were neither... nor...**   il n'y avait ni... ni...
**until (midnight)**   jusqu'à (minuit)
**usually we go to...**   d'habitude, on va au/à la/à l'...
**we celebrate... by (eating/going)**   on fête... en (mangeant/allant...)
**we eat well/badly**   on mange bien/mal
**we eat/drink...**   on mange/boit...
**we sing/dance/have fun**   on chante/danse/fait la fête
**we're not (spoilt); on the contrary, we...**   on n'est pas (gâtés); au contraire, on...

**what I like least is/are...**   ce que j'apprécie le moins, c'est/ce sont...
**what I like most is/are...**   ce que j'apprécie le plus, c'est/ce sont...
**what is different at the weekend is that...**   ce qui est différent le week-end, c'est que...
**when I was 10 years old**   quand j'avais 10 ans
**when I was very young**   quand j'étais tout(e) petit(e)
**you must be joking!**   tu plaisantes/vous plaisantez!
**you're exaggerating!**   tu exagères/vous exagérez!

### 3B  Healthy living

**armchair sportsman/woman**   un(e) sportif/sportive en pantoufles
(to) **go to bed early/late**   se coucher tôt/tard
(to) **increase/decrease your consumption of...**   augmenter/diminuer sa consommation de/d'...
**I (don't) eat/drink/live healthily**   je (ne) mange/bois/vis (pas) sainement
**I advise you (not) to go**   je te/vous conseille de (ne pas) aller...
**I can/can't cook well**   je (ne) sais (pas) bien cuisiner
**I can't run for very long**   je ne peux pas courir longtemps
**I don't do anything special to improve...**   je ne fais rien de spécial pour améliorer...
**I easily get out of puff**   je m'essouffle facilement
**I have smoked for 3 years**   ça fait 3 ans que je fume
**I have the impression that...**   j'ai l'impression que...
**I haven't smoked for 3 years now**   ça fait 3 ans que je ne fume plus
**I neglect my health a bit**   je néglige un peu ma santé
**I never skip meals**   je ne saute jamais de repas
**I often skip my meals**   je saute souvent les repas
**I take care of my health**   je prends soin de ma santé
**I train regularly**   je m'entraîne régulièrement
**I was happy, pleased, thrilled**   j'ai été heureux/heureuse, content(e), ravi(e)
**I was surprised, astonished, shocked**   j'ai été surpris(e), étonné(e), choqué(e)
**I'm very healthy**   je suis en très bonne forme
**I'm lazy by nature**   je suis de nature paresseux/paresseuse
**I'm rather unhealthy**   je suis en assez mauvaise santé
**I'm going to be 16 soon**   je vais bientôt avoir 16 ans
**I've just had my 16th birthday**   je viens d'avoir 16 ans
**if I were in your shoes, ...**   à ta place, ...
**in front of the telly**   devant le petit écran
**it seems to me that...**   il me semble/paraît que...
**it's dangerous (not) to do...**   c'est dangereux de (ne pas) faire...
(to) **spend hours and hours watching...**   passer des heures et des heures à regarder...
**the best... I have ever eaten/bought/seen**   le/la meilleur(e)... que j'aie jamais mangé(e)/acheté(e)/vu(e)
**why not (go to the gym, etc.)?**   pourquoi ne pas aller au gymnase?
**with a little bit of...**   avec un petit peu de/d'...
**with a slice of ...**   avec une tranche de/d'...
**with small/huge amounts of...**   avec de petits/d'énormes quantités de/d'...

### 3C  Part-time jobs and work experience

**a long way from home**   très loin de chez moi
**a stone's throw from home**   à deux pas de chez moi

**before/during/after the interview**  avant/pendant/après l'entretien
**I (dis)like it**  ça me (dé)plaît
**I (dis)liked it**  ça m'a (dé)plu
**I applied for this job because...**  j'ai posé ma candidature parce que...
**I arrived on time/late**  je suis arrivé(e) à l'heure/en retard
**I can start (next week)**  je peux commencer (la semaine prochaine)
**I don't waste money on...**  je ne gaspille pas mon argent en...
**I don't like it at all**  ça ne me plaît pas du tout
**I didn't like it at all**  ça ne m'a pas plu du tout
**I find the work hard/easy**  je trouve le travail dur/facile
**I found the work hard/easy**  j'ai trouvé le travail dur/facile
**I forgot to...**  j'ai oublié de/d'...
**I get to work (by bus)**  je me rends au boulot (en autobus)
**I get on well/badly with...**  je m'entends bien/mal avec...
**I got on well/badly with...**  je m'entendais bien/mal avec...
**I got my hair cut**  je me suis fait couper les cheveux
**I have already done a work placement**  j'ai déjà fait une stage de travail
**I haven't done a work placement yet**  je n'ai pas encore fait de stage de travail
**I like it a lot**  ça me plaît beaucoup
**I liked it a lot**  ça m'a beaucoup plu
**I must get my hair cut**  je dois me faire couper les cheveux
**I passed my (French) exam**  j'ai réussi mon examen (de français)
**I'm (a bit) spoilt**  je suis (un peu) gâté(e)
**I'm very active**  je suis très actif/active
**I'm reliable**  on peut me faire confiance
**I'm intending to buy...**  je compte acheter...
**I'm not (at all) spoilt**  je ne suis pas (du tout) gâté(e)
**I'm particularly suited to this job**  je suis particulièrement apte à ce poste
**it's a dog's life!**  c'est une vie de chien!
**quite close to home**  assez près/pas très loin de chez moi
**the money is good/bad**  c'est bien/mal payé
**the part of the job I like most/least**  l'aspect du job qui me plaît le plus/moins
**we were exploited**  on était exploité(e)s
**with a top grade**  avec mention très bien
**with the money I have saved...**  avec l'argent que j'ai mis de côté...

## 3D Leisure

**as for (soaps)...**  pour ce qui est des (feuilletons)...
**because**  parce que, puisque, car, comme
**dubbed**  doublé
**earlier/later in (the day)**  plus tôt/tard dans (la journée)
**film (directed) by...**  un film de...
**film starring... in the role of...**  avec... dans le rôle de...
**he/she played the role of... well/badly**  il/elle a bien/mal joué le rôle de/d'...
**his/her last film was much better**  son dernier film était nettement meilleur
**I have always been interested in...**  ... m'a/ont toujours intéressé(e)
**I have never liked...**  je n'ai jamais aimé/apprécié...
**I prefer... to...**  je préfère les... aux...
**is that OK for you?**  ça te/vous convient?
**I'd like to, but...**  j'aimerais bien, mais...
**I'm not overkeen!**  ça ne me dit pas grand-chose!
**I've got lots of work to do**  j'ai un tas de travail à faire
**I've got to finish...**  je dois finir...

**it was so long/stupid!**  c'était tellement long/bête!
**it made me laugh my head off/cry**  ça m'a fait rire aux larmes/pleurer
**original version with subtitles**  en version originale soutitrée
**programmes like that**  les émissions comme ça/de ce genre
**suitable only for persons over 15**  interdit aux moins de 15 ans
**that depends (on the weather, etc.)**  ça dépend du temps
**that's (not) convenient for me**  ça (ne) me convient (pas)
**the film was really scary!**  le film était vraiment effrayant!
**the film is rubbish!**  le film ne vaut rien!
**the film was far too long**  le film était beaucoup trop long
**the problem is that...**  le problème c'est que...
**the subtitling was appalling!**  le sous-titrage était affreux!
**the weather is clearing up**  le temps s'éclaircit
**the weather is getting worse**  le temps se détériore
**(un)fortunately...**  (mal)heureusement...
**what a nuisance!**  que c'est ennuyeux/embêtant!
**what a shame!**  quel dommage!
**what I particularly like/hate is/are...**  ce que j'aime/je déteste surtout, c'est/ce sont...

## 3E Shopping

**at a reduced price**  à prix réduit, au rabais
**have you got a plastic bag/a cardboard box?**  vous n'auriez pas un sac en plastique/un carton?
**I don't like the colour/shape, etc.**  la couleur/la forme ne me plaît pas
**I haven't yet bought...**  je n'ai pas encore acheté...
**I like the material a lot**  le tissu me plaît énormément
**I need...**  j'ai besoin de/d'.../il me faut...
**I'll have (2 baguettes), please**  vous me donnez (2 baguettes), s'il vous plaît
**I'll take (6 croissants) too**  mettez-moi également (6 croissants)
**I'm disappointed/delighted with...**  je suis déçu(e)/ravi(e) de...
**I'm looking for...**  je cherche...
**I've already bought...**  j'ai déja acheté...
**I've kept the till receipt**  j'ai gardé le ticket de caisse
**in the sales**  en solde
**in which aisle is/are the... ?**  dans quelle allée se trouve(nt) le/la/l'/les...?
**it cost an absolute fortune!**  ça a coûté une véritable fortune!
**it's closed, open**  il/elle est fermé(e), ouvert(e)
**it's late-night opening**  c'est l'ouverture nocturne
**it's nice, strange, unusual**  il/elle est joli(e), bizarre, inhabituel(le)
**it's very cheap, expensive**  c'est très bon marché, cher
**novelty item**  un article de fantaisie/nouveauté
**on special offer**  en promotion
**recently, at the moment, soon**  récemment, en ce moment, bientôt
**that one over there**  celui-là/celle-là
**these ones here**  ceux-ci/celles-ci
**this one here**  celui-ci/celle-ci
**those ones over there**  ceux-là/celles-là
**we need (to buy)**  il nous faut acheter ...
**what do we need?**  qu'est-ce qu'il nous faut?
**what do you think?**  qu'en penses-tu?
**what's missing?**  qu'est-ce qui manque?
**when does it open/close?**  il/elle ouvre/ferme à quelle heure?
**where is the... department?**  où se trouve le rayon de/des...?

# Module 4: The young person in society

## 4A Character and personal relationships

(to) **annoy**   énerver
**faults**   les défauts
(to) **go out with...**   sortir avec...
**he looks clever**   il a l'air intelligent
**I argue with my parents**   je me dispute avec mes parents
**I get on well with...**   je m'entends bien avec...
**I don't get on well with...**   je ne m'entends pas bien avec...
**I am allowed to...**   j'ai le droit de...
**I want to get married**   je veux me marier
**I want to stay single**   je veux rester célibataire
**I want to have children**   je veux avoir des enfants
**I don't want children**   je ne veux pas d'enfants
**I think he's kind**   je le trouve gentil
**in my opinion, I am...**   à mon avis, je suis...
**in love**   amoureux/amoureuse
**my parents embarrass me**   mes parents me gênent
**people say I am...**   on me dit que je suis...
**qualities**   les qualités
**she looks shy**   elle a l'air timide
(to) **respect**   respecter
**what is he/she like?**   comment est-il/elle?

## 4B The environment

**air pollution**   la pollution de l'air
(to) **ban cars**   supprimer les voitures
(to) **develop pedestrian zones**   aménager des zones piétonnes
(to) **encourage people to use the bus**   encourager les gens à prendre le bus
**exhaust fumes**   les gaz d'échappement
**global warming**   le réchauffement de la terre
**greenhouse effect**   l'effet de serre
**it is necessary to...**   il faut...
**noise**   le bruit
**oil slick**   la marée noire
**ozone layer**   la couche d'ozone
**parks (in town)**   les espaces verts
(to) **plant trees**   planter des arbres
(to) **recycle paper/glass**   recycler le papier/le verre
(to) **reduce noise**   réduire le bruit
(to) **reuse carrier bags**   réutiliser des sacs en plastique
**rubbish**   les ordures
(to) **save energy**   conserver l'énergie
**threatened species**   les espèces menacées
**waste**   les déchets
**water pollution**   la pollution de l'eau

## 4C Education

**buildings**   les bâtiments
**break**   la récréation
**canteen**   la cantine
**homework**   les devoirs
**I study...**   j'étudie...
**it's useful, easy, interesting**   c'est utile, facile, intéressant
**it's rubbish, difficult, boring**   c'est nul, difficile, barbant
**my favourite subject is...**   ma matière préférée est...
**lessons start at...**   les cours commencent à...
**lessons finish at...**   les cours finissent à...
**lessons last one hour**   les cours durent une heure

**library**   la bibliothèque
**lunch break**   la pause-déjeuner
**primary school**   l'école primaire
**rules**   les règles
**school day**   la journée scolaire
**school uniform**   l'uniforme scolaire
**secondary school (11–15)**   le collège
**secondary school (15–18)**   le lycée
**subjects**   les matières
**university**   l'université
**what I have enjoyed the most...**   ce que j'ai aimé le plus...
**work experience**   un stage pratique

## 4D Careers and future plans

(to) **become...**   devenir...
(to) **buy my own house**   acheter ma propre maison
(to) **find a job**   trouver un emploi
(to) **get married**   se marier
(to) **go to university**   aller à l'université
(to) **have children**   avoir des enfants
**I am going to...**   je vais...
**I dream of...**   je rêve de...
**I hope to...**   j'espère...
**I intend to...**   j'ai l'intention de...
**I want to...**   je veux...
**I would like to...**   je voudrais...
(to) **leave school**   quitter l'école
(to) **live...**   habiter...
(to) **meet...**   rencontrer...
(to) **stay at school**   rester à l'école
(to) **travel around the world**   voyager autour du monde
**there will be...**   il y aura...
(to) **visit...**   visiter...
(to) **work as/in...**   travailler comme/dans...

## 4E Social issues, choices and responsibilities

**AIDS**   le sida
**alcohol**   l'alcool
**bad for you**   mauvais pour la santé
**child abuse**   le maltraitement des enfants
(to) **do sport**   faire du sport
**drugs**   la drogue
**good for you**   bon pour la santé
(to) **help others**   aider les autres
**(the) homeless**   les sans abris
**human rights**   les droits de l'homme
**I am against...**   je suis contre...
**I am in favour of...**   je suis pour...
**I cannot stand...**   je ne peux pas supporter...
**I like drinking...**   j'aime boire...
**I like eating...**   j'aime manger...
**I smoke**   je fume
**it is necessary to...**   il faut...
**it is not necessary to...**   il ne faut pas...
**one ought to...**   on devrait...
**poverty**   la pauvreté
**racism**   le racisme
**sex equality**   l'égalité des sexes
**unemployment**   le chômage
**you have the right to...**   on a le droit de...
**violence**   la violence

# Vocabulaire français–anglais

This vocabulary contains all but the most common words which appear in the book, apart from some words which appear in the reading materials but which are not essential to understanding the item. Where a word has several meanings, only those which occur in the book are given. Verbs marked * involve spelling changes; those marked ** are irregular. Check these in the verb tables.

**Abbreviations**: *m.* = masculine noun; *f.* = feminine noun; *pl.* = plural form; F. = familiar, slang word or expression. Feminine endings of adjectives are indicated in brackets.

**A**
**à** at, to, in
**à peu près** about, roughly
**abattre**\*\* to put down (*animal*)
**abimer** to spoil, damage
**d'abord** first of all, at first
**abordable** feasible, manageable
**accabler** to overwhelm
**accompagner** to accompany
**d'accord** OK, agreed
**actuel(le)** present, current
**accueillir**\*\* to welcome
**acheter**\* to buy
**acteur/actrice** *m./f.* actor
**actif(-ive)** active
**activité** *f.* activity
**actualités** *f. pl.* news
**addition** *f.* bill
**adhérer**\* to join, be a member of
**adhésion** *f.* membership
**adolescent/-e** *m./f.* adolescent
**adorer** to love
**adresse** *f.* address
**s'adresser à** to speak to, go and see
**aérobic** *m.* aerobics
**affectif(-ve)** emotional
**affectueux(-euse)** affectionate
**afficher** to display; announce
**affluence: aux heures d'affluence** in the rush-hour
**affreux(-euse)** terrible, awful
**africain(e)** African
**Afrique** *f.* Africa
**agacer**\* to irritate, annoy
**âgé(e)** elder; old
**âge: troisième âge** senior citizen, OAP
**s'agir de: il s'agit de** it's a question of, it's about
**agité(e)** restless
**agréable** pleasant
**agricole** agricultural
**agriculture** *f.* agriculture
**aide** *f.* help, assistance
**aider** to help
**aile** *f.* wing
**ailleurs** elsewhere; **d'ailleurs** besides; moreover
**aimable** kind, nice
**aimer mieux** to prefer
**aîné(e)** elder

**ainsi que** as well as
**air: avoir l'air** to look
**en plein air** in the open air
**aisé(e)** easy; well-off
**AJ (auberge de jeunesse)** *f.* youth hostel
**ajouter** to add
**alentours** *m. pl.* surroundings, vicinity
**aliment** *m.* food(stuff)
**Allemagne** *f.* Germany
**allemand(e)** German
**aller**\*\* to go
**aller-retour** *m.* return ticket
**allergique** allergic
**allumer** to light
**alors** then, so; then
**amateur** *m.* **(de sport,** etc.) (a sport, etc.) lover
**ambiance** *f.* atmosphere
**ambition** *f.* ambition
**améliorer** to improve
**aménagements** *m. pl.* facilities
**aménager** to develop
**ami/amie** *m./f.* friend
**ample** baggy (*clothes*)
**amusant(e)** amusing
**s'amuser** to have a good time
**an** *m.* year
**ancien(ne)** ancient; former
**angle** *m.* angle; corner
**animal** *m.* animal; **animal domestique** pet
**animé(e)** busy, lively
**année** *f.* year
**anniversaire** *m.* birthday
**annonce** *f.* advertisement, small ad.
**antillais(e)** West Indian
**antipathique** unpleasant, disagreeable
**antiquité** *f.* antique
**apercevoir**\*\* to notice
**appartement** *m.* flat
**appartenir**\*\* to belong
**appel** *m.* call
**appel téléphonique** telephone call
**s'appeler**\* to be called
**apporter** to bring
**apprécier** to appreciate
**apprendre**\*\* to learn
**apprentissage** *m.* apprenticeship
**après avoir...** after having ...
**après-midi** *m.* afternoon
**apte à** suited to

**aquatique** aquatic
**arachide: beurre d'arachide** *m.* peanut butter
**arbre** *m.* tree
**argent** *m.* money; **en argent** silver
**argent** *m.* **de poche** pocket money
**argent** *m.* **liquide** cash
**armoire** *f.* wardrobe
**araignée** *f.* spider
**arranger** to arrange
**arrêt** *m.* **d'autobus** bus stop
**arrêter** to stop
**s'arrêter** to stop
**arriver** to happen; to arrive
**article** *m.* article
**articulations** *f. pl.* joints
**ascenseur** *m.* lift
**aspect** *m.* appearance
**aspirateur** *m.* hoover
**s'asseoir**\*\* to sit down
**assez (de)** enough
**assister** to assist; be present at
**assouplir** to make supple
**assurer** to ensure; to provide
**atelier** *m.* workshop
**athlétisme** *m.* athletics
**atout** *m.* trump card; asset
**atteindre**\*\* to reach
**attirer** to attract, draw
**attraper** to catch
**attrayant(e)** attractive
**auberge** *f.* **de jeunesse** youth hostel
**aucun(e)** no, not one; any
**audacieux(-euse)** daring
**augmenter** to increase
**aujourd'hui** today
**aussitôt** immediately
**aussi** also; as well
**autant** so much
**autant que** as much as
**autobus** *m.* bus
**autorisation** *f.* permission
**autorité** *f.* authority
**autoroute** *f.* motorway
**autre** other
**avant** before
**avant de...** before ... -ing
**avantage** *m.* advantage
**avare** mean, tight-fisted
**avec** with

**avenir** *m.* future
**aventureux(-euse)** adventurous
**avenue** *f.* avenue
**averse** *f.* shower
**avertir** to warn, inform
**aveugler** to blind
**aviateur** *m.* aviator
**aviation** *f.* aviation
**avis** *m.* notice; opinion
**avis: à mon avis** in my opinion
**avoir**\*\* to have
**avoir**\*\* **envie de** to want to
**avoir**\*\* **lieu** to take place
**avouer** to admit, confess
**ayant** having

## B

**bac (baccalauréat)** *m.* examination (*roughly equivalent to A level*)
**bac à sable** *m.* sandpit
**bâcler** to botch (up)
**bagarre** *f.* fight
**baignade** *f.* bathing
se **baigner** to bathe
**baignoire** *f.* bath(tub)
**bain** *m.* bath; **salle** *f.* **de bain** bathroom
**baisse: en baisse** dropping
**baisser** to lower; **baisser la musique** to turn down the music
se **balader** to go for a walk
**baladeur** *m.* personal stereo
**balançoire** *f.* swing; seesaw
**balayer** to sweep
**balcon** *m.* balcony
**bande** *f.* band; gang
**bande** *f.* **dessinée** cartoon strip
**banlieue** *f.* suburb
**banque** *f.* bank
**barbe** *f.* beard; **quelle barbe!** what a bore!
**barbant(e)** boring
**barque** *f.* **de pêche** fishing boat
**bas** *m.* stocking
**bas (basse)** low
**baser** to base
**baskets** *f. pl.* trainers
**bateau** *m.* boat
**bâtiment** *m.* building
**battre** to beat
**bavard(e)** talkative, gossipy
**beau (belle)** handsome; beautiful
**beau-père** *m.* stepfather; father-in-law
**beaucoup de** a lot, many
**beauté: produits de beauté** make-up, cosmetics
**bébé** *m./f.* baby
**belge** Belgian
**Belgique** *f.* Belgium
**belle-mère** *f.* stepmother; mother-in-law
**berger allemand** *m.* German shepherd dog, alsatian
**besoin: avoir besoin de** to need
**bête** silly, stupid; **bête noire** pet hate
**bêtise** *f.*; **faire des bêtises** to muck around; to do stupid things
**béton** *m.* concrete
**beurre** *m.* butter
**bibelot** *m.* ornament
**bibliothèque** *f.* library
**bien** well, good

**bien cuit(e)** well done (*cooked*)
**bien entendu** of course
**bientôt** soon
**bijoux** *m. pl.* jewels
**billard** *m.* snooker; billiards
**billet** *m.* ticket
**bio: manger bio** to eat organic food
**bis: 2 bis** 2a (*house number*)
**bizarre** strange, peculiar
**blague** *f.* joke
**blâme** *m.* blame
**bleu(e)** blue
**blond(e)** blond
**blouse** *f.* overall; smock
**blouson** *m.* jacket
**boire**\*\* to drink
**bois** *m.* wood
**boisson** *f.* drink
**boîte** *f.* box; tin; can
**boîte** *f.* **à ordures** rubbish bin
**boîte** *f.* **de nuit** night club
**bonheur** *m.* happiness
**boudeur(-euse)** moody, sulky
**branchement** *m.* **électrique** mains electricity point
**bon(ne)** good
**bonjour** hello
**bord** *m.* edge; **au bord de la mer** at the seaside
**botte** *f.* boot
**bouche** *f.* mouth
**bouclé(e)** curly
**bouffe** *f.* F. food, grub
**bouillir**\*\* to boil
**boulevard** *m.* boulevard
**boulot** *m.* work, job
**boum** *f.* party
**au bout de** at the end of
**bref (brève)** brief
**brillant(e)** bright; shiny
**briller** to shine; **je ne brille pas en...** I'm not much good at...
**brique** *f.* brick
**brise** *f.* breeze
**briser** to break
**britannique** British
**brochure** *f.* brochure
**brosse: en brosse** crew-cut
se **brosser** to brush
**brouillard** *m.* fog
**bruit** *m.* noise
**brume** *f.* mist
**brumeux(-euse)** misty
**brun(e)** brown
**brutaliser** to treat roughly; to bully
**bruyant(e)** noisy
**bûche** *f.* log
**buanderie** *f.* laundry room, utility room
**bulletin** *m.* **d'adhésion** membership application form
**bureau** *m.* office; desk
**bureau** *m.* **de poste** post office
**bus** *m.* bus
**but** *m.* goal; aim

## C

**ça** this, that
**cacahuète** *f.* peanut
**cacher** to hide
**cadeau** *m.* (*pl.* **cadeaux**) present, gift

**cadet(-ette)** younger
**cafard: avoir le cafard** to feel fed up, depressed
**café** *m.* café; coffee
**cage** *f.* **à poules** climbing frame, jungle gym
**cage** *f.* **d'escalier** stairwell
**caissier/-ière** *m./f.* check-out person, cashier
**calorifère** *m.* stove; heater
**camarade** *m./f.* friend, mate
**camion** *m.* lorry, truck
**campagne** *f.* country; **à la campagne** in the country
**canadien(-ienne)** Canadian
**canapé** *m.* settee, sofa
**candidature** *f.* application (for job, etc.)
**canine: pollution** *f.* **canine** dog's mess
**canoë-kayak** *m.* canoe
**candidat/e** *m./f.* candidate
**cantine** *f.* canteen
**car** because
**caractère** *m.* character
**carnet** *m.* book of tickets
**carotte** *f.* carrot
**carré(e)** square
**à carreaux** check(ed)
**carrefour** *m.* crossroads
**carrière** *f.* career
**carte** *f.* card; menu; map
**carte** *f.* **postale** post-card
**casanier(-ière)** stay-at-home, stop-at-home
**case** *f.* box
**casier** *m.* pigeon-hole
**casino** *m.* casino
**casquette** *f.* cap
**casse-croûte** *m.* snack
**casse-pieds** boring, a pain (in the neck)
**casser** to break
**cassis** *m.* blackcurrant
**catégorie** *f.* category
**cauchemar** *m.* nightmare
**causer** to chat
**cave** *f.* cellar
**ce, cette, ces** this, that
**ce... -ci, ce... -là** this one, that one
**céder**\* to give way to
**ceinture** *f.* belt
**célèbre** famous
**célébrité** *f.* celebrity
**célibataire** *m./f.* bachelor; single woman
**celui-ci, celle-ci, ceux-ci, celles-ci** this one, these
**censé(e)** reputed, considered
**centre commercial** *m.* shopping centre
**centre hippique** *m.* riding stables
**centre sportif** *m.* sports centre
**centre-ville** *m.* town centre
**cependant** however, nevertheless
**céréale** *f.* cereal
**cerise** *f.* cherry
**chacun(e)** each; every one
**chaise** *f.* chair
**chaîne** *f.* chain; (TV) channel
**chaîne** *f.* **hi-fi** hi-fi system
**chaîne** *f.* **compacte** compact disc player
**chaleur** *f.* heat, warmth
**chaleureux(-euse)** warm
**chambre** *f.* bedroom
**chambres** *f. pl.* **d'hôte** bed and breakfast

**champ** *m.* field
**chance: avoir de la chance** to be lucky
**chandelier** *m.* candle holder
**chandelle** *f.* candle
**changer\*** to change
**chanteur/-eus**e *m./f.* singer
**chantier** *m.* **naval** naval dockyard
**chapiteau** *m.* big top, tent
**chaque** each, every
**chapeau** *m.* hat
**chasse** *f.* hunt
**chasser** to hunt
**charger** to load, stack
**châtain** chestnut brown
**château** *m.* palace, stately home
**château-fort** *m.* stronghold, fortified castle
**chaud(e)** hot; **avoir chaud** to be hot; **faire chaud** to be hot (*weather*)
**chauffage** *m.* heating; **chauffage central** central heating
**chauffe-eau** *m.* water heater; boiler
**chauffer** to heat
**chauffeur** *m.* driver
**chaumière** *f.* cottage
**chaussettes** *f. pl.* socks
**chaussures** *f. pl.* shoes; **chaussures de sport** sports shoes; **chaussures de ski** ski boots
**chauve** bald
**cheminée** *f.* chimney; open fireplace
**chemise** *f.* shirt
**chemisier** *m.* blouse
**cher (chère)** dear, expensive
**chercher** to look for
**cheval** *m.* horse
**chevet: une table de chevet** bedside table
**cheveux** *m. pl.* hair
**chez** at —'s house, place; at —'s shop
**chez moi** at/to my house, place
**chez nous** at/to our house
**chien** *m.* dog
**chiffres** *m. pl.* figures
**choix** *f.* choice
**choisir** to choose
**chômage** *m.* unemployment
**choquer** to shock
**chose** *f.* thing; **quelque chose** something; **pas grand'chose** not much
**chou** *m.* (-x *pl.*) cabbage
**chouette!** great! super! smashing!
**chrétien(ne)** Christian
**ci-dessous** below
**ci-dessus** above
**ci-joint** enclosed (*with letter*)
**cimenterie** *f.* cement works
**cinéma** *m.* cinema
**cintre** *m.* coat hanger
**circulation** *f.* traffic
**clair(e)** clear; **bleu clair** light blue
**classe** *f.* class
**clé (or clef)** *f.* key
**climat** *m.* climate
**cloche** *f.* bell; **mettre sous cloche** F. to wrap up in cotton wool
**clos(e)** enclosed
**cocher** to tick off, put a tick (next to)
**cochon d'Inde** *m.* guinea pig
**code postale** *m.* postcode
**cœur** *m.* heart; **par cœur** by heart
**coffre** *m.* boot (*of car*)

**coiffeur/-euse** *m./f.* hairdresser
**coin** *m.* corner; **dans le coin** in the neighbourhood
**cohabiter** to cohabit
**colis** *m.* parcel
**collant** *m.* (pair of) tights
**collation** *f.* light meal, snack
**colle** *f.* glue; detention
**collecte** *f.* collection point (*for recycling*)
**collectionner** to collect
**collège** *m.* (secondary) school
**collègue** *m./f.* colleague
**collier** *m.* collar; necklace
**colline** *f.* hill
**combien (de...)?** how much? how many?; **tous les combien?** how often?
**comme** as; like
**commencer\*** to start, commence
**comment...?** how...?
**commissariat** *m.* police station
**commode** *f.* chest of drawers
**commun: les transports en commun** public transport
**compagnie** *f.* company
**compagnie** *f.* **d'assurances** insurance company
**compléter\*** to complete
**complexe** *m.* complex
**compliqué(e)** complicated
**se comporter** to behave
**composer** to dial
**compréhensif(-ive)** understanding
**comprendre\*\*** to understand
**comptable** *m.* accountant
**compte** *m.* (bank) account; **à son compte** for oneself
**se rendre compte** to realise
**compter** to count
**concernant** concerning
**concerne: en ce qui concerne...** as far as ... is concerned
**concert** *m.* concert
**concours** *m.* competition
**conducteur** *m.* driver
**conduire\*\*** to drive
**confiance** *f.* trust
**confisquer** to confiscate
**congé** *m.*: **après-midi de congé** afternoon off
**connaissance: faire la connaissance de** to meet, make the acquaintance of
**connaître\*\*** to know, be acquainted with
**consacrer** to devote
**conseiller/-ère** *m./f.* adviser; counsellor
**conseils** *m. pl.* advice
**considérer\*** to consider
**construire\*\*** to build
**contacter** to contact
**contenir\*\*** to contain
**continuer** to continue
**contre** against; **par contre** on the other hand
**convenir\*\*** to be suitable
**conversation** *f.* conversation
**copain/copine** *m./f.* friend, mate, pal
**copier** to copy
**corps** *m.* body
**correspondant(e)** corresponding to
**correspondant/-ante** *m./f.* penfriend
**correspondre** to write, correspond

**corriger** to correct
**côte** *f.* coast
**côté** *m.* side; **à côté de** next to
**cotisation** *f.* subscription; **les cotisations** contributions
**couche d'ozone** *f.* ozone layer
**se coucher** to lie down, go to bed
**coucher: le coucher du soleil** sunset, nightfall
**couloir** *m.* corridor
**coupe** *f.* cup
**coupure** *f.* break
**courir\*\*** to run
**cour** *f.* (court)yard
**couronne** *f.* crown
**cours** *m.* lesson, class; **au cours de** in the course of
**courses** *f. pl.* shopping
**court: à court de** short of
**cousin/cousine** *m./f.* cousin
**coussin** *m.* cushion
**coûter** to cost
**coutume** *f.* custom
**couture** *f.* sewing; fashion world
**couvert(e)** covered; **ciel couvert** overcast sky; **piscine couverte** indoor swimming pool
**couverture** *f.* cover
**crachins** *m. pl.* drizzle
**crainte** *f.* fear
**cravate** *f.* tie
**crevé(e)** tired, exhausted
**crier** to shout
**croire\*\*** to believe
**crotte** *f.* dog's mess
**croix** *f.* cross
**crudités** *f. pl.* raw vegetables
**cuillerée** *f.* spoonful
**en cuir** leather
**cuisine** *f.* kitchen; cooking
**cuisinier/-ière** *m./f.* cook
**cuisson** *f.* cooking
**cultiver** to grow; cultivate
**cyclomoteur** *m.* moped

## D

**dans** in
**danser** to dance
**date** *f.* date
**date** *f.* **de naissance** date of birth
**daurade** *f.* sea bream (*fish*)
**davantage** more
**de** of; from
**Débarquement** *m.* (D-Day) landing
**débarrasser** to clear (*table*)
**débattre: à débattre** to be discussed
**débrouillard(e)** resourceful
**début** *m.* start
**décédé(e)** deceased
**décevant(e)** disappointing
**déchets** *m. pl.* rubbish, litter
**déchiffrer** to decipher, decode
**décider** to decide
**décision** *f.* decision
**déclaration** *f.* declaration
**décorer** to decorate
**découvrir\*\*** to discover
**décrire\*\*** to describe
**déçu(e)** disappointed
**dedans** in it, inside

**défaire\*\*** to undo; unpack
**défaut** *m.* fault, flaw
**défendre** to forbid
**défendu: il est défendu** it is forbidden
**dégradation** *f.* damage
**degré** *m.* degree
**en dehors de** outside
**déjà** already
**délabré(e)** tatty; dilapidated
**deltaplane** *m.* hang-gliding
**demain** tomorrow
**demander** to ask for
**déménager** to move (*house*)
**demeurer** to live, stay
**demi(e)** half
**demi-pension** *f.* half board
**démodé(e)** old-fashioned
**dénouement** *m.* outcome
**dent** *f.* tooth
**dépaysé(e)** not feeling at home, disoriented
**se dépêcher** to hurry
**dépenser** to spend
**se déplacer** to move, travel, get about
**déplaire\*\*** to displease
**dépliant** *m.* leaflet, pamphlet
**déposer** to leave; put down
**déprimé(e)** depressed
**depuis** since
**dérangement: en dérangement** out of order
**déraper** to skid
**dernier(-ière)** last
**derrière** behind
**dès** from
**désagréable** unpleasant
**descendre** to go down
**description** *f.* description
**désespérer\* de** to despair of
**désespéré(e)** desperate
**se déshabiller** to undress
**désherber** to weed
**désirer** to want
**désolé(e)** sorry
**désordre: en désordre** untidy; in disorder
**dessin** *m.* drawing; art
**dessin** *m.* **animé** cartoon, film
**désir** *m.* wish; desire
**au dessous de** underneath
**au dessus de** above
**destiner à** to intend for
**détail** *m.* detail
**se détendre** to relax
**détente** *f.* relaxation
**détester** to detest
**détritus** *m. pl.* litter, rubbish
**deuxième** second
**deux-pièces** *m.* two-roomed flat
**devant** in front of
**devenir\*\*** to become
**devoir\*\*** must, to have to
**devoirs** *m. pl.* homework
**dévorer** to devour
**dialogue** *m.* dialogue
**différent(e)** different
**difficile** difficult
**diffuser** to broadcast
**digérer\*** to digest
**dimanche** *m.* Sunday
**dinde** *f.* turkey
**dîner** to have dinner
**dîner** *m.* dinner

**dire\*\*** to say, tell
**directeur/directrice** *m./f.* director
**se diriger\* vers** to direct/head towards
**discours** *m.* speech
**discuter** to discuss
**disparaître\*\*** to disappear
**disparition** *f.* disappearance
**disponible** available
**dispensaire** *m.* clinic
**dispute** *f.* quarrel
**se disputer** to argue
**disque** *m.* record
**disque** *m.* **compact** compact disc (CD)
**distingué(e)** distinguished
**distractions** *f. pl.* distractions; things to do in your spare time
**se distraire\*\*** to amuse oneself, enjoy oneself
**divertissement: émission de divertissement** *f.* light-entertainment programme
**divorcer** to divorce
**documentaire** *m.* documentary
**doigt** *m.* finger
**dominer** to dominate
**dommage** *m.* pity
**don** *m.*: **faire don de** to donate
**donc** so; then
**donner** to give; **donner sur** to look out (on to)
**dont** whose; of which
**doré(e)** gold-coloured
**dormir\*\*** to sleep
**dossier** *m.* file
**doux (douce)** gentle
**doucement** gently
**douche** *f.* shower; **se doucher** to shower
**doué(e)** gifted
**drap** *m.* sheet
**dresser** to draw up (*list*)
**drogue** *f.* drugs
**droit** *m.* right; **avoir le droit de** to be allowed to; **tout droit** straight ahead
**à droite** on, to the right
**drôle** funny
**duplex** *m.* split level flat
**durer** to last, take (*time*)
**dynamique** dynamic

**E**

**échange** *m.* exchange
**s'échapper** to escape
**écharpe** *f.* scarf
**échecs** *m. pl.* chess
**échouer** to fail
**éclair** *m.* (flash of) lightning
**éclaircies** *f. pl.* bright, sunny periods
**école** *f.* school
**économie** *f.* economics
**économies** *f. pl.* savings
**écossais(e)** Scottish
**Écosse** *f.* Scotland
**écouter** to listen (to)
**écran** *m.* screen
**écraser** to crush; run over
**écrire** to write
**éducation** *f.*: **éducation civique** civics
**éducation manuelle et technique (EMT)** technology;
**éducation physique et sportive (EPS)** PE
**éduquer** to educate
**efficace** effective

**s'efforcer de** to try (hard) to
**également** equally; as well
**égalité** *f.* equality
**égarer** to mislay; **s'égarer** to get lost
**égoïste** selfish
**élevage** *m.* rearing (*animals*)
**élève** *m./f.* pupil
**élever\*** to bring up (*children*); to raise (*animals*)
**emballer** to wrap up
**embêtant(e)** annoying
**embêter** to annoy
**émigrer** to emigrate
**émission** *f.* programme, broadcast
**empêcher** to prevent
**emploi** *m.* job
**emploi** *m.* **du temps** timetable
**employé/employée** *m./f.* employee
**emprunter** to borrow
**en** in
**s'endormir** to fall asleep
**endroit** *m.* place
**énergie** *f.* energy
**énergique** energetic
**énerver** to irritate
**enfant** *m./f.* child
**enfantin(e)** childish
**enfiler** to slip on
**enfin** at last; finally
**engrais** *m.* fertilizer
**enlever\*** to remove, take off
**ennui** *m.* worry
**ennuyeux(-euse)** boring
**enregistrer** to tape, record
**s'enrhumer** to catch a cold
**enseignant(e)** *m./f.* teacher
**enseignement** *m.* teaching; education
**ensemble** together
**ensoleillé(e)** sunny
**ensuite** next; then
**en tant que** as
**entendre** to hear
**s'entendre bien avec** to get on well with
**entourer** to surround
**entraîner** to lead to; to entail
**entre** between
**entrée** *f.* entrance
**entreprise** *f.* firm
**entrer (dans)** to enter
**entretien** *m.* upkeep; interview
**envers** towards
**envie: j'ai envie de...** I want to...; I feel like...
**environ** about, roughly, approximately
**envoyer\*** to send
**épais(-sse)** thick
**éplucher** to peel
**époque** *f.* time, period
**épouser** to marry
**épouvantable** dreadful, appalling
**épouvante: film d'épouvante** *m.* horror film
**épuisé(e)** exhausted, flat (*battery*)
**équestre: un centre équestre** riding stables
**équilibre** *m.* balance
**équilibré(e)** balanced
**équipe** *f.* team
**équipé(e)** equipped
**équipement** *m.* equipment
**équitation** *f.* horse-riding
**érable** *m.* maple: **sirop d'érable** *m.* maple syrup

**errer** to wander
**escalade** *f.* climbing
**escalier** *m.* stairs
**espace** *m.* space; **espace vert** park
**Espagne** *f.* Spain
**espagnol(e)** Spanish
**espèce** *f.* species
**espèces** *f. pl.* cash
**espérer*** to hope
**espoir** *m.* hope
**essayer*** to try
**essoufflé(e)** breathless
**essoufflement** *m.* breathlessness
**essuyer*** to wipe
**est** *m.* east
**et** and
**établir** to establish; set up
**établissement** *m.* establishment
**étage** *m.* floor, storey
**étagère** *f.* shelf
**étaler** to spread
**état** *m.* state, condition
**été** *m.* summer
**éteindre*** to switch off
**éthnie** *f.* ethnic group, race
**étoile** *f.* star
**étourdi(e)** absent-minded
**à l'étranger** abroad
**étranger (-ère)** foreign, foreigner
**être*** to be
**étroit(e)** narrow
**étude** *f.*: **faire des études** to study
**étudiant/-ante** *m./f.* student
**étudier** to study
**eux** they, them
**éventuellement** possibly
**évidemment** obviously
**excéder*** to exceed
**exemple** *m.* example
**exercice** *m.* exercise
**exiger** to demand
**exister** to exist
**expérience** *f.* experience; experiment
**explication** *f.* explanation
**expliquer** to explain
**exposé** *m.* talk
**exposition** *f.* display; exhibition
**s'exprimer** to express oneself
**extérieur** *m.* outside; exterior
**extra** first rate
**extraverti(e)** extrovert
**extrême** *m.* extreme

## F

**fabriquer** to make; manufacture
**fac** *f.* university
**facho** *m.* F. fascist
**facile** easy
**facilement** easily
**façon** *f.* way: **de toute façon** anyway, in any case
**facture** *f.* bill
**faculté** *f.* faculty
**faible** weak
**faim: avoir faim** to be hungry
**fainéant(e)** bone idle
**faire*** to make, do; **ça ne fait rien** it doesn't matter;
**faire demi-tour** to turn round
**faire une randonnée** to go for a walk/ramble

**faire des économies** to save money
**faire des courses** to go shopping
**fait: ça fait deux ans que je...** I've been ... -ing for two years
**fait divers** *m.* news item (*in newspaper*)
**falloir*** to be necessary
**familial(e)** family
**famille** *f.* family
**fantastique** fantastic
**fatigant(e)** tiring
**faut: il faut** it is necessary; **il me faut** I must have/need; **comme il faut** proper
**faute** *f.* fault
**fauteuil** *m.* armchair; **fauteuil** *m.* **roulant** wheelchair
**faux (fausse)** false, wrong
**favoriser** to favour
**féliciter** to congratulate
**femme** *f.* woman; wife
**femme** *f.* **au foyer** housewife
**femme** *f.* **d'affaires** business woman
**fenêtre** *f.* window: **jeter de l'argent par la fenêtre** to throw money down the drain
**fer** *m.* iron
**ferme** *f.* farm
**fermier** *m.* farmer
**fêter** to celebrate
**feuilleton** *m.* serial
**feux** *m. pl.* traffic lights
**fiable** reliable
**se fiancer** to get engaged
**fiche** *f.* card, form, certificate, pamphlet
**fiche** *f.* **explicative** information sheet
**fier (fière)** proud
**fille** *f.* girl; daughter; **fille unique** only daughter
**fils** *m.* son; **fils unique** only son
**fin** *f.* end
**finalement** finally
**finance** *f.* finance
**finir** to finish; end
**fleur** *f.* flower
**fleuve** *m.* river
**foie: foie gras** *m.* (goose-liver) pâté
**fois** *f.* time, occasion
**foncé(e)** dark (*colour*)
**fond** *m.* back, bottom; **au fond de** at the back of
**forêt** *m.* forest
**formation** *f.* training
**en forme** in good shape; on form
**formidable!** great! tremendous! fantastic!
**fort(e)** strong; **fort(e) en** good at
**fou (folle)** mad, crazy
**four** *m.* oven
**fournir** to provide; supply
**fourrière** *f.* (*animal*) pound
**foyer** *m.* hearth; family home; fireplace
**français(e)** French
**Français/Française** *m./f.* Frenchman/woman
**francophone** French-speaking
**frère** *m.* brother
**frisé(e)** curly
**froid(e)** cold; **avoir froid** to be cold; **faire froid** to be cold (*weather*)
**fumeur/-euse** *m./f.* smoker; **non-fumeur(-euse)** non-smoker
**au fur et à mesure** progressively
**futur** *m.* future

## G

**gâcher** to spoil (*pleasure, etc.*)
**gagner** to win; to earn
**Galles: pays de Galles** *m.* Wales
**gallois(e)** Welsh
**garagiste** *m.* garage owner
**garçon** *m.* boy; **garçon** *m.* **de café** waiter
**garder** to keep; look after
**gare** *f.* station
**gare** *f.* **maritime** harbour station
**gare** *f.* **routière** bus/coach station
**garer** to park
**gas-oil** *m.* diesel (*fuel*)
**gâter** to spoil (*child*)
**gâté(e)** spoilt
**gauche: à gauche** to/on the left
**geler*** to freeze
**gêner** to bother
**gêné(e)** embarrassed
**gens** *m./f. pl.* people
**général: en général** in general
**généreux(-euse)** generous
**genre** *m.* kind, type, sort
**gentil(le)** nice, kind
**gerbille** *f.* gerbil
**gilet** *m.* waistcoat; cardigan
**glace** *f.* ice
**goutte** *f.* drop
**gouvernement** *m.* government
**grâce à** thanks to
**grand(e)** big; tall; **pas grand'chose** not much, not a lot;
**grand-mère** *f.* grandmother
**grand-père** *m.* grandfather
**grandir** to grow
**grands-parents** *m. pl.* grandparents
**grange** *f.* barn
**graphique** *m.* graph
**gratuit(e)** free
**grenier** *m.* loft, attic
**grille** *f.* grid
**grincheux(-euse)** grumpy
**gris(e)** grey
**gros (grosse)** fat
**groupe** *m.* group
**guépard** *m.* cheetah
**guerre** *f.* war
**gymnase** *m.* gym(nasium)

## H

**s'habiller** to get dressed
**habitation** *f.* dwelling; house
**habiter** to live
**habitude** *f.* habit
**d'habitude** usually
**s'habituer à** to get used to
**haine** *f.* hatred
**hall** *m.* **d'entrée** entrance hall
**haltérophilie** *f.* weight-lifting
**handicapé(e)** handicapped
**haricot** *m.* **vert** French bean; string bean
**hausse: en hausse** rising
**haut(e)** high
**hebdomadaire** weekly
**héberger*** to accommodate
**heure** *f.* hour; **à une heure** at one o'clock; **tout à l'heure** a short while ago; soon; **de bonne heure** early; **à l'heure** on time
**heureusement** fortunately, luckily
**heureux(-euse)** happy
**hier** yesterday

**hindou(e)** Hindu
**hippique** horse, equestrian
**histoire** *f.* history; story
**hiver** *m.* winter
**homme** *m.* man
**homme** *m.* **d'affaires** business man
**homme** *m.* **au foyer** house husband
**homologué(e)** catalogued; approved
**honnête** honest
**honte: avoir honte** to be ashamed
**hôpital** *m.* hospital
**horaire** *m.* timetable, schedule
**horreur: j'ai horreur de** I loathe, detest
**hors de** out of
**horticulture** *f.* horticulture
**hôtel de ville** *m.* town hall
**humain(e)** human
**humeur: de mauvaise humeur** in a bad
  mood; **de bonne humeur** in a good
  mood

**I**

**ici** here
**idéal(e)** ideal
**il y a** there is; there are
**image** *f.* picture
**imaginer** to imagine
**immédiatement** immediately
**immeuble** *f.* building, block of flats
**impliqué(e)** involved
**n'importe quand** at any time; **n'importe
  quel(le)...** any; **n'importe quoi** anything
**impôts** *m. pl.* taxes
**inclure\*\*** to include
**indépendant(e)** independent
**indiquer** to indicate
**infliger\*** to inflict; to impose
**infirmier/ière** *m./f.* nurse
**informations** *f. pl.* news
**informatique** *f.* information technology,
  computer science
**informer** to inform
**ingénieur** *m.* engineer
**injustice** *f.* injustice
**injuste** unjust
**inquiet(-iète)** worried
**s'inscrire\*\*** to enrol, join
**s'inquiéter\*** to worry
**inscription** *f.* inscription
**insister** to insist
**s'installer** to settle (down)
**instituteur/institutrice** *m./f.* primary school
  teacher
**insupportable** unbearable
**intention** *f.* intention
**interactif(-ive)** interactive
**interdire à** to forbid
**interdit(e)** banned; prohibited
**intéressant(e)** interesting
**s'intéresser à** to be interested in
**intérêt** *m.* interest
**international(e)** international
**internaute** *m./f.* internet surfer
**interroger\*** to question
**interviewer** to interview
**intime** intimate
**inutile** useless
**inventer** to invent
**inverse: à l'inverse** conversely
**invité/invitée** *m./f.* guest

**Irlande** *f.* Ireland
**irlandais(e)** Irish
**isoler** to insulate
**ivre** drunk
**ivresse** drunkenness

**J**

**jamais: ne... jamais** never
**jambe** *f.* leg
**jambon** *m.* ham
**jardin** *m.* garden
**jardinage** *m.* gardening
**jaune** yellow
**jean** *m.* jeans
**jeter\*** to throw
**jeu** *m.* (**jeux** *pl.*) game; **jeux informatiques**
  computer games
**jeudi** *m.* Thursday
**jeune** young
**jeûne** *m.* fast(ing)
**jeûner** to fast
**joie** *f.* joy
**joindre\*\*** to join
**joli(e)** pretty, attractive
**jouer** to play
**journée** *f.* day
**jour** *m.* day; **tous les jours** every day
**journal** *m.* newspaper
**juif/juive** Jewish
**jumeau/jumelle** *m./f.* twin
**jupe** *f.* skirt
**jus** *m.* juice
**jusqu'à** until; up to; as far as
**juste** fair, just; right
**justifier** justify

**L**

**là** there; **là-bas** over there
**laboratoire** *m.* laboratory
**lac** *m.* lake
**laid(e)** ugly
**en laine** in wool, woollen
**laisser** to leave
**laisser tomber** to drop
**laitière: industrie laitière** dairy industry
**lapin** *m.* rabbit
**se laver** to wash oneself
**lèche-vitrine** *m.* window-shopping
**lecteur/lectrice** *m./f.* reader
**lecture** *f.* reading
**légende** *f.* legend; key
**légume** *m.* vegetable
**lendemain** *m.* the next day; the day after
**lentilles** *f. pl.* contact lenses
**lequel, laquelle, lesquels, lesquelles?**
  which (one)?
**lettre** *f.* letter
**lettre** *f.* **de candidature manuscrite** letter
  of application
**leur(s)** their
**lever: lever du soleil** *m.* sunrise
**se lever\*** to get up; to stand up
**liberté** *f.* liberty
**libre** free
**lien** *m.* link; bond; tie
**lieu** *m.* place; **au lieu de** instead of
**lire\*\*** to read
**lit** *m.* bed; **lits superposés** bunk beds
**livre** *m.* book
**livrer** to deliver

**loin (de)** far (from)
**loisir: heures** *f. pl.* **de loisir** free time
**long(-ue)** long
**lorsque** when
**lot** *m.* type; sort; prize; **le gros lot** the
  jackpot
**louer** to rent; hire
**loyal(e)** loyal
**lundi** *m.* Monday
**lunettes** *f. pl.* glasses, spectacles
**lutter** to fight, struggle
**lycéen/-enne** *m./f.* pupil (*at secondary
  school*)
**lycée** *m.* secondary school

**M**

**mâcher** to chew
**mademoiselle** *f.* miss
**magasin** *m.* shop; **faire des magasins** to
  go shopping
**maigre** (*very*) thin, skinny
**maigrir** to slim
**main** *f.* hand; **la main dans la main** hand
  in hand
**maintenant** now
**maintenir\*\*** to keep; maintain
**mairie** *f.* town hall
**mais** but
**maison** *f.* house
**mal** badly; **pas mal** not bad; **pas mal de**
  lots of; **mal** (*pl.* **maux**) **de tête** headache
**maladroit(e)** clumsy
**malheureusement** unfortunately
**malin (maligne)** nasty, evil
**maltraité(e)** badly treated, abused
**mandater** to appoint, nominate
**manège** *m.* roundabout, fair ride
**mannequin** *m.* model
**manquer** to miss; to be missing
**manteau** *m.* coat
**manuel** *m.* textbook
**se maquiller** to put make up on
**marché** *m.* market
**mardi** *m.* Tuesday
**mariage** *m.* marriage
**se marier** to get married
**marrant(e)** funny
**marre: j'en ai marre** I'm fed up with it
**marron** brown
**match** *m.* (*football*) match
**maternelle** *f.* pre-school, kindergarten
**matière** *f.* (**scolaire**) (school) subject
**matin** *m.* morning
**matinée** *f.* morning; **faire la grasse
  matinéé** to have a lie-in
**maussade** gloomy
**mauvais(e)** bad
**mec** *m.* bloke, guy
**mécanicien** *m.* mechanic
**méchant(e)** nasty; vicious
**médecin** *m.* doctor
**médicament** *m.* medicine
**mégot** *m.* cigarette end, fag end
**meilleur(e)** better
**mélange** *m.* mixture
**mélanger\*** to mix
**membre** *m.* member
**même** even; same; **quand même** all the
  same
**menacer** to threaten

**ménage** *m.* housework; **femme** *f.* **de ménage** cleaning lady, domestic help
**ménagère** *f.* housewife
**mendier** to beg
**mener*** to lead
**menteur/-euse** *m./f.* liar
**mentir**** to lie
**merci** thank you
**mercredi** *m.* Wednesday
**mère** *f.* **aubergiste** youth hostel warden (*female*)
**mériter** to deserve
**messe: aller à la messe** to go to mass
**mesurer** to measure
**météo** *f.* weather forecast
**métier** *m.* job, profession
**mettre**** to put; to put on;
**meuble** *m.* (a piece of) furniture
**mie: pain de mie** *m.* sandwich bread, sliced bread
**mieux** better; **le mieux** best
**mignon(ne)** sweet, cute
**mil** *m.* millet
**mijoté(e)** simmered, cooked slowly
**milieu: au milieu de** in the middle of
**mince** thin, slim
**minuit** *m.* midnight
**miroir** *m.* mirror
**mobilier** *m.* furniture
**moche** ugly
**mode** *f.* fashion
**moi** me
**moins** less; **moins grand(e)** smaller; **au moins** at least; **moins de** less than
**mois** *m.* month
**moment** *m.* moment
**monde** *m.* world; **tout le monde** everyone; **beaucoup de monde** lots of people
**monsieur** *m.* Mr; sir
**montagne** *f.* mountain
**montrer** to show
**monument** *m.* monument
**se moquer de** to make fun of
**moquette** *f.* (fitted) carpet
**morceau** *m.* piece
**mordu/mordue** *m./f.* fan, enthusiast
**mort(e)** dead
**mosquée** *f.* mosque
**mot** *m.* word
**moto** *f.* motorbike
**moyen(ne)** average
**mourir** to die
**mur** *m.* wall
**mûr(e)** ripe, mature
**musée** *m.* museum
**musique** *f.* music
**musulman(e)** Moslem
**myope** short-sighted

## N

**nager*** to swim
**naître**** to be born
**natation** *f.* swimming
**nationalité** *f.* nationality
**nature** *f.* nature
**nautique: les sports nautiques** water sports
**ne ... jamais** never
**ne ... que** only
**ne ... rien** nothing
**né(e)** born

**nécessaire** necessary
**neige** *f.* snow
**neiger*** to snow
**nerveux(-euse)** touchy, highly-strung
**nettoyage** *m.* cleaning
**nettoyer*** to clean
**neveu** *m.* nephew
**nez** *m.* nose
**ni: ni... ni** neither... nor...
**nièce** *f.* niece
**niveau** *m.* level; standard
**nocturne** *f.* late night opening
**Noël** *m.* Christmas
**noir(e)** black
**noisette** *f.* hazel-nut
**nom** *m.* name; **nom** *m.* **de famille** surname
**nombre** *m.* number
**nombreux(-euse)** numerous, many; **famille** *f.* **nombreuse** large family
**nommer** to name
**nord** *m.* north
**normalement** normally
**noter** to note; take notice of
**notes** *f. pl.* marks
**se nourrir** to feed oneself
**nourriture** *f.* food
**nouveau (nouvelle)** new; **à/de nouveau** again
**nouvelles** *f. pl.* news
**nuage** *m.* cloud
**nuageux(-euse)** cloudy
**nul(le)** useless
**numéro** *m.* **de téléphone** telephone number

## O

**objet** *m.* object
**obligatoire** obligatory
**obliger*** to compel; to oblige
**obtenir**** to obtain
**s'occuper de** to take charge of, deal with
**odieux(-euse)** hateful
**oeuf** *m.* egg
**offrir**** to offer; give
**oie** *f.* goose
**oiseau** *m.* bird
**ombragé(e)** shaded, shady
**ordinateur** *m.* computer
**ordre: en bon ordre:** tidy
**ordures** *f. pl.* rubbish
**orthographe** *f.* spelling
**oser** to dare
**où** where
**oublier** to forget
**ouest** *m.* west
**ouvert(e)** open
**ouverture: les heures d'ouverture** opening times
**ouvrier/ouvrière** *m./f.* worker

## P

**pain grillé** *m.* toast
**paire** *f.* pair
**panneau** *m.* sign
**pantalon** *m.* trousers
**pantoufles** *f. pl.* slippers: **un sportif en pantoufles** an armchair sportsman
**papier peint** *m.* wallpaper
**papillon** *m.* butterfly
**paquebot** *m.* (river) steamer

**paquet** *m.* parcel
**par** by
**paralyser** to paralyse
**pare-brise** *m.* windscreen
**pareil(le)** the same, alike
**parent** *m./f.* relation, relative; **les parents** parents
**paresseux(-euse)** lazy
**parfois** sometimes
**parfum** *m.* flavour
**parler** to speak
**à part ça** apart from that
**partager*** to share
**partenaire** *m./f.* partner
**participer** to take part
**particulier: des leçons particulières** private tuition
**particulièrement** particularly
**partir** to leave; **à partir de** from
**partout: un peu partout** all over the place, everywhere
**pas: ne pas** not
**passer** to pass; to spend (*time*); to take (*exams*); **qu'est-ce qu'on passe?** what's on? (*TV/cinema*)
**se passer** to happen
**passionnant(e)** exciting
**se passionner de** to have a passion for
**passe-temps** *m.* pastime, hobby
**patin** *m.* **à glace** ice skate; ice-skating;
**patin** *m.* **à roulettes** roller skate; roller-skating
**patin** *m.* **en ligne** rollerblade; roller-blading
**patinage** *m.* skating
**patinoire** *f.* skating rink
**pavillon** *m.* house
**payer*** to pay
**pays** *m.* country; **voir du pays** to see a bit of the world
**paysage** *m.* countryside
**peau** *f.* skin
**pêche** *f.* fishing
**pécuniaire** financial
**se peigner** to comb one's hair
**peine** *f.* trouble; sadness
**pellicule** *f.* film
**pendant** during; **pendant que** while
**pendule** *f.* clock
**pénible** hard, tiring
**penser de** to think of
**pension** *f.* **complète** full board
**perdre** to lose
**père** *m.* **aubergiste** youth hostel warden (*male*)
**perfectionner** to perfect
**permettre**** to permit
**personnalité** *f.* personality
**personne** *f.* person
**persuader** to persuade
**peser*** to weigh
**perte** *f.* loss, lost item
**petit(e)** small; short
**petit déjeuner** *m.* breakfast
**petit ami/petite amie** *m./f.* boyfriend/girlfriend
**peu** *m.* little
**peur: avoir peur de** to be frightened of
**peut-être** perhaps
**phare** *m.* headlight
**pharmacien/-ienne** *m./f.* chemist

**photo** *f.* photo
**phrase** *f.* sentence
**physionomie** *f.* face
**physique** *f.* physics
**pièce** *f.* room; play; coin
**pied** *m.* foot; **à pied** on foot
**pierre: en pierre** in stone
**piéton/-nne** *m./f.* pedestrian
**pile** *f.* battery; **pile ou face** heads or tails;
  **jeter à pile ou face** to toss a coin
**pilote** *m.* pilot
**piquer** to sting, bite (*insect*); to nick, pinch
**pire: le pire** the worst thing, part
**piscine** *f.* swimming pool
**pistache** *f.* pistachio
**piste cyclable** *f.* cycle lane
**place** *f.* square
**plage** *f.* beach
**se plaindre\*\*** to complain
**plaire\*\*** to please
**plaisir** *m.* pleasure
**planche** *f.* **à voile** wind-surfing
**plancher** *m.* floor
**plat de résistance** *m.* main course
**plats chauds** *m. pl.* hot meals
**plein(e)** full; **en plein air** in the open air;
  **plein de** lots of; **en pleine campagne**
  right out in the country; **faire le plein** to
  fill up (*the tank*)
**pleurer** to cry
**pleuvoir\*\*** to rain
**plombier** *m.* plumber
**plongée** *f.* **sous-marine** diving
**pluie** *f.* rain
**plupart** *f.* **de** most
**plus: en plus** more; **ne ... plus** no more;
  no longer
**plusieurs** several
**plutôt que** rather than
**pluvieux(-euse)** rainy
**pneu** *m.* tyre
**poids: prendre du poids** to put on weight
**poids** *m.* **lourd** lorry, heavy goods vehicle
**poil** *m.* fur; (*dog's*) coat
**point** *m.* point; mark
**poisson** *m.* fish
**poli(e)** polite
**policier** *m.* policeman
**pollution** *f.* pollution
**polyvalent(e)** multi-purpose
**pompier** *m.* firefighter
**pont** *m.* bridge
**populaire** popular
**port** *m.* **de plaisance** port; marina
**porte** *f.* door
**porter** to wear; carry
**se porter: se porter candidat(e)** to apply
  (for job, etc.)
**portique** *f.* climbing frame
**poser** to ask
**posséder\*** to possess
**pot: prendre un pot** to have a drink
**possibilité** *f.* possibility
**poubelle** *f.* rubbish bin, dustbin
**poule** *f.* hen
**poumons** *m. pl.* lungs
**portable** *m.* mobile phone
**poupée** *f.* doll
**pour** for
**pourboire** *m.* tip

**pourquoi?** why?
**pourriez-vous?** could you?
**poursuivre\*\*** to pursue; continue with
**poussette** *f.* pushchair
**pouvoir\*\*** to be able, can
**pratique** handy, convenient
**pratiquer** to do, go in for (*sport*)
**se précipiter** to rush
**préférence** *f.* preference; **de préférence**
  preferably
**préférer\*** to prefer
**premier(-ière)** first
**prendre\*\*** to take
**prénom** *m.* first name
**préparer** to prepare
**près de** near
**présentation** *f.* introduction
**présenter** to introduce
**presque** almost
**pressé(e)** urgent; in a hurry
**pressing** *m.* dry-cleaner's
**prêt(e)** ready
**prêter** to lend
**prévoir\*\*** foresee; forecast; plan for
**prise** *f.* **d'eau** water point, tap
**privé(e)** private
**se priver de** to do without
**prix** *m.* prize; price
**problème** *m.* problem
**prochain(e)** next
**prof** *m./f.* F. teacher
**professeur** *m.* teacher
**profiter (de)** to take advantage (of)
**projets** *m. pl.* plans
**promenade** *f.* walk; **promenades à vélo**
  bike rides
**se promener\*** to go for a walk
**proposer** to propose
**propre** clean; own
**propreté** *f.* cleanliness
**en province** in the suburbs
**proximité: à proximité** nearby
**prudent(e)** sensible, wise
**public** *m.* public
**publicité** *f.* advertising; publicity
**puis** then
**puisque** since; as
**pull** *m.* jumper
**punir** to punish
**punition** *f.* punishment
**punition** *f.* **corporelle** corporal punishment

**Q**

**quai** *m.* platform
**qualifié(e)** qualified
**qualité** *f.* quality
**quand même** just the same
**quand?** when?
**quant à** as for
**quartier** *m.* neighbourhood
**que** whom, which, that; **ne ... que** only
**quel(s)/quelle(s)** what, which
**quelqu'un; quelques-uns** someone/
  somebody; some
**quelquefois** sometimes
**quelque part** somewhere
**question** *f.* question
**qui** who
**quincaillerie** *f.* hardware shop
**quitter** to leave

**quoi?** what?

**R**

**raccourcir** to shorten
**raconter** to tell, relate
**radin(e)** stingy, tight-fisted
**radio** *f.* radio
**raide** straight; narrow
**raison** *f.* reason; **avoir raison** to be right
**raisonnable** reasonable
**râler** to moan; protest
**ramener\*** to bring back; to take back
**randonnée** *f.* **(pédestre)** walk, hike
**ranger** to tidy (up)
**rangé(e); bien rangé(e):** tidy; **mal rangé(e)**
  untidy
**râpé(e)** grated
**rapidement** quickly
**rapport** *m.* connection; **rapports** *m. pl.*
  relations
**rapporter** to bring back
**rarement** rarely
**ras-le-bol: en avoir ras-le-bol** F. to be fed
  up with
**se raser** to shave
**rat** *m.* rat
**rayé(e)** striped
**rayon** *m.* department; shelf
**réagir** to react
**réalité** *f.:* **en réalité** in reality
**réanimation** *f.:* **en réanimation** in intensive
  care
**récent(e)** recent
**recevoir\*\*** to receive
**recherché(e)** in great demand
**récit** *m.* story, account
**récréation** *f.* break; recreation
**récupérer\*** to fetch, pick up
**rédiger\*** to draw up
**redoubler** to repeat school year
**regarder** to look at
**régime** *m.* diet
**région** *f.* region
**règle** *f.* rule
**règlement** *m.* regulation
**régner\*** to reign, rule
**regretter** to regret
**relever\*** to pick up
**remettre\*\*** to put back
**remonter** to go/come (back) up again
**remplir** to fill (in, up)
**se rencontrer** to meet one another
**rendez-vous** *m.* meeting; appointment
**rendre** to give back, hand in; **rendre visite**
  to pay a visit
**se renseigner** to make inquiries, ask for
  information
**renseignements** *m. pl.* information
**rentrer** to go/come back
**renvoyer\*** to expel
**répandu(e)** widespread
**réparation** *f.* repair
**réparer** to repair
**repas** *m.* meal
**repasser** to iron
**répondeur: répondeur automatique** *m.*
  answering machine
**répondre** to reply
**se reposer** to have a rest
**réserver** to reserve

**résidence** *f.* residence; block of flats
**se ressembler** to look alike
**ressentir\*\*** to feel, experience
**restaurant** *m.* restaurant
**reste: le reste de** *m.* the rest of
**rester** to stay
**résultat** *m.* result
**retapisser** to redecorate
**retard: en retard** late
**retardataire** *m./f.* latecomer
**retenir\*\*** to reserve
**retenue** *f.* detention; **mettre en retenue** to put into detention
**retourner** to return
**retraité(e)** retired
**retraite** *f.* retirement
**retrouver** to find
**se retrouver** to meet (up) again
**se réunir** to meet together
**réussir** to succeed
**en revanche** on the other hand
**rêve** *m.* dream
**réveil** *m.* alarm clock
**se réveiller** to wake up
**réveillonner** to celebrate (with a dinner and a party)
**revendiquer** to claim
**revenir\*\*** to return
**rêver** to dream
**rez-de-chaussée** *m.* ground floor
**rideau** *m.* curtain
**rien: ne... rien** nothing
**rigoler** to laugh; have some fun
**rigolo(-otte)** funny
**rigueur: être de rigueur** to be the rule
**rimmel** *m.* mascara, eye make-up
**rire\*\*** to laugh
**risquer** to risk
**rive** *f.* (river) bank
**rivière** *f.* river
**RN = route** *f.* **nationale** 'A' road, main road
**robe** *f.* dress
**robinet** *m.* tap
**rôle** *m.* role
**roman** *m.* novel
**romantique** romantic
**rompre** to break
**rond-point** *m.* roundabout
**rose** pink
**rôtisserie** *f.* grill-room
**rougir** to blush
**rouillé(e)** rusty, rusted
**rouspéter\*** to moan, grumble
**rousseur: les taches** *f. pl.* **de rousseur** freckles
**route** f. road; **route nationale** main road
**routier** *m.* lorry driver
**routière: gare** *f.* **routière** bus/coach station
**routine** *f.* **journalière** daily routine
**roux (rousse)** ginger, red (*hair*)
**rubrique** *f.* heading
**rue** *f.* street

**S**

**sage** good (well-behaved)
**sain(e)** healthy
**saison** *f.* season
**salade** *f.* salad; lettuce
**salaire** *m.* salary
**sale** dirty

**salle** *f.* room; auditorium (*cinema, etc.*)
**salle** *f.* **à manger** dining room
**salle** *f.* **de bains** bathroom
**salle** *f.* **d'exposition** showroom
**salon** *m.* lounge, sitting room
**salopette** *f.* dungarees
**salut!** hi (there)!
**samedi** *m.* Saturday
**sanction** *f.* sanction, punishment
**sans** without
**sans-plomb** lead-free (*petrol*)
**sans-abri** *m.* homeless person
**santé** *f.* health
**satisfaisant(e)** satisfying
**sauf** except
**sauter** to jump, skip (meals); **sauter à la corde** to skip
**savane** *f.* savannah
**savoir\*\*** to know; to know how to, be able to
**schéma** *m.* diagram
**scolaire** school; **autobus** *m.* **scolaire** school bus
**SDF** *m./f.* **(Sans Domicile Fixe)** homeless person
**sec (sèche)** dry
**sèche-cheveux** *m.* hair-dryer
**sécher\*** to dry
**secours** m.: **au secours** help
**secrétaire** *m./f.* secretary
**séduisant(e)** attractive
**séjour** *m.* stay
**sélectionner** to select
**selon** according to
**semaine** *f.* week; **en semaine** during the week, on weekdays
**sembler** to seem
**sensé(e)** sensible
**sensible** sensitive; noticeable
**sentier** *m.* (foot)path
**sentir\*\*** to smell; to feel
**séparer** to separate
**sérieux(-euse)** serious
**serpent** *m.* snake
**serré(e)** tight; tightly
**serre** *f.* greenhouse
**serveur/-euse** *m./f.* waiter/waitress
**se servir\*\*** to serve, help oneself
**seuil** *m.* threshold
**sève** *f.* sap
**signaler** to indicate, report
**seul(e)** alone; only; on one's own
**seulement** only
**sida** *m.* AIDS
**siècle** *m.* century
**siège** *m.* seat
**sincère** sincere
**sinon** if not, otherwise
**situation** *f.* situation; **situation familiale** marital status
**ski** *m.* skiing
**ski** *m.* **nautique** water-skiing
**snob** *m./f.* snob
**sœur** *f.* sister
**soigner** to look after
**soin: prendre soin de** to look after
**soir** *m.* evening
**soirée** *f.* evening
**soit** that is to say
**soit... soit...** either... or...

**solaire** solar
**soleil** *m.* sun
**sommeil** *m.* sleep
**somnifère** *m.* sleeping tablet
**sondage** *m.* opinion poll, survey
**sondés** *m. pl.* people questioned in a survey
**sonner** to ring
**sorte** *f.* sort; kind
**sortie** *f.* outing; way out, exit
**sortir\*\*** to go out
**se soucier de** to care about
**soudain** suddenly
**souhaiter** to wish
**souiller** to soil, dirty
**soulier** *m.* shoe
**souligner** to underline; highlight
**sourcil** *m.* eyebrow
**souris** *f.* mouse
**sous** under
**sous-sol** *m.* basement
**soutien** *m.* support
**souvent** often
**sparadrap** *m.* bandage
**spectacles** *m. pl.* shows; entertainment
**sport** *m.* sport
**sportif(-ive)** sporty
**stabilité** *f.* stability
**stade** *m.* stadium
**stage** *m.* course
**stationner** to park
**stressé(e)** stressed
**strict(e)** strict
**studio** *m.* studio; studio flat; bedsitter
**style** *m.* style
**substantif** *m.* noun
**sucreries** *f. pl.* sweet things
**sud** *m.* south
**suffit: ça suffit!** that's enough!
**suisse** Swiss
**suite: tout de suite** at once, immediately; **par la suite** afterwards
**suivant(e)** following; next
**suivre\*\*** to follow
**sujet: au sujet de** about
**supermarché** *m.* supermarket
**supplice: un vrai supplice** absolute torture
**supporter** to tolerate, bear
**supprimer** to abolish, do away with
**sur** on
**sûr: bien sûr** of course
**surtout** especially, above all
**surveiller** to look after, keep an eye on
**sweat** *m.* sweatshirt
**sympa(thique)** nice, pleasant, friendly, likeable
**Syndicat d'Initiative** *m.* tourist information office
**système** *m.* system

**T**

**table** *f.* **de chevet** bedside table
**tableau** *m.* grid, table
**tache** *f.* **de rousseur** freckle
**tâche** *f.* task; job
**taggeur** *m.* graffiti artist, vandal
**taille** *f.* height; **de taille moyenne** of medium build
**talon** *m.* heel
**tandis que** whereas
**tant pis!** never mind! too bad!

**tant** so much
**tant de** so much, many
**tante** *f.* aunt
**taper** to type
**tapis** *m.* carpet
**tapisser** to wallpaper
**taquiner** to tease
**tard** late; **plus tard** later
**tas** *m.* pile, heap; **un tas de** lots of
**taux de change** *m.* exchange rate
**technicien/-ienne** *m./f.* technician
**technologie** *f.* technology
**tel(-le)** such
**télé(vision)** *f.* television
**téléphoner** to telephone
**télévisé(e)** televised
**tellement** so
**temps** *m.* weather; time; **à temps** in time;
  **de temps en temps** from time to time
**temps** *m.* **libre** free time, spare time
**tendre** tender
**tenir**\*\* to hold
**tenir**\*\* **compte de** to take into account
**tenter** to tempt
**tenue** *f.* dress; clothes
**terminer** to finish, end
**terrain** *m.* plot, piece of land, site;
**terrain** *m.* **de foot** football pitch
**terrain** *m.* **de sport** sports field
**terrain** *m.* **de tennis** tennis court
**terrasse** *f.* terrace
**terre** *f.* earth; ground; **par terre** on(to) the
  ground, floor
**théâtre** *m.* theatre
**tigre** *m.* tiger
**tilleul** *m.* lime-blossom tea
**timide** timid; shy
**tiroir** *m.* drawer
**tisane** *f.* herb(al) tea
**toboggan** *m.* slide
**toilettes** *f. pl.* toilets
**tonnerre** *m.* thunder
**tort: avoir tort** to be wrong
**tortue** *f.* tortoise
**tôt** early
**toucher** to touch
**toujours** still; always
**toupie** *f.* top
**tour** *m.* turn; tour
**tourner** to turn
**tout, toute, tous, toutes** all; every;
**tout à l' heure** a short while ago, later on;
**tout de suite** immediately;
**tous les deux** both of them; **pas du tout**
  not at all
**toxicomanie** *f.* drug addiction
**tradition** *f.* tradition
**traducteur/-trice** *m./f.* translator

**traduire**\*\* to translate
**trahir** to betray
**train: en train de** in the middle of ... -ing
**traîner** to hang about
**trait** *m.* trait; feature
**traiter** to treat
**tranquille** quiet, calm
**tranquillité** *f.* tranquillity; quiet
**transport** *m.* transport(ation); **les
  transports en commun** public transport
**travail** *m.* work
**travailler** to work
**travailleur(-euse)** hard-working
**traverser** to cross
**trentaine** *f.* about thirty
**très** very
**tribu** *m.* tribe
**trimestre** *m.* term
**se tromper** to make a mistake
**trop (de)** too much
**trottoir** *m.* pavement
**trouver** to find
**se trouver** to be situated
**truc** *m.* F. thing
**tube** *m.* hit song, hit record
**typique** typical

**U**

**uniforme** *m.* uniform
**union** *f.* union
**unique: fils/fille/enfant unique** only son,
  daughter, child
**université** *f.* university
**usine** *f.* factory
**utiliser** to use

**V**

**vacances** *f. pl.* holidays; **grandes vacances**
  summer holidays
**vacarme** *m.* noise; racket
**vachement** damned
**vaisselle** *f.* crockery; **faire la vaisselle** to
  do the washing up
**valeur** *f.* value
**vaniteux(-euse)** vain
**variable** changeable; variable
**variété** *f.* variety
**vedette** *f.* star (popstar)
**véhicule** *m.* vehicle
**vélo** *m.* bicycle; **vélo tout-terrain** mountain
  bike
**vendeur(-euse)** shop assistant, sales
  assistant
**vendre** to sell
**vendredi** *m.* Friday
**venir**\*\* to come
**vent** *m.* wind
**véranda** *f.* sunroom

**verdure** *f.* parkland
**verglas** *m.* (black) ice
**vérifier** to check
**vérité** *f.* truth
**vernis à ongles** *m.* nail varnish
**vers** towards; **vers 3 heures** at about 3
  o'clock
**verser** to pour; to pay in, deposit (*money*)
**verso: au verso** on the back
**vert(e)** green
**veston** *m.* jacket
**vêtements** *m. pl.* clothes
**veuve** *f.* widow
**vider** to empty
**vie** *f.* life
**vieillard** *m.* old man
**vieux (vieille)** old
**vif (vive)** lively
**village** *m.* village
**ville** *f.* town
**vin** *m.* wine
**viol** *m.* rape
**visage** *m.* face
**visiter** to visit
**vite** quick; quickly
**vitrine** *f.* shop window
**vivant(e)** lively
**vivre**\*\* to live
**voile** *f.* sail; **faire de la voile** to go
  sailing
**voir**\*\* to see
**voiture** *f.* car; carriage; **une voiture
  d'enfant** pram
**voix** *f.* voice
**voudrais: je voudrais** I would like
**vouloir**\*\* to want
**voyager**\* to travel
**voyant(e)** bright, garish (*colours*)
**voyou** *m.* yob, tearaway
**vrai(e)** true, correct, right
**vraiment** really
**VTT** *m.* mountain bike
**vue** *f.* view

**W**

**week-end** *m.* weekend

**Y**

**y** there; **y compris** including
**yeux** *m. pl.* eyes

**Z**

**zone piétonne** *f.* pedestrian zone